초음파탐상검사

한국비파괴검사학회

한치현, 박익근 共著

NODE MEDIA
노드미디어

| 머리말 |

1960년대 초에 도입되어 반세기의 역사를 지니고 있는 우리나라의 비파괴검사 기술은 원자력 발전설비, 석유화학 플랜트 등 거대설비·기기들에서부터 반도체 등의 소형 제품에 이르기까지 검사 적용대상도 다양해져 이들 제품의 안전성 및 품질보증과 신뢰성 확보를 위한 핵심 요소기술로서의 중심적인 역할을 분담하게 되었다.

특히 한국비파괴검사학회의 활동 중 비파괴검사기술자의 교육훈련 및 자격인정 분야에서는 그 동안 꾸준한 활동으로 산·학·연에 종사하는 많은 비파괴검사기술자를 양성하였고, ASNT Level III 자격시험의 국내 유치, KSNT Level II 과정의 개설을 위시하여 최근에는 ISO 9712에 의한 국제 표준 비파괴검사 자격시험의 도입을 준비 중에 있다.

이에 학회에서는 비파괴검사기술자들의 교육 및 훈련에 기본 자료로 활용하는 것뿐만 아니라 비파괴검사 분야에 입문하는 분들이 비파괴검사를 체계적으로 이해하고 관련 실무지식을 체득할 수 있는 비파괴검사 이론 & 응용을 각 종목별로 편찬 보급하고 있다. 이 교재는 1999년도에 초판으로 발행된 비파괴검사 자격인정교육용 교재 3(초음파탐상검사)의 개정판이다.

책은 마음의 양식이요 지식의 근본이라 했다. 지식정보화의 시대를 살아가는데 지식은 미래의 값진 삶을 지향하기 위한 원천이다. 특히 전공 교재는 특정 영역의 체계적이고 가치 있는 내용을 담고 있는 지식의 근원이요 터전이다

본 비파괴검사 이론 & 응용은 비파괴검사 분야에 입문하는 자 및 산업체의 품질보증 관련 업무에 종사하는 초·중급 기술자는 물론 고급기술자 모두가 필수적으로 알아야 할 비파괴검사 기술의 개요와 타 전문 분야와의 연관성 등에 한정하여 기술하고 있다. 아울러 이 교재에서는 현재 산업 현장에서 적용이 시도되고 있거나 연구개발 중에 있는 각종 첨단 비파괴검사 방법의 종류와 특징도 소개하고 있다

끝으로 본 교재의 출판에 도움을 주신 노드미디어(구. 도서출판 골드) 사장님과 자료 및 교정에 협조하여 준 서울과학기술대학교 비파괴평가연구실의 김용권 박사와 대학원생들에게 심심한 사의를 표하는 바이다.

2011년 10월
저자 씀

| 목차 |

CONTENTS

제 5 장 ─ 초음파탐상검사의 기본

제 6 장 — 결함의 평가

제 7 장 — 초음파탐상검사의 적용과 실제

제 8 장 — 새로운 초음파탐상 기술

제 9 장 ― 품질보증과 기술문시

기 타 ─ 찾아보기

제 1 장 초음파탐상검사의 개요

1.1 개요

초음파(***ultrasonic wave***)란 귀로 들을 수 있는 음파(주파수 20 Hz ~ 20 kHz)보다 높은 주파수 성분을 갖는 음파를 말한다. 초음파는 전자파와 비교하면 속도가 늦기 때문에 수 MHz 정도의 높은 주파수를 사용하므로써 비교적 파장이 짧고 파의 직선성도 좋아지고 분해능도 좋은 파를 만들 수 있다.

초음파는 다음과 같은 특이한 성질을 가지고 있기 때문에 비파괴검사에 활용되고 있다. ① 파장이 짧다. 초음파탐상에 사용하는 초음파의 파장은 수㎜이다. 따라서 지향성이 예리하며 빛과 비슷하여 직진성을 갖는다. ② 탄성적으로 기체·액체·고체의 성질이 음향적으로 현저히 다르기 때문에 초음파는 액체와 고체의 경계면에서 반사, 굴절, 회절하는 성질이 있다. 따라서, 결함과 같은 불연속부에서 잘 반사하고 결함검출을 가능하게 된다. ③ 고체 내에서 잘 전파한다. 물질 내에서 초음파의 전파속도는 초음파가 전달되는 물질의 종류와 초음파의 종류에 의해 결정된다. ④ 원거리에서 초음파빔은 확산에 의해 약해진다.

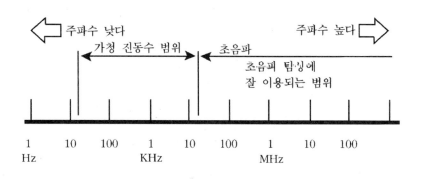

〔그림 1.1〕 초음파의 주파수

⑤ 재료에 따라 결정입계면에서 초음파가 산란에 의해 약해진다. ⑥ 고체 내에서는 종파 및 횡파의 2종류의 초음파가 존재하며 이들은 서로 모드변환을 일으킨다.

또한, 초음파는 재료내부를 전파하면서 재료내부 조직의 영향을 받기 때문에 방사선과 같이 재료내부를 평가할 수 있다. 이러한 성질들을 이용해서 의료진찰, 공업재료 탐상·물성평가, 어군 탐지기 등의 검사·탐상, 탄성표면파소자를 중심으로 하는 전자·통신부품 및 초음파 에너지를 이용한 초음파 가공·세정 등에 초음파가 널리 사용되고 있다. 측정방법 및 대상에 따라 고감쇠재의 측정이나 음향방출의 측정에는 1 MHz 이하, 일반강의 탐상에는 2 ~ 10 MHz 정도, 수침법에 의한 음향영상 계측에는 50 MHz 이하, 초음파현미경에서는 500 MHz 이상의 주파수가 각각 이용되고 있다.

1.2. 초음파탐상검사의 원리

초음파탐상검사(***ultrasonic testing; UT***)는 초음파가 가지고 있는 물리적 성질을 이용하여 시험체 중에 존재하는 결함을 검출하고, 검출한 결함의 성질과 상태를 조사하는 비파괴검사이다. 초음파에 의한 비파괴평가기술은 원자력 발전설비, 석유화학 플랜트 등 거대설비·기기의 건전성(***integrity***) 및 신뢰성 확보와 잔존수명 예측기술로 그 적용범위가 확대되어 가고 있다. 초음파비파괴검사 기술은 파괴시험이나 다른 비파괴검사 기술에 비해 간편한 측정, 높은 측정 정밀도, 검사결과 도출의 신속성, 검사비용의 절감 등 많은 장점을 가지고 있다. 초음파탐상검사는 철강 재료나 그 용접부의 비파괴검사방법으로 압력용기나 건축철골 등의 구조물에 주로 적용되고 있다. 철강재료 이외에 신소재로 주목받고 있는 세라믹이나 섬유강화 플라스틱(***fiber reinforced plastics; FRP***)등 첨단재료의 초음파에 의한 재료평가(***materials evaluation***)등에 적용될 때는 초음파 비파괴평가(***ultrasonic nondestructive evaluation; UNDE***)라는 용어가 많이 사용되고 있다.

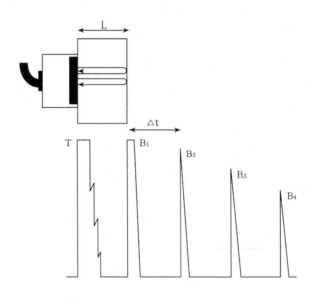

〔그림 1.2〕 펄스반사법의 원리

재료 내부에 초음파펄스를 입사시킬 때 반사파(이하 에코라고 한다)의 거동을 수신기의 브라운관상에 도식적으로 나타내면 그림 1.2와 같다. 재료 내부에 홈(***flaw***) 등의 반사원이 없으면, 송신펄스의 저면 반사파(***backwall echo***)는 표면·저면에서 반사를 반복하기 때문에 여러 개의 저면에코만 관찰된다. 재료 내부의 음속 C가 일정하다고 가정하면, 저면에코의 시간간격 $\triangle t$는 빔진행거리 $2L$을 전파하는데 필요한 시간이고, $C = 2L/\triangle t$의 관계가 있다. 시험체의 판두께 L을 모르는 경우, 시험체의 음속(**velocity**)을 알고 있으면 $\triangle t$를 측정함으로써 L을 구할 수 있다. 반대로 시험체 두께 L을 알고 있을 때는 $\triangle t$를 측정함으로써 음속 C를 구할 수 있다.

초음파가 물체 내부를 전파할 때, 전파과정에서 에너지가 손실되기 때문에 수신강도는 저하한다. 이론적으로는 $2L$의 전파에 대한 초음파의 크기 저하는 단위 길이로 나타내고, 감쇠계수(**attenuation coefficient**)를 측정할 수 있다. 음속이나 감쇠는 재료의 기본 물성치로써 재료의 종류, 상태에 의존하기 때문에 이러한 측정값의 변화로 조직이나 기계적 성질 등을 평가할 수 있다.

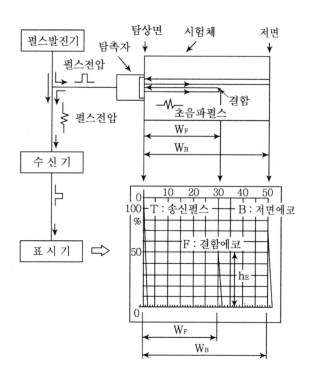

〔그림 1.3〕 초음파 탐상기의 동작원리와 빔 진행거리

초음파탐상검사의 원리는 그림 1.3과 같이 탐촉자로부터 보통 1 ~ 10 MHz의 초음파펄스를 시험체에 입사시켰을 때 내부에 결함이 있으면 그곳에서 반사되어 되돌아오는 초음파 (에코)가 탐촉자에 수신되는 원리를 이용하여 주로 내부결함의 위치 및 크기 등을 비파괴적으로 조사하는 결함검출기법이다. 결함의 위치는 송신된 초음파가 수신될 때까지의 시간으

로부터 측정되고, 결함의 크기는 수신되는 초음파의 에코높이 또는 결함에코가 나타나는 범위로부터 측정한다.

초음파는 결함에서도 반사되기 때문에 시험체에 결함이 있으면 건전재에서는 나타나지 않는 결함에코가 그림 1.3과 같이 송신에코와 저면에코 사이에서 관찰된다. 재료내부의 음속이 일정하면 ①결함에코의 위치측정에서 결함의 깊이, ②결함에코의 수신신호 크기에서 결함의 크기를 평가할 수 있다.

초음파를 이용한 측정법에서 이론적으로는 측정 인자가 1개 또는 여러 개가 존재하여 간단히 측정할 수 있으나, 실제 초음파 측정에 의한 정량적 측정을 하기 위해서는 초음파의 전파에 대한 충분한 이해가 필요하다. 예를 들어 탐상결과 얻어진 그림 1.4와 같은 수신파형은 복수의 결함에코가 검출된 것처럼 보이지만, 실제로는 1개의 결함에서 얻어진 파형이다. 이처럼 탐상파형에서 가장 단순한 경우에도 각각의 에코에 대한 경로를 파악할 수 없다면 결함의 정성적 평가는 어렵다.

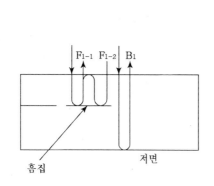
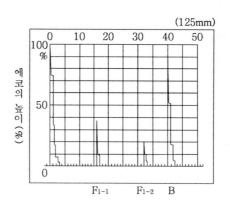

〔그림 1.4〕 초음파 탐상도형의 예

1.3 초음파탐상검사의 적용 및 특징

초음파탐상검사는 방사선투과검사(*radiographic testing;RT*)와 함께 체적검사(*volumetric examination*)방법으로, 내부결함을 찾아내는 것을 목적으로 사용하고 있다. 이 두 검사방법은 서로 결함을 검출하는 원리가 다르기 때문에 검출하는 능력에도 차이가 있다. 용접부의 초음파탐상검사에서 미세 균열, 용입부족, 융합불량 등의 결함은 방사선투과검사에서보다 잘 검출된다. 그러나 초음파탐상검사는 방사선투과검사에 비해 결함의 종류를 구별하기 어렵고, 검사 기술자의 기술 능력에 따라 검출 결과가 달라질 수 있으며, 결함의 내용을 기록하여 보존하는 것이 뒤떨어지는 단점이 있다.

그러나 초음파 비파괴검사기술은 파괴시험이나 다른 비파괴평가 기술에 비해 간편한 측정, 높은 측정정도, 검사결과 도출의 신속성, 검사비용의 절감 등 많은 장점을 가지고 있다.

초음파탐상검사는 일반적으로 금속재료의 가공품 즉 판재, 단조품, 주조품, 용접부 등의 결함 검사에 많이 사용한다. 특히 압력용기의 용접부, 건축 구조물의 용접부의 결함 검사에 활용도가 높다. 철강재료 이외에 신소재로 주목받고 있는 세라믹이나 FRP등 첨단재료의 재료평가에도 널리 활용되고 있다.

원자력 발전설비, 석유화학 플랜트 등 거대설바기기의 건전성(*integrity*) 및 신뢰성 확보와 잔존수명 예측기술로 그 적용범위가 확대되어 가고 있다. 금속의 결정조직이 미세하면 초음파의 전파성이 좋기 때문에 지름이 수 m 되는 큰 단강품의 내부에 있는 작은 결함까지 검출할 수 있다. 그러나 결정조직이 거칠면 결정입계에서 초음파가 산란되어 전파하는 초음파의 감쇠가 커져 큰 결함이라도 검출하기 어려울 때가 있다.

표 1.1 초음파탐상검사의 장·단점

장 점	단 점
• 전파 능력이 우수하다. • 균열 등 미세한 결함에 대해서도 감도가 높다. • 내부 결함의 위치, 크기 등을 정확히 측정할 수 있다. • 검사결과를 신속히 알 수 있다. • 검사자 또는 주변 사람에 대한 장애가 없다. • 이동성이 좋다.	• 수동 검사를 할 때 검사자는 검사 경험이 있어야 한다. • 검사절차를 이해하는데 검사자의 폭넓은 지식이 필요하다. • 초음파의 전달 효율을 높이기 위해 접촉 매질이 필요하다. • 표준시험편 또는 대비시험편이 필요하다. • 재료의 내부조직에 따른 영향이 크다. • 결함의 검출 능력은 결함과 초음파 빔의 방향에 따른 영향이 크다.

초음파탐상에서는 아주 작은 결함을 검출할 수 있다. 즉, 탐상 조건이 좋으면 파장의 1/2 정도 크기의 결함을 검출할 수 있는데, 주파수가 5 MHz 의 초음파를 사용할 경우 철강 재료에서 1 ㎜ 정도 크기의 결함은 확실히 검출할 수 있다. 그러나 결함의 형상과 배향은 결함의 검출능력에 뚜렷한 영향을 미친다. 다시 말해 초음파의 빔이 균열과 같은 띠형 결함에 수직으로 부딪히면 탐촉자로 되돌아오는 반사파는 크지만 기공과 같은 구형 결함에서는 반사파가 여러 방향으로 산란되기 때문에 탐촉자로 되돌아오는 반사파는 매우 작다. 따라서 초음파탐상검사를 할 때는 결함면에 초음파가 가능한 한 수직으로 전파하도록 탐상방법을 선택하는 것이 좋다.

이상과 같이 각 비파괴검사법이 그러하듯 초음파탐상검사도 분명 장·단점이 있는 만큼 단점을 잘 보완할 수 있는 기술적 검토가 항상 중요하다. 비파괴검사에서 초음파탐상검사의 입장을 정리해 보면 다음과 같다.

① 초음파탐상검사(UT)의 역사는 방사선투과검사(RT)에 비해 짧고, RT를 대신한 보완적 적용으로 많이 활용되어 왔음.

그 이유는 결함의 검출능력 뿐만 아니고 객관적인 기록 보존이 어렵다는 것이다. 그리고 RT에 비해 검사원의 능력에 의존하게 된다는 점 등이다. 그러나 최근 UT 장치의 소형 경량화가 가능해져 RT보다 언제 어느 곳에서나 적용할 수 있어 RT보다 훨씬 많이 사용할 수 있는 가능성을 가지고 있어 빠르게 계속 개발되고 있다.

② 초음파탐상검사(UT)는 내부결함검출·크기 측정(결함높이 측정)이 가능함.

RT와 UT 모두 주로 재료, 용접부 등 검사대상물의 내부결함의 검출 및 그 크기의 측정에 적용되고 있다. 그러나 RT나 UT 중 어느 것을 사용할 것인가는 재료·형상·크기·환경 등의 제약만이 아니고 검사대상물의 재질·형상·사용조건 등에 의해 발생하는 결함의 종류를 고려하여 선택해야 한다. 일반적으로 기공이나 슬래그혼입과 같은 체적결함에는 RT, 균열 등과 같은 면상결함에는 UT가 적합한 것으로 알려져 있다. 그러나 이것은 일반적인 견해일 뿐 비파괴검사 기사는 엄밀한 전문적 식견을 가지고 최적의 방법과 기법을 선택해야 한다.

다른 비파괴검사에 비해 UT는 다음의 특징을 가지고 있다.

- 균열과 같은 결함의 검출에 우수하다.
- 결함 높이의 크기 측정이 가능하다.
- 객관적인 기록을 얻는 것이 어렵다.
- RT에 비해 검사결과의 신뢰도는 검사원의 능력에 의존하는 경우가 많다.
- RT에 비해 결함의 종류 판별이 어렵다.
- 주강품과 같이 결정립이 조대한 재료나 음향이방성이 있는 재료에는 적용이 곤란하다.

그러나 검사 기술자는 『UT는 균열과 같은 결함의 검출에 우수하다. 또 검사대상물의 파괴 역학적 평가에 필요한 판두께 방향의 결함 크기 측정이 가능하다』라는 말에는 의문을 제기할 것이다. 판두께 방향의 결함크기 측정은 매우 큰 어려움이 있어 결함의 종류에 따라 적절한 측정방법을 선택하지 않으면 정확한 값을 얻을 수 없다.

③ 초음파탐상검사(UT)는 열화진단 · 수명예측에 필요한 데이터의 제공을 기대할 수 있음.

UT는 다른 비파괴검사 방법에 비해 부재 내부의 결함에 관한 다수의 정보를 취득할 수 있기 때문에 UT Level 3 기술자는 검사대상물마다 또한 검출해야하는 결함마다 적용할 기법을 충분히 검토하고 가능한 한 많은 데이터를 확보할 수 있도록 노력해야 한다.

열화진단에서는 NDT를 적용하고 그 결과에 근거하여 결함의 종류를 식별하고 그 발생 원인을 조사, 결함이 있는 부분을 보수할 필요가 있는지 없는지를 판단하고, 더 나아가서 사용 중에 결함이 성장하는 속도를 파괴역학적으로 평가하고 수명예측을 하게 되는데, 그 때 필요한 결함에 관한 정보로는 결함의 유무로부터 시작하여 결함의 위치, 크기, 끝부분의 예리함 그리고 면의 거칠기 등이다. 적용하여 얻어진 결함에 관한 데이터의 신뢰성을 높여야 하는 요구 외에, UT에 대해서는 결함이 성장하기 이전의 열화 상태를 정량적으로 평가하는 기술 발전의 요구가 크다.

④ 기대에 부응하고 UT의 장점을 최대로 살리려면 데이터의 신뢰성 향상이 관건

최근에는 결함의 종류, 위치, 크기 등은 파괴역학으로 명확히 하는 것이 가능해지므로써, 무해한 결함은 허용한다고 규정하는 규격이 제정되고 있다. 그러나 이렇게 결함이 유해한가 무해한가를 적절히 판단하기 위해서라도 UT는 그 정보를 정확하게 제공할 수 있어야 한다. 다시 말해 UT에서는 높은 정밀도와 함께 관련 기술의 개발이 요구되고 있다.

새로운 인증제도가 필요하게 된 것은 단순히 국제 표준화(*global standardization*)만을 위해서 만이 아니라 검사 결과의 신뢰성을 높이기 위함이다. 이를 위해 새로운 제도에서는 검사 결과의 신뢰성을 높이는 훈련과 경험이 중요시되고 있다.

UT 기법은 적용하는 대상물의 크기, 형상, 재질 및 검출해야하는 결함의 위치, 크기, 종류에 따라서 다르기 때문에 검사원은 대상물마다 훈련이나 경험이 필요하게 된다. 예를 들어 UT에서는 부재마다 다른 방해에코가 있을 수 있어 이를 결함 에코와 구별하기 위해서는 결함에코와의 판별에 충분한 훈련과 경험을 필요하게 되고, ASME Code Sec. XI, App. VIII 기량검증(*performance demonstration; PD*)이 그 예이다. ISO 9712에서도 공업 분야에 따라 검사 대상물의 재질·형상에 따라 다른 인증 제도를 추진하고 있다.

⑤ **규격이 만능은 아니기 때문에, UT의 경우 첨단 기술이 빠른 속도로 개발되고 있는데 규격 때문에 오히려 첨단 기술의 적용이 방해 받는 경우가 많다.**

규격이나 코드에 따라 시행하는 UT는 결함의 검출, 위치와 크기의 측정, 결함의 종류의 식별이 목적이다. 검사 결과의 신뢰성에 의문이 많이 제기되기도 하는 지금 검사 대상물에 대해 UT Level 3 기술자는 코드·규격에 규정되어 있는 방법으로 충분히 신뢰할 수 있는 결과를 얻을 수 있는지 어떤지를 판단할 수 있어야 한다.

일반적으로 코드·규격에는 확립된 기술에 의한 기법이 규정되어 있다. 그러나 UT에 의한 검사 결과의 신뢰성을 높이려는 요구에 부응한 기술 개발이 진행되고 있고, 부재의 검사 기법을 규정하는 것은 그 기법에 고정되어 오히려 기술 개발이 저해될 우려가 있다. 따라서 종래, 결함의 검출 및 크기 측정 방법을 상세하게 규정하고 있는 코드·규격은 그 부재에 존재해서는 안 되는 결함의 종류, 크기, 위치만을 규정한 성능(기능) 기준을 계속 대신하게 된다.

따라서 ASME에서와 같이 검사 기술자는 결함이 있는 시험체를 주고 적용하고자 하는 UT 기법을 스스로 선택하게 하고 그 결함의 검출과 결함크기 측정 결과가 규정값을 만족시킨 경우에 인증되는 일부 공업 분야에서 하고 있는 기량검증(*PD*) 방법이 각 공업 분야로 확산될 것으로 예상된다.

UT Level 3 기술자는 이미 기술한 바와 같이 규정에 없어도 항상 최적의 기술을 선택하여 적용하는 것에 유의할 필요가 있다.

1.4 초음파탐상검사의 적용 한계

초음파탐상검사는 강재, 용접부 더 나아가서 복합재료나 IC 패키지 등의 건전성을 보증하기 위해 제조나 용접 등의 가공 시나 사용 중에 응력 등으로부터 발생하는 결함의 위치나 크기, 결함의 종류를 정밀하게 측정하는 것이 그 목적이라 한다면 그것에 대한 문제점과 한계가 반드시 존재하게 된다. 비파괴적으로 결함을 검출하고, 위치, 크기를 측정하는 방법으로는 초음파탐상만이 아니고 방사선투과검사나 자분탐상검사 등이 있으나 어느 방법도 만능일 수는 없고 그 검출성에는 한계가 있게 된다.

초음파탐상검사를 선택하게 되면 그들의 문제점과 한계를 바로 숙지하고 유효하게 이용할 수 있도록 활용할 필요가 있다. 여기서는 초음파탐상을 이용하는 경우 문제점과 한계에 대해 고찰한다.

1.4.1 초음파가 기본적으로 가지고 있는 문제

현재 결함 검출을 위해 가장 잘 이용되는 방법이 초음파 펄스반사법이다. 여러 개 파의 초음파 펄스를 시험체 중에 전파시키고 결함이나 저면 등으로부터 에코를 수신하여 결함의 크기나 위치를 추정하고 평가하는 방법이다. 초음파의 큰 특징으로는 확산해가며 직진한다는 것, 그리고 시험체의 결정립의 크기 등에 의해 산란 감쇠하는 것 등을 들 수 있다. 이 특징은 초음파의 주파수나 파장에 영향을 받는다. 이들로부터 초음파탐상에서 문제를 열거해보면 다음과 같은 항목을 들 수 있다.

가. 초음파의 직진성

초음파는 직진하기 때문에 초음파의 진행 방향에 대해 직각 방향의 면적을 갖는 결함의 검출성은 높으나 진행방향으로 존재하는 면적을 갖는 결함의 검출은 곤란하다. 따라서 검출성을 높이기 위해서는 여러 각도에서 주사할 필요가 있고, 또는 결함 발생의 특징을 충분히 파악한 후에 그 결함에 대한 검출성이 높은 방법을 이용할 필요가 있다.

나. 초음파의 확산 손실

초음파는 확산 손실의 성질을 가지고 있어 전파거리가 커지면 초음파의 강도는 저하하기 때문에 거리 특성을 고려한 후 탐상 조건을 설정할 필요가 있다. 또 시험체의 결정립의 크기에 따라 초음파의 감쇠가 현저한 경우가 있으므로 감쇠에 의한 감도 보정을 위하여 감쇠가 작은 주파수, 초음파 모드를 선택할 필요가 있다. 현저한 감쇠가 있는 시험체의 경우에는 임상에코가 나타나 결함과의 S/N비가 나빠 탐상이 곤란한 경우도 있다.

다. 파장과 감쇠

검출하고자 하는 결함의 크기는 일반적으로 초음파의 파장에 의존한다. 최근에는 50 ~ 100 MHz의 상당히 높은 주파수의 초음파를 발생하는 것이 가능해져 IC 패키지 등의 보이드 (*void*) 검사에 이들 고주파수를 이용하여 미소 결함을 검출하고 있다. 한편 파장이 짧을수록 감쇠가 커지게 되어 빔진행거리가 긴 시험체의 경우는 탐상이 곤란해진다. 또 높은 주파수의 경우 송신시의 주파수에 비해 시험체를 투과한 후에는 고주파수 성분이 감쇠가 심하기 때문에 작아진다. 이 때문에 미소 결함의 검출을 검토하는 경우에는 이러한 점을 잘 감안하여 선택할 필요가 있다.

라. 펄스파의 문제

현재 탐상에 이용되고 있는 초음파의 대부분은 펄스파이다. 이 펄스파는 엄밀하게 규정되어 있지는 않지만 1 ~ 3 cycle 정도를 갖는 광대역에서 3 ~ 10 cycle의 협대역 특성을 가는 파를 사용한다. 파동공학에서는 음파의 간섭이 가장 중요한 역할을 하며, 펄스에서는 충분한 간섭을 일으키지 않는 경우도 있다. 또 펄스 수가 적으면 주파수는 불명확해지고 주파수 다시 말해 파장이 주요인이 되고 있는 파동방정식은 의미를 잃어버리게 된다.

초음파 탐상에서 여러 종류의 이론은 연속파의 이론에 의한 경우도 많기 때문에 실제 측정의 결과와 이론이 일치하지 않는 경우가 있다. 초음파탐상에서 정량성을 요구하는 경우에는 이들 문제에 대해 충분히 고찰하는 동시에 펄스의 성질에 대해서 구체적으로 정해진 해석을 할 필요가 있다.

마. 초음파 탐상의 이론

현재 초음파탐상 이론의 대부분은 액체 중의 연속파의 이론이다. 이 이론은 실용상 거의 문제가 없고 명쾌한 식으로 표현 가능한 경우가 대부분으로 이용에 편리하다.

그러나 고체 중의 결함을 검사하는 경우 액체 중의 유파의 이론은 엄밀히 말하면 근사식으로 성확히는 고체 중의 탄성파라야 한다. 또한 고체 중의 탄성파 이론에 의한 계산은 복잡하여 검사원이 일상적으로 검사에 이용해서 쉽게 얻을 수 있는 이론이 아니다. 액체 중의 음파 이론에서 이해할 수 없는 현상에 부딪친 경우에는 초음파탐상은 고체 중의 탄성파라는 것을 고려할 필요가 있다.

1.4.2 수동 탐상검사 문제

수동탐상검사는 기본 표시의 초음파탐상기를 이용하여 대부분의 경우 직접접촉법으로 탐상을 한다. 다음은 이들 문제에 대한 문제점을 소개한다.

가. 직접 접촉의 문제

수동탐상은 대부분의 경우 직접접촉법으로 접촉매질을 표면에 도포하고 탐상을 한다. 이 경우 접촉매질의 두께가 다르다든가 시험체 표면의 거칠기에 의해 전달손실이 달라진다.

직접 접촉법으로 하는 경우는 감도조정 시나 탐상 시 가능한 한 균일하고 안정적으로 탐촉자를 접촉시켜야 한다. 또 정량적인 데이터를 얻으려면 가능하면 수침법으로 갭을 일정하게 유지하고 탐상하는 것이 좋다.

나. 기본 표시가 갖는 문제

현재에도 수동탐상에는 주로 기본표시의 탐상기가 이용되고 있고, 기본표시는 가로축에 빔진행거리를 세로축은 에코높이를 나타내고 있다. 용접부의 결함을 탐상하는 경우 탐상지시로부터 결함의 위치, 형상, 크기를 직관적으로 정확히 아는 것은 어려운 점이 있다. 검사원은 탐상감도, 측정범위를 조정하고 빔진행거리를 읽고 굴절각으로부터 계산에 의해서 결함의 위치나 크기를 추정할 수 있다는 것이다.

최근에는 디지털 초음파탐상기의 출현으로 컴퓨터 등의 정보처리기기의 처리용량도 커지고 동시에 처리속도가 빨라지게 되었다. 이들 장치를 이용하여 보다 직관적으로 알기 쉽게 탐상에 임할 필요가 있다.

다. 수동탐상의 문제

인간이 기계를 조작할 때 잘못을 범하게 되는 요인은 다음 6가지로 대별된다. 다시 말해 지각(*perception*), 정보, 표시, 제어기기, 환경, 시간이다.

인간이 동시에 2가지 이상의 입력 자극(예를 들면 화면상의 지시와 탐촉자의 위치 및 방향)을 받아 양쪽의 응답을 완전히 수행하는 것은 불가능하다. 인간의 정보 전달률에는 한계가 있기 때문에 한계 이상의 정보량을 주입할 경우 인간은 그 정보를 무시하든가, 아니면 정보 정밀도는 저하하게 되어 사정이 좋은 정보만을 처리하는 등의 대응을 하게 되어 인간의 대뇌가 움직이는 레벨을 저하시킨다. 결함이 발생하는 빈도가 저하하면 어쩌다 발생한 결함을 놓치는 경우가 일어난다. 급격히 많은 정보가 입력되었을 때의 대응도 인간은 어려워진다. 방해에코가 다수 발생하고 그것이 점차적으로 변화하는 경우는 실수를 하기 쉽다.

인간은 또 환경의 영향을 많이 받는다. 밝은 곳에서 탐상기를 보는 것과 높은 곳에서 검사하는 경우 또는 검사시간이 제한되어 있는 경우 등의 환경은 실수를 유발하기 쉽다.

초음파탐상검사는 장치의 조정에서부터 인간이 관여하기 때문에 그 모든 절차에서 실수가 발생할 가능성이 있다. 실수까지는 아니더라도 재현성이 떨어지고 편차가 발생하는 요인이 된다.

1.4.3 가동 중의 검사에 적용하는 경우

초음파탐상검사는 소재 또는 구조물 등의 제조 시 검사로부터 발전소나 석유정제설비 등의 정기검사 시의 가동기간 중의 검사에도 많이 이용되고 있고 그 적용범위는 계속 확대되고 있다.

가동기간 중에 정기적으로 실시하는 보수검사는 본래 설비·장치 등이 계획된 기간 동안 운전이 가능하다는 것의 확인을 위한 건전성 평가가 목적이다. 그러기 위해서는 운전 중의 환경에 의한 손상, 제조 시의 미소 결함이 성장한 균열 등을 검출해야 한다. 더 나아가 이들 손상의 정도나 성장 가능성을 평가하고 다음 점검 때까지 안전 운전을 확보해야 한다.

한편 부재의 일부 또는 설비 전체를 교체할 것인가 말 것인가를 판단하기 위해 또는 수명예측을 위한 비파괴검사는 건전성 평가를 위해 실시하는 보수검사와는 내용이 다르다. 다시 말해 예전의 비파괴검사 방법에 의한 결함의 존재 여부, 그 위치 및 크기의 정보만으로는 정확한 판단을할 수 없기 때문에 추가적인 결함에 관한 정보를 취득해야 한다.

다시 말해 파괴역학적으로 결함을 평가하고 높은 정확도로 수명예측을 하기 위해서는 결함의 검출 및 크기측정 정확도를 향상시키는 것이 필요하고, 더 나아가 결함의 종류(발생원인), 형상, 경사, 끝부분의 예리함, 분기의 유무, 결함 면의 거칠기 등이 필요하다.

발생하는 손상의 종류와 진전 속도는 부재의 사용 환경, 작용 응력의 종류, 크기 및 빈도에 따라 다르다. 손상이 진전하면 파괴로 이어지나 파괴는 일반적으로 연성파괴, 취성파괴, 피로파괴및 환경파괴로 나눈다. 여기서 환경파괴라는 것은 응력부식균열, 수소취화균열 및 환경과 피로가중첩된 부식피로 등을 말한다. 일반적으로 손상에는 다음과 같은 것이 있다.

- 두께감육 : 부식(*corrosion, erosion*), 기계적 손상
- 균열 ㅤㅤ: 응력부식균열, 피로균열, 부식피로균열
- 재질열화 : 수소침식, 탈탄, 침탄, 질화

손상의 정도를 측정하는 비파괴검사 방법은 제조 시의 검사방법과 다르다. UT Level 3 기술자는 검사의 대상이 되는 부재 및 검출해야하는 결함의 종류 마다 검사방법을 검토하고 가능한 한 많은 결함 정보를 얻는 것 외에 항상 정확도 높은 검사가 되도록 노력해야 한다.

1.4.4 검사 결과의 신뢰성

고도 성장기에 건설된 각종 플랜트나 교량의 사용 년 수가 현재 20 ~ 30년 되어 오기 때문에 그들의 설비를 새로운 것으로 교체를 하든가 또는 보수 혹은 일부분을 보수하여 수명 연장하는 등의 판단을 해야 하는 시기가 되고 있다. 그 판단을 내리기 위해 적용되는 초음파 탐상검사에는 정확도가 높은 측정이 요구되고 있다.

초음파에 의한 비파괴검사를 적용하는 목적은 결함의 검출, 결함의 위치 측정 및 크기 측정이 있으나 그 정확도는 아직 큰 편차가 발생하고 있다. 초음파에 의한 비파괴검사의 신뢰성은 적용하는 검사 기술, 사용하는 기재, 검사요령서 및 검사종사자 등에 의존하는 것이 아직 큰 문제로 남아 있다.

『 익 힘 문 제 』

1. 초음파의 특이성에 대한 설명 중 틀린 것은 ?
   1) 초음파는 전파에 비해 전파속도가 느리다.
   2) 초음파는 주파수가 높을수록 공기 중을 전파하기 어렵다
   3) 초음파는 음향임피던스가 다른 물질의 경계면에서 반사한다.
   4) 전파는 물질이 존재하지 않는 진공 중에서는 전파하지 않지만 초음파는 진공 중에서도 잘 전파한다.

2. 초음파탐상검사에 활용되고 있는 초음파의 정보가 아닌 것은 ?
   1) 초음파의 RF 신호
   2) 초음파의 편광정보
   3) 초음파 스펙트럼 정보
   4) 초음파의 화상정보

3. 다음은 초음파의 성질에 대해 기술한 것이다. 올바른 것은 ?
   1) 초음파라는 것은 주파수가 2 kHz 이상의 음파를 말하며 금속재료의 초음파탐상에는 2-5 kHz의 초음파가 잘 이용되고 있다.
   2) 초음파는 음향임피던스가 다른 2가지 재료의 경계면에는 잘 투과한다.
   3) 물질 내에서 초음파의 전파속도는 초음파가 전달되는 물질의 종류와 초음파의 종류에 상관없이 모두 동일하다.
   4) 초음파는 음의 다발인 빔이 되어 진행하기 때문에 한정된 범위의 방향으로만 전파해 간다.

4. 펄스반사식 초음파탐상검사의 원리에 대해 기술하시오.

5. 다른 비파괴검사에 비해 초음파탐상검사는 어떠한 특징을 가지고 있는가?

6. 초음파탐상검사(*UT*)와 음향방출검사(*AE*)의 원리상 차이점을 기술하시오.

7. 초음파탐상검사의 장·단점과 적용한계에 대해 기술하시오.

8. 초음파탐상검사에서 초음파가 기본적으로 가지고 있는 문제점은 어떠한 것이 있는가?

9. 수동으로 초음파탐상검사를 할 때 어떠한 문제를 예상할 수 있는가?

10. 초음파탐상검사의 신뢰도에 영향을 미치는 인자를 열거하고, 신뢰도를 향상시키기 위한 대책을 기술하시오.

11. 방사선투과검사(RT)와 초음파탐상검사(UT)는 체적검사법으로 용접부의 내부 결함 탐상에 주로 이용되는 비파괴검사법이다. 결함검출과 관련하여 두 방법의 특징을 비교 설명하시오.

제 2 장 초음파탐상검사의 기초

2.1 초음파의 종류와 성질

초음파에는 여러 가지의 파동모드가 있는데, 재료나 모드 및 전파 매체의 조건에 따라 이들이 혼재하고 계면에서는 모드변환이 일어난다. 초음파 계측에서는 이러한 여러 가지 모드의 특징을 이용하여 측정하기 때문에 X선 등에 비해 전파의 해석이 복잡해지는 요인이 된다. 일반적으로 고체내에서 관찰되는 초음파의 모드에는 종파(*longitudinal wave*), 횡파(*shear wave*), 표면파(*Rayleigh wave*) 그리고 판파(*Lamb wave*) 등이 있다. 그림 2.1은 초음파의 진동모드를 도식적으로 나타내고 있다.

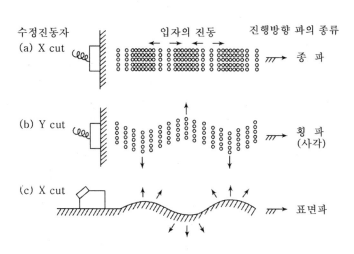

〔그림 2.1〕 초음파의 종류

가. 종파

종파(*longitudinal wave, L-wave*)는 그림 2.1(a)과 같이 파의 진행에 따라 밀(*compression*)한 부분과 소(*rarefaction*)한 부분으로 구성되기 때문에 일명 압축파(*compressive wave*)라고도 불린다. 종파는 입자의 진동방향이 파를 전달하는 입자의 진행방향과 일치하는 파를 말한다. 이 파는 초음파탐상검사의 수직탐상에 주로 이용되는 진동형태로, 다른 형태의 파로 변환되기도 한다. 종파는 고체뿐만 아니라 액체, 기체에서도 존재하며, 강의 경우 음속이 5900 m/s로 가장 빠르다.

나. 횡파

일반적으로 강 용접부의 초음파 사각탐상에서는 SV파(*vertically shear wave*)라 불리는 횡파(*transverse wave, shear wave, S-wave*) 초음파가 주로 이용되고 있다. SV파는 탐상면에 대해 초음파의 진행방향이 수직으로 진동하는 횡파를 말하고, SH파(*horizontally shear wave*)는 초음파가 탐상면과 수평방향으로 진동하는 횡파를 말한다. SH파는 횡파진동자를 탐촉자의 축방향으로 이용, 진동자로 부터 발생한 횡파를 점성이 높은 접촉매질을 통하여 시험체에 전파시킨다. 그림 2.2는 종파와 횡파 모드를 비교한 것이다.

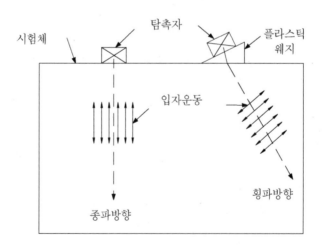

〔그림 2.2〕 종파와 횡파 모드의 비교

SH파는 SV파와 같은 반사면에서 모드변환이 없고 탐상도형이 간단하여 판정이 용이하며, 굴절각을 90도에 가깝도록 하면 표면 SH파가 되어 높은 효율로 탐상면을 따라 전파하는 것이 가능하다.

지금까지 주로 이용되고 있는 SV파 사각탐상은 고체표면에 거의 수직으로 전파하는 파로, 수직 방향의 특성평가에 적합하다. SV파는 고체 계면에서 반사시 그림 2.3과 같이 횡파 → 종파 → 횡파로 모드변환(*mode conversion*)을 일으키고 다중에코의 멀티모드파가 되기 때문에 시험체가 얇은 경우에는 파의 판정이 곤란하게 된다.

이에 비해 SH파는 고체표면층 직하로 전파하기 쉬운 진동면을 갖고 횡파 → 종파로의 모드변환을 하지 않기 때문에 순수모드로 취급 가능하다. 횡파는 동일한 재질에 대해서 종파속도의 약 1/2 정도이기 때문에 동일한 주파수에서 종파에 비해 짧은 파장을 갖게 된다.

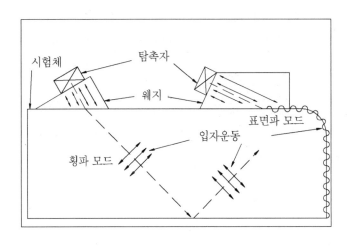

〔그림 2.3〕 모드변환

다. 표면파

고체 내에서 종파와 횡파는 서로 독립적으로 존재할 수 있으나, 경계면에서는 일반적으로 종파와 횡파가 발생하고 조건에 따라서는 거의 완전히 상호 모드변환한다. 그림 2.1(c)는 자유경계면, 즉 공기에 접해있는 경계면에서 표면파의 설명도로 나타내고 있으며, 입자의 진동은 표면에 수직한 횡파성분과 평행한 종파성분이 있다. 따라서 입자는 그 위치에서 타원형으로 진동하며 재료의 표면층만을 전파해 간다. 표면파(*surface wave, Rayleigh wave*)는 표면으로부터 1파장 정도의 매우 얇은 층에 에너지의 대부분이 집중해 있고, 표면부근의 입자는 종진동과 횡진동의 혼합된 거동을 나타낸다. 표면파는 Rayleigh에 의해 최초로 설명되었으며, 시험체의 표면결함검출에 주로 사용되며, 음속은 횡파의 약 90% 정도이다.

표면파는 시험체 표면으로부터 1파장 정도 깊이의 범위에서 전파한다. 높은 주파수는 음압이 표면근방에 집중하기 때문에 표면에 개구한 결함의 검출에 적합하고, 낮은 주파수는 표면 아래 수 mm 정도까지 전파하므로 표면직하의 결함검출에 유리하다. 그러나 기본적으로 표면파는 탐상면상의 장해물이나 요철에 의한 표면상태의 영향을 받기 쉬운데, 이로 인한 감쇠가 크고 방해에코가 쉽게 나타날 수 있기 때문에 필릿 용접부 등의 결함탐상에는 적절하지 않다.

표면파의 한 종류인 크리핑파(*creeping wave*)는 재료의 표면 방향으로 전파하는 종파를 사용하는 탐상법으로 크리핑파의 송·수신은 비교적 용이하나 횡파에 의한 반사파도 동시에 전파하기 때문에 탐상도형이 복잡해져 결함에코의 해석이 어렵고, 결함에서 에너지의 일부가 연속적으로 횡파(SV파)로 모드변환하여 전파하기 때문에 감쇠가 현저해지는 단점이 있다.

크리핑파는 시험체에 종파 임계각으로 입사한 경우에 발생하고 시험체내부를 직진하는 종파로 시험체표면의 영향을 받지 않으므로 표면직하(*subsurface*)의 탐상에 유리하다. 거리에 따라 감쇠가 심하기 때문에 탐상 범위는 일반적으로 짧다. Head wave 또는 Lateral wave라고도 한다.

경계면이 물인 경우에는 이 파는 표면에서 발생하여 수중에 누설되므로 길게 지속되지 못한다. 이것을 누설탄성표면파(*leaky surface acoustic wave; LSAW*)라 부른다. 누설탄성표면파는 물을 접하고 있는 면에 종파를 경사로 입사시켰을 때 표면층으로 전파하는 탄성파이다. 이 파는 전파하면서 종파로 모드 변환(*mode conversion*)되고 물속에서 누설된다. 파가 전파하는 깊이는 표면 아래 약 1 파장 정도이다. 누설탄성표면파는 초음파현미경에 활용되어 표면층 미소영역에서의 탐상이나 조직 관찰, 응력측정 등에 응용이 시도되고 있다.

라. 판파

얇은 판의 비파괴검사에 주로 적용되는 판파(*plate wave*)는 유도초음파(*guided ultrasonic wave; GUW*)의 한 종류로 램파(*Lamb wave*)라고도 한다.

이 파는 몇 파장 정도의 두께를 갖는 금속 내에 존재하는데, 재질의 전 두께를 통하여 진행하는 복합된 진동형태로 구성되기 때문에 박판의 결함검출에 사용된다. 판파의 진동양식의 특성은 밀도, 금속의 탄성특성과 구조, 금속시편의 두께 및 주파수에 영향을 받는다. 판파는 그림 2.4와 그림 2.5에서와 같이 대칭모드(*S-Mode*)와 비대칭모드(*A-Mode*)의 2종류가 있다.

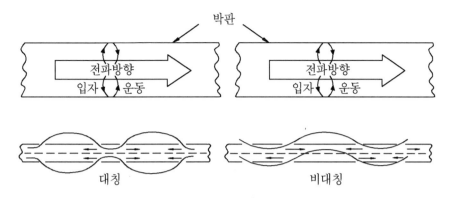

〔그림 2.4〕 대칭과 비대칭 판파

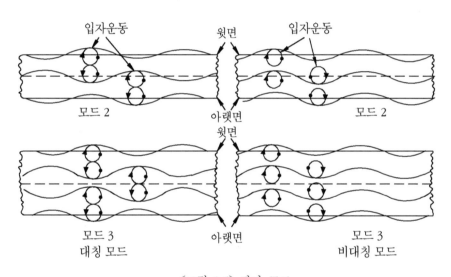

〔그림 2.5〕 판파 모드

판파는 구조물의 기하학적인 구조를 따라 전파하기 때문에 기존의 종파나 횡파를 사용한 국부검사(*point by point*)법에 비해 탐촉자의 이동 없이 고정된 지점에서 대형 설비 전체를 한 번에 탐상할 수 있어 광범위하고 또한 장거리 비파괴탐상을 효율적으로 수행할 수 있어 시간적, 경제적 효율이 뛰어나다. 판파는 위와 같은 장점을 가지고 있음에도 불구하고 아직 해결되어야할 어려움으로 유도초음파가 전파해가는 모드가 무한히 많이 존재함으로 인해 다양한 모드의 선택을 통한 측정 민감도를 향상시킬 수 있는 장점도 있지만, 여러 개의 모드가 동시에 수신될 때 신호해석과 모드확인(*mode identification*)이 어렵다는 단점이 있다.

그림 2.6은 두께 2㎜의 알루미늄 박판에서의 발생 가능한 판파의 위상속도(*phase*

velocity)와 군속도(*group velocity*) 분산곡선을 나타낸다. 판파 모드 중, 영문자 A는 비대칭형(*Anti-symmetric*)모드를 의미하며 S는 판재의 중심축에 대해 대칭형(*Symmetric*)변형을 나타내는 모드를 나타낸다. 각 모드는 해당 $f \cdot d$ 범위에 따라 차이는 있으나 일반적으로 위상속도가 주파수에 따라 변화하는 분산성을 갖고 있으며, 그 분산적 특성이 주파수나 구조물의 두께에 대해 매우 민감하게 변화하게 된다.

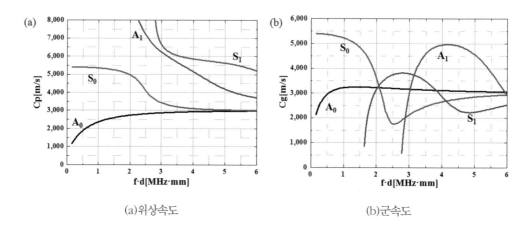

(a)위상속도　　　　　　　　(b)군속도

〔그림 2.6〕 박판에서의 위상속도, 군속도 분산선도(알루미늄, 두께 2㎜)

표 2.1은 알루미늄에서 다양한 입사각에서 발생되는 판파 모드를 나타내고 있다.

표 2.1 알루미늄에서 판파 모드

입사각	발생모드
33°	1차 비대칭
31°	1차 대칭
25.6°	2차 비대칭
19.6°	1차 대칭
14.7°	3차 비대칭
12.6°	3차 대칭
7.8°	4차 대칭

2.2 초음파의 전파 특성

2.2.1 음속

초음파가 매질 속을 전파하는 속도, 즉 음속 C는 일반적으로 초음파가 전파하는 매체의 탄성계수와 밀도에 의해 결정된다.

$$C = \sqrt{\frac{E \ (탄성계수)}{\rho \ (밀도)}} \quad \text{...(2.1)}$$

기체 및 액체 중에서는

$$C = \sqrt{\frac{K}{\rho}} = \sqrt{\frac{101,325 kg/ms^2 \times 1.401}{1.293 kg/m^3/(1+20/273)}} = 343 \, m/s$$

여기서 K는 체적탄성계수, ρ는 밀도이다. 20℃ 1기압의 공기에서는 $P = 760 \, mmHg$ $= 1.03323 \, kgf/㎠ = 10,332.3 \, kg/m^2 = 10,332.3 \times 9.8065 \, N/m^2 = 101,325 \, N/m^2$ ($= 101,325 \, Pa = 101,325 \, kgf/ms^2$, 비열비 $k = 1.401$, $\rho = 1.293/(1+20/273) \, kg/m^3$ 이다. 푸아송비(ν)를 고려한 종파속도 C_L, 횡파속도 C_S는 다음 식으로 표시된다. 물의 경우는 $K = 2.2 \times 10^9 \, N/m^2 = 2.2 \times 10^9 \, kg/ms^2$, $\rho = 1,000 \, kg/m^3$ 이므로

$$C = \sqrt{\frac{K}{\rho}} = \sqrt{\frac{2.2 \times 10^9 \, kg/ms^2}{1,000 \, kg/m^3}} = 1,483 \, m/s$$

고체 중에서는 종파와 횡파가 존재하고, 푸와송비(ν)를 고려한 종파속노 C_L, 횡파속도 C_S는 다음 식으로 표시된다.

$$C_L = \sqrt{\frac{E(1-\nu)}{\rho(1+\nu)(1-2\nu)}} \quad \text{...(2.2)}$$

연강의 경우는 E = 21,400 $kg{\cdot}f/mm^3$ = 21,400×9.80665×10^6 kg/ms^2, ν =0.28, ρ = 7,700 kg/m^3으로 하면 종파속도 C_L는 5,902 m/s가 된다.

또, G = 8,200 $kg{\cdot}f/mm^3$ = 8,200×9.80665×10^6 kg/ms^2로 하면, 횡파의 음속 C_S는 3,232 m/s 가 된다.

$$C_S = \sqrt{\frac{E}{2\rho(1+\nu)}} = \sqrt{\frac{G}{\rho}} \quad \cdots\cdots\cdots(2.3)$$

E: 종탄성계수 또는 영률(*Young's modulus*)

ν: 푸아송비(*Poisson's ratio*, 강에서는 약 0.28, 알루미늄은 약 0.34)

K: 체적탄성계수(*bulk modulus*, 기체의 경우는 압력×비열비, k)

G: 횡(전단)탄성계수(*shear modulus*) 또는 강성률

한편, 표면파의 음속 C_R은 Bergmann의 근사식으로부터 다음과 같이 표시된다.

$$C_R = \frac{0.87+1.12\nu}{1+\nu} \sqrt{\frac{G}{\rho}} \cong 0.9C_S \quad \cdots\cdots\cdots(2.4)$$

※ 참고

식 2.2의 종파속도 C_L이 어떻게 유도되었는지를 살펴보기 위해 큰 입방체 중을 전파하는 종파를 생각한다. 스트레인을 ε, 응력을 σ라 한다. 그림 2.7과 같이 종파가 전파하는 방향을 1이라 하고 그것에 직교하는 2개의 방향을 2, 3이라 한다.

$\sigma = E\varepsilon$, $\varepsilon = \dfrac{\sigma}{E}$ 이므로

$$\varepsilon_1 = \frac{\sigma_1}{E} - \frac{\sigma_2}{E}\nu - \frac{\sigma_3}{E}\nu \quad \cdots\cdots\cdots(2.5)$$

$$\varepsilon_2 = \frac{\sigma_2}{E} - \frac{\sigma_1}{E}\nu - \frac{\sigma_3}{E}\nu \quad \cdots\cdots\cdots(2.6)$$

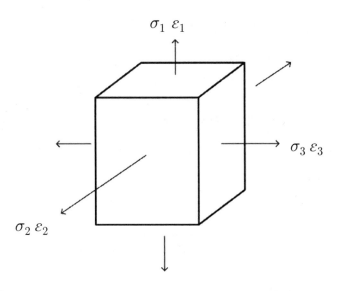

[그림 2.7] 응력과 스트레인

$\sigma_3 = \sigma_2$ 라 생각할 수 있으므로

$$\varepsilon_1 = \frac{\sigma_1}{E} - \frac{2\sigma_2}{E}\nu \quad \cdots\cdots\cdots\cdots\cdots\cdots\cdots\cdots\cdots(2.7)$$

$$\varepsilon_2 = \frac{\sigma_2}{E}(1-\nu) - \frac{\sigma_1}{E}\nu \quad \cdots\cdots\cdots\cdots\cdots\cdots\cdots(2.8)$$

종파는 시험체 중을 전파하는 경우에 횡방향으로는 작용하지 않는다고 생각하는 것이 타당하므로 $\varepsilon_2 = 0$이라 하면

$$\sigma_2 = \sigma_1 \frac{\nu}{1-\nu} \quad \cdots\cdots\cdots\cdots\cdots\cdots\cdots\cdots\cdots(2.9)$$

$$\therefore \quad \varepsilon_1 = \frac{\sigma_1}{E} - \frac{2\nu}{E}\sigma_1\frac{\nu}{1-\nu} = \frac{\sigma_1}{E}\left[1 - \frac{2\nu^2}{1-\nu}\right]$$

$$= \frac{\sigma_1}{E}\left[\frac{1-\nu-2\nu^2}{1-\nu}\right] \quad \cdots\cdots\cdots\cdots\cdots(2.10)$$

윗 식을 정리하면

$$\varepsilon_1 = \frac{\sigma_1}{E}\left[\frac{(1+\nu)(1-2\nu)}{1-\nu}\right] = \frac{\sigma}{E\dfrac{1-\nu}{(1+\nu)(1-2\nu)}} \quad \cdots\cdots\cdots(2.11)$$

따라서 $E\dfrac{(1-\nu)}{(1+\nu)(1-2\nu)}$ 는 횡방향으로 진동하지 않을 때 영률이다. 그래서 종파음속 C_L은 식 2.2와 같이 주어지게 된다.

2.2.2 푸아송비가 음속비에 미치는 영향

식 2.3에서 알 수 있듯이 종탄성계수 E, 횡탄성계수 G 및 푸아송비 ν 사이에는 다음의 관계가 있다.

$$G = \frac{E}{[2(1+\nu)]} \qquad \text{\dotfill(2.12)}$$

이 관계를 이용하여 푸아송비 ν와 음속비 (C_L/C_S)와의 관계를 구할 수 있다. 식 (2.2)와 식 (2.3)의 비를 취하고 식 (2.12)를 대입하고 정리하면

$$\frac{C_L}{C_S} = \sqrt{\frac{2(1-\nu)}{1-2\nu}} \qquad \text{\dotfill(2.13)}$$

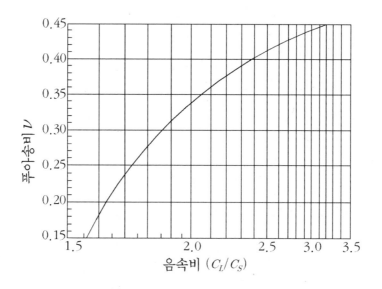

〔그림 2.8〕 푸아송비 ν와 음속비 (C_L/C_S)의 관계

또 ν를 음속비 (C_L/C_S)의 함수의 형으로 표시하면

$$\nu = \frac{1}{2}\left[1 - \frac{1}{(C_L/C_S)^2 - 1}\right] \quad\text{...}(2.14)$$

이 식을 사용하여 푸아송비 ν와 음속비 (C_L/C_S)의 관계를 계산한 결과를 그림 2.8에 나타낸다.

2.2.3 탄성계수와 음속과의 관계

식 (2.13)과 식 (2.14)으로부터 종탄성계수 E를 음속과 밀도 ρ로 나타내면

$$E = \rho C_S^2 \frac{3C_L^2 - 4C_S^2}{C_L^2 - C_S^2} = \rho C_S^2 \left[3 - \frac{C_S^2}{C_L^2 - C_S^2}\right] \quad\text{..........................}(2.15)$$

C_L과 C_S를 정밀한 초음파두께측정기로 측정하고 밀도 ρ를 별도로 측정하면, 이 식으로 종탄성계수 E를 구할 수 있다. 이 식에서 $\rho = 7{,}700 \ kg/m^3$, $C_L = 5{,}900 \ m/s$, $C_S = 3{,}230 \ m/s$라 하면, $E = 20{,}600 \times 10^6 \ kg/ms^2$ 이다. 이것을 $kgf/\text{㎜}^2$으로 환산하면

$$E = \frac{20{,}600 \times 10^6 \ kg/ms^2}{\left[(9.80665 \times 10^6 \ kg/ms^2)/(1 \ kgf/\text{㎜}^2)\right]}$$

$$= 21{,}067 \ kgf/\text{㎜}^2 \fallingdotseq 21{,}000 \ kgf/\text{㎜}^2$$

2.2.4 파장과 주파수

공기 중에서 음파는 종파(압축파 또는 소밀파라고도 함)로 기압이 밀한 부분과 소한 부분으로 존재한다. 수면에 돌을 떨어뜨렸을 때 그림 2.9와 같이 수면파의 산과 산 또는 골과 골 사이의 거리 간격을 파장(*wavelength*)이라 부르고 λ로 표시한다. 그리고 파의 산과 산 또는 골과 골 사이의 시간 간격을 파의 주기(*period*)라 하고 T로 표시한다. 또, 단위시간당의 주기수를 주파수(*frequency*)라 하고 f로 표시하는데, 주파수와 주기와의 관계는 다음 식으로 주어진다.

$$f = \frac{1}{T} = \frac{\omega}{2\pi} \quad \cdots\cdots\cdots(2.16)$$

파동을 f로 표시되는 주파수는 근래까지도 일초 당 사이클 수로 표시되어 왔으나 현재에는 물리학자 Hertz씨의 주창으로 국제단위로 인정받은 Hertz, 약자로 Hz로 표시하고 있다.

1Hz   = 1 cycle per sec

1kHz = 1,000Hz = 1,000 cycle per sec

1MHz = 1,000,000Hz = 1,000,000 cycle per sec

또한, 시간과 위치에 대해서도 파형은 동일하다. 이 때 C는 파동의 속도이고 다음 식으로 나타난다. 다시 말해 입자가 매초 f회 진동한다고 하면 1초 마다 파장 λ의 f배 만큼 파는 진행하게 된다. 바꿔 말하면 음속 C로 1초간에 진행하는 것은 동일하게 된다.

표 2.2 보조단위의 종류

기호	읽는 방법	배수	기호	읽는 방법	배수
p	피코	10^{-12}		단위	1
n	나노	10^{-9}	da	데카	10
μ	마이크로	10^{-6}	h	헥토	10^2
m	밀리	10^{-3}	k	킬로	10^3
c	센티	10^{-2}	M	메가	10^6
d	데시	10^{-1}	G	기가	10^9
			T	테라	10^{12}

$$C = \frac{\lambda}{T} = f\cdot\lambda \quad \cdots\cdots\cdots(2.17)$$

$$k = \frac{\omega}{C} \quad \cdots\cdots\cdots(2.18)$$

강 중에 종파가 전파할 때 주파수 2 MHz 와 5 MHz인 경우의 파장을 구해보면

$$\lambda = \frac{C}{f} \ = \ 5{,}900 \times 10^6 \ / \ 2 \times 10^6 = \ 2.95 \ \text{mm}$$

이고, 5 MHz의 경우는 1.18 mm가 된다. 또 강 중에서 초음파의 전파거리를 계산해보면 전파거리 x는 음속 C에 전파시간 T를 곱한 값으로 1 μs간에 전파되는 거리는

$$x = C \cdot T \ = \ 5{,}900 \times 10^6 \times 1 \times 10^{-6} = \ 5.9 \ \text{mm} \text{이다.}$$

초음파의 파장은 주파수와 반비례의 관계가 있기 때문에 주파수가 높으면 파장은 짧아진다. 초음파가 반사되는 반사원의 크기는 파장의 1/10정도이고, 반사된 초음파의 음압(*sound pressure*)에서 크기가 측정 가능한 결함의 최소크기는 파장의 1/2정도라고 알려져 있다. 따라서 작은 결함까지 검출하기 위해서는 파장이 짧은 초음파, 즉 높은 주파수의 초음파를 사용할 필요가 있다. 그러나 너무 높은 주파수를 사용하면 파장이 짧아져 시험체의 결정입계 등에서 산란이 발생하기 때문에 시험체 내부까지 초음파가 도달하지 못한다. 즉, 주파수는 시험체 및 검출할 결함에 적당한 크기로 결정해야 한다. 일반적으로 초음파계측에서는 1 ~ 10 MHz의 주파수가 많이 이용되고 있다. 따라서 강중에서의 초음파 파장은 대략 6 ~ 0.6 mm정도를 사용하고 있다. 표 2.2는 여러 물질에 대한 음속과 주파수 5 MHz에서의 파장값을 나타내고 있다.

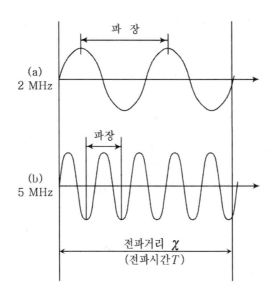

〔그림 2.9〕 초음파 측정에 사용되는 파형과 주파수, 파장

기체, 액체, 고체의 매체 중을 전파하는 음속은 음속 모드와 매체의 재료상수에 따라서 고유한 값을 가진다. 예를 들어 종파를 비교해보면, 공기중에서의 음속은 약 $340\ m/s$, 수중에서는 약 $1,480\ m/s$, 강중에서는 약 $5,900\ m/s$이고, 세라믹 중에서는 약 $10,000\ m/s$를 초과하는 경우도 많다. 음속은 액체, 기체 내에서 온도의 영향을 강하게 받기 때문에 온도에 대응해서 음속이 변하게 된다. 반면, 고체 내에서 온도의 차이에 의한 음속의 변화는 거의 없지만 모드 차이에 의한 음속차이가 크다. 예를 들어 강중에서의 종파음속 C_L은 $5,900\ m/s$, 횡파음속 C_S는 $3,230\ m/s$, 표면파의 음속 C_R은 $2,980\ m/s$이다. 음속은 또한 재료에 따라 차이를 보인다. 강은 열처리에 의해서 조직이 조대해져도 음속의 변화는 아주 작다. 따라서 초음파탐상에서는 측정대상의 재료에서 음속은 일정하다고 가정하고 탐상을 하게 된다.

표 2.3 각종 물질의 음속과 파장

물 질	밀도(ρ) [g/cm^3]	횡파속도 [m/s]	종파속도 [m/s]	종 파 파 장[mm]		
				2.25[MHz]	3[MHz]	5[MHz]
알루미늄	2.69	3,130	6,350	2.8	2.1	1.3
강	7.7	3,200	5,900	2.6	1.9	1.2
황 동	8.54	2,070	4,630	2.1	1.5	0.93
아크릴수지	1.18		2,670	1.2	1.3	0.53
베이클라이트	1.4		2,590	1.15	0.86	0.52
물(20℃)	1.0		1,480	0.66	0.49	0.30
기 름	0.92		1,390	0.62	0.46	0.28
공 기	0.0012		330	0.15	0.11	0.066

2.2.5 연속파와 펄스파

현재 탐상에 이용되고 있는 초음파의 대부분은 펄스파이나, 이 장에서 사용하는 이론은 연속파의 이론이다. 연속파에서는 파의 사이클 수가 충분히 많기 때문에 주파수는 중심주파수에 고정된다. 그래서 연속파의 이론을 적용할 수 있고 연속파의 이론을 사용하면 식은 비교적 간단해진다.

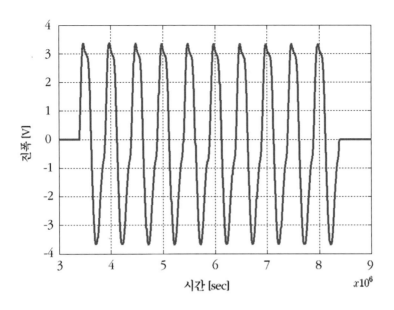

〔그림 2.10〕 버스트 파(10 사이클)

　　그러나 보통의 탐상에는 펄스파를 사용하는데, 이 펄스파는 엄밀히는 규정되어 있지 않지만 1 ~ 3파의 광대역의 것이나 3 ~ 5파 정도의 협대역을 사용한다. 특히 높은 거리분해능이 요구되는 경우에는 1.5 사이클의 펄스가 사용된다. 그림 2.11은 공칭주파수 10 MHz의 수직탐촉자로 얻어진 반사에코의 파형과 그 주파수 분석 결과의 예이다. 펄스의 경우에는 그림 2.11의 주파수 분석 결과에서 알 수 있듯이 공칭주파수 부근에 중심주파수의 성분을 포함하고 있음을 알 수 있다.

　　파동공학에서는 음파의 간섭이 가장 중요한 역할을 하고 있고 펄스에서는 충분한 간섭을 일으키지 않는 경우도 있다. 또 펄스 수가 적으면 주파수는 불명확해지고 주파수 다시 말해 파장이 주요인이 되고 있는 파동방정식은 의미를 잃어버리게 된다. 초음파탐상검사에서 여러 종류의 이론은 연속파의 이론에 의한 경우도 많기 때문에 실제 측정의 결과와 이론이 일치하지 않는 경우가 있다. 초음파탐상에서 정량성을 요구하는 경우에는 이들 문제에 대해 충분히 고찰하는 동시에 펄스의 성질에 대해서 구체적으로 정해진 해석을 할 필요가 있다.

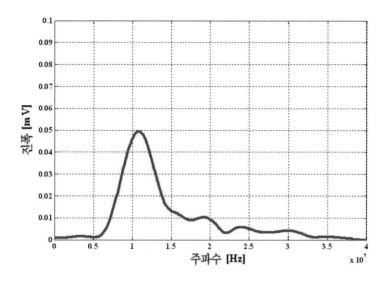

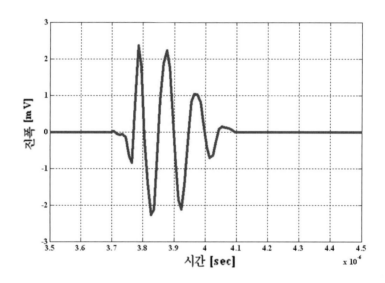

〔그림 2.11〕 반사에코 파형과 그 주파수성분 결과의 예

2.2.6 파의 진행공식

기계적 진동인 파가 매질 내를 진행해 갈 때 임의시간 t에서 매질내의 입자가 정지위치에서 어떤 지점으로 이동한 것을 수식으로 나타내면 다음 식 2.19와 같이 된다.

$$a = a_0 \sin 2\pi f t \quad \cdots\cdots\cdots\cdots\cdots\cdots\cdots\cdots\cdots\cdots (2.19)$$

단, a_0 : 입자의 진폭

　　f : 입자의 진동 주파수

　　a : 시간 t에서의 입자의 변위

이것을 그래프로 나타내면 그림 2.12와 같이 된다.

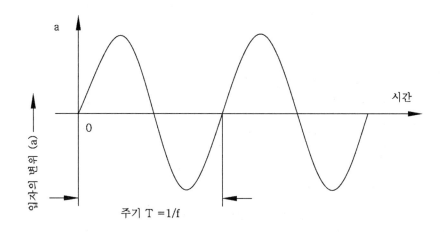

〔그림 2.12〕 임의 시간에서의 입자의 변위 파형

식 2.20은 매질에서의 기계적인 파동의 움직임을 나타내는 식으로써 일정한 시간 t에서 처음 여기된 입자로부터 떨어져 있는 입자들의 상태를 나타내 주는 식이다.

$$a_x = a_0 \sin 2 \left(t - \frac{x}{v} \right)$$ ···(2.20)

　　단, a_x : 기계적 파동이 매질에서 처음 입자로부터 x거리만큼 떨어져 있는
　　　　　 시간 t에서의 입자의 변위(***displacement***)

　　　a_0 : 매질에서의 입자의 진동 크기와 같은 피의 진폭

　　　v : 파의 진행속도

T시간(주기)에 속도 V의 기계적 진동파가 매질내의 λ거리를 진행한다면;

$$\lambda = VT \quad 또는 \quad V = \frac{\lambda}{T}$$ ·······································(2.21)

여기서 시간 T는 주파수 f와 다음의 관계가 있으므로 즉,

$$f = \frac{1}{T} \quad \cdots\cdots\cdots\cdots\cdots\cdots\cdots\cdots\cdots\cdots\cdots\cdots\cdots\cdots\cdots(2.22)$$

식 (2.21)과 (2.22)를 합하면 진동 운동의 기본공식을 얻게 된다.

$$V = \lambda \cdot f \quad \cdots\cdots\cdots\cdots\cdots\cdots\cdots\cdots\cdots\cdots\cdots\cdots\cdots\cdots(2.23)$$

그림 2.13은 식 2.20을 그래프로 나타낸 것이다.

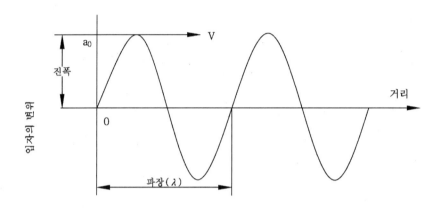

〔그림 2.13〕 임의 시간에서의 속도 V로 이동하는 입자의 변위 파형

2.2.7 음향임피던스

초음파가 제1매질을 통하여 제2매질로 투과되어 갈 때, 입사된 초음파 에너지의 일부는 제1매질과 제2매질의 경계에서 반사하게 되고 나머지는 제2매질로 투과된다. 이 반사되는 양을 결정하는 특성은 두 매질의 음향 임피던스(*Acoustic Impedence*)이다. 만약 두 물질의 음향 임피던스가 완전히 똑같다면 반사되는 양은 없을 것이고, 두 물질의 음향 임피던스가 아주 많이 차이 난다면(예를 들어, 제1매질 금속에서 제2매질 공기 중으로 초음파가 진행할 때), 실질적으로 완전한 반사가 일어나게 된다. 이러한 특성은, 어떤 검사체내에 존재하는 불연속을 검출 할 때 검사체를 이루는 제1매질과 불연속을 이루는 제2매질의 음압차에 의한 초음파 반사량을 이용하여 검사하는 초음파탐상검사의 기초원리가 된다.

그러므로 음향 임피던스는 초음파가 물질 내에 진행하는 것을 방해하는 저항이라고 정의할 수 있고 Z로 표시한다. 이 음향 임피던스 Z는 물질의 밀도가 ρ와 매질 내에서의 초음파의 속도 V 곱으로 구할 수 있다.

$$Z = \rho \cdot V \quad \cdots\cdots\cdots\cdots\cdots\cdots\cdots\cdots\cdots\cdots\cdots\cdots\cdots(2.24)$$

표 2.4에 각종 물질의 음향 임피던스를 종합하여 나타내었다.

표 2.4 각종 재료의 밀도, 속도 및 음향 임피던스

재　　　질	밀도 kg/m^2	횡파속도 m/s	종파속도 m/s	음향임피던스 $10^3 Pas/m$
aluminium	2,700	3,130	6,320	17,064
aluminium oxide	3,600	5,500	9,000	32,400
bismuth	9,800	1,100	2,180	21,364
brass	8,100	2,120	4,430	35,883
cadmium	8,600	1,500	2,780	23,908
cast iron	6,900	2,200	5,300	24,150
concrete	2,000	-	4,600	9,200
copper	8,900	2,260	4,700	41,830
glass	1,300	2,560	4,260	15,336
glycerine	1,300	-	1,920	2,496
gold	19,300	1,200	3,240	62,532
grey casting	7,200	2,650	4,600	33,120
hard metal	11,000	4,000	6,800	74,800
lead	11,400	700	2,160	24,624
magnesium	1,700	3,050	5,770	9,809
motor oil	870	-	1,740	1,514
nickel	8,800	2960	5,630	49,544
perspex	1,180	1,430	2,730	3,221
platinum	21,400	1,670	3,960	84,744
polyamide(nylon)	1,100	1,080	2,620	2,882
polyethylen	940	925	2,340	2,200
polystyrol	1,060	1,150	2,380	2,523
polyvinylchloride(PVC hard)	1,400	1,060	2,395	3,353
porcellaine	2,400	3,500	5,600	13,440
quartz	2,650	-	5,760	15,264
quartz glass	2,600	3,515	5,570	14,482
silver	10,500	1,590	3,600	37,800
steel(low alloy)	7,850	3,250	5,940	46,629
steel(calibration block)	7,850	3,250	5,920	46,472
tin	7,300	1,670	3,320	24,236
titanium	4,540	3,180	6,230	28,284
tungsten	19,100	2,620	5,460	104,286
uranium	18,400	-	3,200	59,840
water(20℃)	1,000	-	1,480	1,480
zinc	7,100	2,410	4,170	29,607

2.2.8 음압과 음향 강도(Acoustic Impedance and Intensity)

음압(*acoustic pressure*)은 일반적으로 초음파가 물질 내를 진행할 때 물질에 가하는 힘의 크기 즉, 압력을 의미하며 P로 표시한다. 이 음압 P는 음향 임피던스 Z와 입자의 진폭 a로써 구해진다.

$$P = Z \cdot a \quad\cdots\cdots\cdots\cdots(2.25)$$

단, P : 음압

Z : 음향 임피던스

a : 입자의 진폭

음향강도(*acoustic intensity*)는 파의 진행방향에 수직인 단위면적 당 진행하는 초음파의 기계적 에너지의 투과강도를 말하며 I로 표시한다. 초음파의 강도 I는 음압 P와 음향 임피던스 Z와 입자의 진폭 a와의 함수이다.

$$I = \frac{P^2}{2Z} \quad\cdots\cdots\cdots\cdots(2.26)$$

그리고

$$I = \frac{P \cdot a}{2} \quad\cdots\cdots\cdots\cdots(2.27)$$

단, I : 음향강도, a : 입자의 진폭

2.3 초음파의 발생과 수신

기계적인 신호(초음파펄스)와 전기신호로 상호 변환하는 방법에는 여러 방법이 있고 전자력(電磁力)을 이용하는 방법, 압전소자를 이용하는 방법이 실용화되고 있다. 압전소자는 압전현상, 역압전현상을 일으키는 물질이다. 압전효과란 그림 2.14와 같이 어떤 종류의 물질에 힘이 가해지면 힘의 크기에 비례한 전압이 생기는 현상을 말한다. 역압전현상은 그 반대의 현상 다시 말해 전압을 가하면 가해진 전압에 비례한 변형이 생기는 현상이다. 이들 현상을 압전효과(**piezoelectric effect**)라 부른다.

판형의 압전소자 양면에 전극이 붙어있는 것을 진동자라 부른다. 진동자의 양극에 송신부로부터 송신되어 온 펄스전압을 가하면 진동자는 그 두께에 대응한 신축의 진동(공진)을 개시한다. 이 진동은 수회 반복한 후 감쇠하여 정지한다. 그림 2.15와 같이 진동자를 시험체에 접촉시키면 시험체의 접촉면은 진동자의 신축에 의해 종파가 보내져 들어간다. 이것이 초음파의 송신이다.

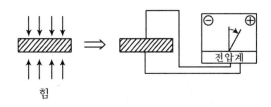

(a) 압전현상

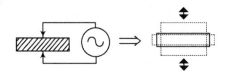

(b) 역압전현상

〔그림 2.14〕 압전효과

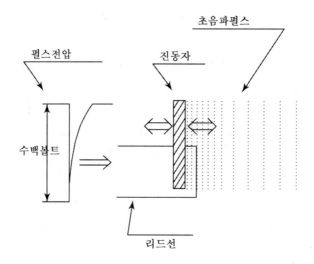

〔그림 2.15〕 초음파펄스의 송신

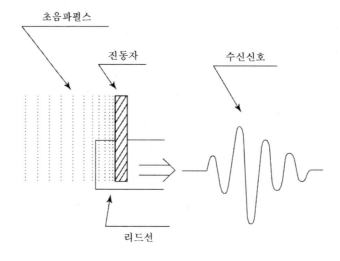

〔그림 2.16〕 초음파펄스의 수신

그림 2.16과 같이 진동자가 접촉해 있는 면에 종파가 전파해 오면 면이 진동하기 때문에 진동자에 힘이 가해진다. 그리고 진동자 면에는 가해진 힘에 비례한 전압이 생긴다. 이 전압이 수신신호로 수신부에 송신된다. 이것이 초음파의 수신이다.

이상과 같이 탐촉자에서 가장 중요한 역할을 담당하고 있는 진동자에는 표 2.5와 같은 여러 종류의 압전소자가 목적에 따라 선택 적용되고 있다.

압전 특성을 갖는 많은 재질 중에서 비파괴검사를 목적으로 사용되는 것으로는 지르콘 티탄산 납(**PZT, lead zirconate titanate**), 티탄산 바륨(**BaTiO$_3$, barium titanate**), 니오비움산 납(**PbNb$_2$O$_6$, lead metaniobate**), 황산 리튬(**LiSO$_4$, H$_2$O, Lithium sulfate**) 등이 사용된다. 수정은 가장 오래된 압전 재질로써 투명하고 단단하다. 화학적으로도 단지 몇 가지를 제외하고는 부식에 대한 안정성을 갖는다. 수정은 또한 기계적, 전기적으로 안정하며, 불용성이며 큐리점(**Curie point**)이 높기(약 576℃) 때문에 고온에서 사용이 용이하다. 수정을 이용할 때의 단점은 불필요한 진동 양식을 발생하기가 쉬우므로 모드변환(**mode conversion**)가 일어나기 쉽다. 또한 일반적인 결정체 중에서 가장 음향에너지 송신 효율이 나쁘다.

표 2.5 압전소자의 종류와 특징

진동자 재질	장 .점	단 점	용도
수정 (**Quartz**)	① 전기, 화학, 기계, 열적 안정성이 우수함 ② 수명성 길고 내 마모성이 우수함 ③ 불용성, Currie Point가 높아 고온에서의 용이함 ④ 변환효율이 낮다 ⑤ X-cut 및 Y-cut의 2종류	① 음파의 송신 효율이 가장 나쁘다.	기준 탐촉자
황산리튬 (**Lithum Sulfate**)	① 수신효율은 가장 우수함 ② 음향임피던스가 낮아 수침용으로 적당 (물과의 음향임피던스차가 적어져 통과율이 커진다)	① 깨지기 쉽다. ② 물에 잘 놀아 물에서 사용할 때 방수처리가 필요하다.	고감도가 요구되는 탐촉자
티탄산바륨 (**Barium Titanate** **BaTiO$_3$**)	① 가장 좋은 송신효율로 고감도가 요구될 때 많이 사용 ② 불용성, 화학적으로 안정, 좋은 송신효율	① 내마모성이 낮아 수명이 짧다.	
니오비움산 리튬 (**Lithium Niobate**)	① 가장 높은 큐리점(1210 ° C) - <u>고온사용</u>에 이용	① 분해능이 떨어진다.	고주파수 탐촉자
니오비움산납 (**Lead ethaniobate** **PbNb$_2$O$_6$**)	① 고요의 내부댐핑이 높아 댐핑재를 부착하지 않고 고분해능형 탐촉자에 사용	① 깨지기 쉬워 고주파수용으로 쓸 수 없다.	고분해능 탐촉자

황산 리튬의 송신 효율은 티탄산 바륨과 수정의 중간이지만 수신 효율은 가장 좋다. 전기적 임피던스가 수정과 같기 때문에 수정용으로 설계된 장치에 그대로 사용이 가능하다. 또한 음향임피던스가 낮아 수침탐촉자용으로 적당하다. 그러나 황산 리튬은 물에 쉽게 녹기 때문에 물에서 사용할 때에는 방수가 잘 되지 않으면 안된다. 수정이나 티탄산 바륨에 비해 아주 좁은 펄스를 낼 수 있어 좋은 분해능을 낼 수 있다. 다른 압전체에 비해 기계적 저항성이 낮으며 130° C에서 결정수가 이탈되기 때문에 고온에서의 사용은 불가능하다.

표 2.6 탐촉자의 종류(KS B 0535)

구 분	용 도	형 식	
수직용	직접접촉용	표준 (1진동자)	보호막 부착 보호막 없음 지연재 부착
		2진동자 (분할형)	지연재 부착 지연재 없음
	국부수침용	막부착 막없음	
	수침용	—	
	그 외	타이머 탐촉자 집속탐촉자	
사각용	직접접촉용	고정각 가변각 2진동자 분한	
	국부수침용	—	
	그 외	타이어탐촉자 집속탐촉자	고정각 가변각

니오비옴산 리튬(***Lithium niobate***)은 가장 높은 큐리점(1210℃)를 갖고 있기 때문에 특히 고온에서의 사용이 가능하다.

티탄산 바륨은 큰 단결정(***single crystal***)을 만드는 것이 불가능하기 때문에 소결자기로써 만든다. 이 재질은 수용성이며 화학적으로도 안정하며 100℃까지는 온도에 의해 영향을 받지 않는다. 티탄산 바륨은 가장 좋은 송신효율을 갖는다. 수정의 경우 보다도 더 심한 모드변환의 영향을 받는다. 아주 높은 기계적 임피던스를 가지며 초음파 수신 효율이 나쁘다. PZT는 기계 전기적 커플링이 좋고 티탄산 바륨 보다 높은 큐리점을 갖는다.

표 2.7 탐촉자의 표시방법 (KS B 0535)

표시 순위	내 용	종 별 · 기 호
1	주파수대역폭	보통 : N[※1], 광대역 : B[※2]
2	공칭주파수	수치는 그대로(단위 : MHz)
3	진동자재료	수정 : Q, 지르콘·티탄산납계자기 : Z 압전자기일반 : C, 압전소자일반 : M
4	진동자의 공칭치수	원형 : 지름　　　　　　　(단위 : ㎜) 각형 : 높이×폭　　　　　(단위 : ㎜) 2진동자는 각각의 진동자치수이다.
5	형 식	수직 : N, 사각: A, 종파사각 : LA, 표면파 : S 가변각 : VA, 수침(국부수침포함) : I, 타이어 : W 2진동자 : D를 더함 , 두께측정용 : T를 더함
6	굴 절 각	저탄소강중에서의 굴절각을 나타내고, 단위는 [°] 알루미늄용은 굴절각 뒤에 AL을 붙임.
7	공칭집속범위	집속형이 경우에는 F를 붙이고, 범위는 ㎜단위

(주)(※ 1) N은 생략가능.
 (※ 2) 고분해능탐촉자를 의미
 표시 예　(예 1) 5 Q 20 N:
　　　　　　보통 주파수대역을 가지고, 5 ㎒, 수정진동자의 지름 20 ㎜의 직접접촉용 수직탐촉자
 　　　(예 2) B 5 Z 14 I F15-25
　　　　　　광대역주파수폭을 가지고, 5 ㎒, 지르콘·티탄산납계자기의 지름이 14 ㎜, 집속범위가 15~25 ㎜의 집속수침용수직탐촉자

　니오비움산 납은 다른 압전 자기에 비해 특별한 장점을 가지고 있다. 짧은 펄스를 만들기 위해 결정(진동자)의 뒤쪽에 댐핑재를 부착하는 것이 일반적이다. 이 경우 결정을 댐핑할 뿐만 아니라 결정 뒤쪽으로의 방사된 파를 흡수해야 한다. 그러나 높은 음향임피던스를 갖는 결정의

경우에는 요구되는 특성이 서로 상충되기 때문에 실제로는 간단한 것이 아니다. 그러나 니오비옴산 납은 고유의 내부 댐핑이 높기 때문에 추가의 댐핑재를 붙이지 않고 사용이 가능하고 이는 또한 감도에도 좋은 영향을 주게 된다.

초음파탐상을 할 때, 가장 중요한 인자 중 하나는 탐촉자의 선정이다. 탐촉자에는 여러 형식의 탐촉자가 시판되고 있고 그 목적에 따라서 적절한 형식의 탐촉자를 사용한다. 표 2.6는 탐촉자의 종류, 표 2.7는 KS B 0535에 따른 탐촉자의 표시방법을 나타낸다.

2.4 초음파의 반사와 투과

2.4.1 수직입사

2개의 매질이 그림 2.17과 같이 평행한 면으로 밀착해 있을 때 한쪽 매질에서 다른쪽 매질로 초음파가 경계면에 수직으로 입사하면 일부는 경계면에서 수직으로 반사하고 나머지는 수직으로 투과한다. 즉, 탐촉자로부터 재료 내부에 초음파를 송신하였을 때 초음파에너지의 대부분은 경계면에서 반사되고 일부만 투과한다. 경계면에서 음파의 반사량은 두 매질의 음향임피던스(*acoustic impedance, Z*)비에 좌우되는데, 경계면에서의 반사와 굴절현상은 초음파탐상검사에서 결함 등의 검출에 있어 중요한 역할을 한다. 음향임피던스는 서로 다른 재질에서의 음속차에 기인하며, 재질이 음파의 진행을 방해하는 것을 의미한다.

일반적으로 경계면에 초음파가 수직입사(*normal incidence*)한 경우 초음파는 그곳에서 반사되는 성분과 투과하는 성분으로 나누어진다. 반사와 투과의 비율은 경계면에 접하는 두 물질의 음향임피던스에 따라 정해진다. 이 때 경계면에서의 음압반사율(*reflection coefficient*) $r_{1 \to 2}$ 는 다음 식으로 표시된다.

$$r_{1 \to 2} = \frac{P_r}{P_i} = \frac{Z_2 - Z_1}{Z_1 + Z_2} \quad \cdots\cdots\cdots\cdots\cdots\cdots\cdots\cdots\cdots\cdots(2.28)$$

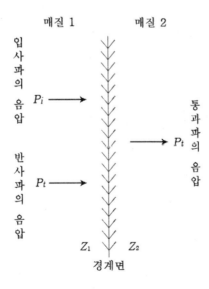

〔그림 2.17〕 경계면에 수직 입사한 경우의 반사와 투과

그림 2.17와 같이 제 1매질의 음향임피던스를 Z_1, 제 2매질의 음향임피던스를 Z_2라 할 때, 음압반사율 $r_{1\rightarrow2}$은 입사파의 음압 P_i 에 대한 반사파의 음압 P_r의 비로 나타낼 수 있다. 표 2.8은 각종 매질간의 음압반사율을 나타내고 있다. 강(鋼)과 공기 사이에서는 거의 100% 반사가 일어나고, 강과 물 사이에는 94% 반사가 일어난다. 이들은 음향임피던스의 차가 크면 반사가 크고, 매질이 달라도 음향임피던스가 같은 값이면 반사가 일어나지 않음을 나타내고 있다.

표 2.8 종파수직입사시의 음압반사율

단위 : (%)

물 질	음향임피던스 Z $(10^6\,kgf/m^2s)$	공기	기 름	물	글리세린	아크릴 수지	강
알루미늄	16.90	100	86	84	75	68	46
강	46.02	100	95	94	90	87	
아크릴수지	3.22	100	43	37	14		
글리세린	2.42	100	31	24			
물(20℃)	1.48	100	7				
기 름	1.29	100					
공 기	4×10^{-4}						

음압 P_i의 초음파가 경계면을 투과하여 매질 2에서 음압이 P_t가 되었다고 하자. 이때의 음압투과율(**transmission coefficient**) $t_{1\rightarrow2}$는 다음 식으로 표시된다.

$$t_{1\rightarrow2} = \frac{P_t}{P_i} = \frac{2Z_2}{Z_1+Z_2} = 1 + r_{1\rightarrow2} \quad\cdots\cdots\cdots\cdots\cdots\cdots(2.29)$$

여기서 $r_{1\rightarrow2}$는 제1매질에서 제2매질로 초음파가 수직입사했을 때의 음압반사율이다. 매질 2로부터 매질1에 초음파가 수직으로 입사하였을 때의 음압투과율 $t_{2\rightarrow1}$은 다음 식으로 주어진다.

$$t_{2\rightarrow1} = \frac{2Z_1}{Z_1+Z_2} = 1 + r_{2\rightarrow1} \quad\cdots\cdots\cdots\cdots\cdots\cdots(2.30)$$

여기서 $r_{2 \to 1}$은 초음파가 제2매질에서 제1매질로 초음파가 수직입사했을 때의 음압반사율이다. 따라서 제1매질에서 제2매질로 수직 입사했을 때 초음파가 완전반사하고 매질1에 되돌아왔을 때의 음압투과율, 다시 말해 경계면을 초음파가 왕복 투과하는 비율을 음압왕복투과율이라 하고, 그 때의 음압을 P_T라 하면 음압왕복투과율 $T_{1 \to 2}$ 는 다음 식으로 정의된다.

$$
T_{1 \to 2} = t_{1 \to 2} \times t_{2 \to 1} = \frac{P_t}{P_i} \times \frac{P'_t}{P_i} = \frac{2Z_2}{Z_1 + Z_2} \times \frac{2Z_1}{Z_2 + Z_1}
$$

$$
= \frac{4Z_1 Z_2}{(Z_1 + Z_2)^2} = 1 - r_{1 \to 2}^2 \cdots\cdots\cdots\cdots (2.31)
$$

매질1과 매질2는 음향임피던스가 다르기 때문에 초음파 에너지로 생각하면 다음과 같이 된다. 음압 P의 초음파의 단위면적당의 에너지 E는 다음 식으로 표시된다.

$$
E = \frac{P^2}{Z} \cdots\cdots\cdots\cdots\cdots\cdots\cdots (2.32)
$$

즉, 에너지는 초음파가 전파하는 매질에서 음압의 제곱에 비례하고, 초음파가 전파하는 음향임피던스에 반비례한다.

매질1로부터 매질2에 초음파가 수직으로 입사하였을 때 입사파의 음압을 P_i, 투과파의 음압을 P_t라 하면 입사파의 에너지 E_i는 다음 식으로 주어진다.

$$
E_i = \frac{P_i^2}{Z_1} \cdots\cdots\cdots\cdots\cdots\cdots (2.33)
$$

반사파의 에너지 E_i는 다음 식으로 주어진다.

$$
E_r = \frac{P_r^2}{Z_1} = \frac{P_i^2 r_{12}^2}{Z_1} = E_i \frac{(Z_2 - Z_1)^2}{(Z_1 + Z_2)^2} \cdots\cdots\cdots\cdots (2.34)
$$

투과파의 에너지 E_t는 다음 식으로 주어진다.

$$E_t = \frac{P_t^2}{Z_2} = \frac{P_i^2\, t_{12}^2}{Z_2} = \frac{P_i^2\, Z_1\, t_{12}^2}{Z_1\, Z_2} = E_i\, \frac{Z_1\,(2Z_2)^2}{Z_2\,(Z_1 + Z_2)^2}$$

$$= E_i\, \frac{4Z_1 Z_2}{(Z_1 + Z_2)^2}$$

$$= E_i\, \frac{(Z_1 + Z_2)^2 + 4Z_1 Z_2 - (Z_1 + Z_2)^2}{(Z_1 + Z_2)^2}$$

$$= E_i\, \frac{(Z_1 + Z_2)^2 - (Z_2 - Z_1)^2}{(Z_1 + Z_2)^2} = E_i - E_r \quad \cdots\cdots\cdots\cdots\cdots(2.35)$$

따라서

$$E_i = E_r + E_t \quad \cdots\cdots\cdots\cdots\cdots\cdots\cdots\cdots\cdots\cdots\cdots\cdots\cdots(2.36)$$

식 (2.36)의 결과는 입사파의 에너지가 반사파의 에너지와 투과파의 에너지로 나누어지는 것을 의미하고 매우 상식적인 결과이다.

물로부터 강에 초음파가 수직입사할 때 음압반사율은 + 0.936 이기 때문에 음압투과율은 1.936이 되고 경계면에서 거의 (에너지로 87.6%) 반사하는 것으로, 강 중에 투과한 초음파의 음압은 입사음압의 1.936 배이다. 이것은 강의 음향임피던스가 물의 음향임피던스 보다 상당히 크기 때문이다. 그러나 투과파의 에너지는 식 (2.34)과 식 (2.35)로 부터

$$\frac{E_t}{E_i} = \left(\frac{Z_1}{Z_2}\right) t_{1 \to 2}^2 = \left(\frac{1.5}{45.4}\right) 1.936^2 = 0.12412$$

이 되고 입사파 에너지의 12.4% 만이 강중에 투과한다.

그림 2.18은 국부수침법에 의한 강판의 탐상 예이다. 이 때 탐상기의 화면상에 나타나는 표면에코 S와 저면에코 B의 에코높이를 비교하면 다음과 같다. 표면에코 S는 수중을 전파하여 온 초음파가 물과 강판과의 경계면에서 반사한 비율(음압반사율 $r_{1 \to 2}$)에 대응한다. 한편 저면에코 B는 물과 강판과의 경계면을 투과한 초음파(음압투과율 $t_{1 \to 2}$)가 강판의 저면 다시 말해 강판과 공기와의 경계면에서 반사(100% → 음압반사율 = 1)하고, 다시 물과 강판과의 경계면을 투과한 초음파(음압투과율 $t_{2 \to 1}$)의 비율 (음압왕복투과율 $T_{1 \to 2}$)에 대응한다.

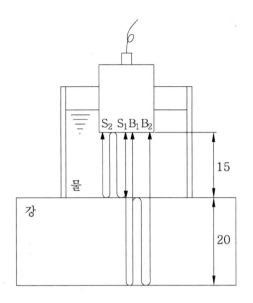

(a) 초음파의 전달방법

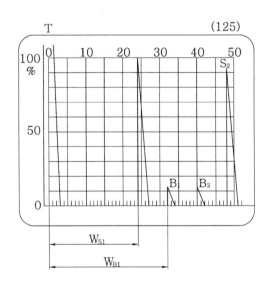

(b) 탐상도형

〔그림 2.18〕 수침탐상법에서 초음파의 전달방법과 탐상도형

그림 2.18과 같이 수중을 전파하여 온 초음파가 물과 강재와의 경계면에 입사하는 경우의 음압반사율 $r_{1\rightarrow2}$ 및 음압투과율 $t_{1\rightarrow2}$은 식 (2.28) 및 식 (2.31)로부터

$$r_{1 \to 2} = \frac{Z_2 - Z_1}{Z_1 + Z_2} = \frac{(45.5 \times 10^6) - (1.5 \times 10^6)}{(1.5 \times 10^6) + (45.5 \times 10^6)} \fallingdotseq 0.94 \to 94\%$$

$$T_{1 \to 2} = \frac{4Z_1 Z_2}{(Z_1 + Z_2)^2} = 1 - r_{1 \to 2}^2 \fallingdotseq 0.12 \to 12\%$$

이 되고, 이것이 각각 표면에코와 저면에코의 크기에 대응한다. 여기서는 초음파의 확산에 의한 감쇠(확산감쇠)는 고려하지 않는다.

초음파가 물로부터 강에 초음파가 입사하는 경우는 입사파의 음압에 대해 반사파는 93.5%, 투과파는 193.5%가 되고, 강으로부터 물에 초음파가 입사하는 경우는 입사파의 음압에 대해 반사파는 -93.5%, 투과파는 6.5%가 된다. 음압반사율의 부호가 +의 경우는 입사파에 대해 위상(*phase*)이 같음을 나타내며, -의 경우는 입사파에 대한 위상이 반전되는 것을 나타낸다. 물과 강의 경계면에서 입사, 반사, 투과의 경우 음압의 값과 위상의 변화를 그림 2.19에 나타내고 있다. 위상이 반전되는 것은 초음파가 초음파적으로 연한 매질에 입사할 때 반사파에서 생기는 것으로 초음파탐상에서는 위상의 변화는 그다지 중요하지 않기 때문에 일반적으로 부호를 생략한다.

그림 2.18에서 $r_{1 \to 2}$= 94%는 표면에코 S1에 상당하며, 저면에코 B1은 물로부터 경계면을 투과한 초음파 $t_{1 \to e}$가 강판의 저면에서 100% 반사하고 (음압반사율 = 1), 다시 경계면을 투과하는 $t_{2 \to 1}$이 된다.

화면상에 나타나는 에코높이는 초음파의 수신음압에 비례하기 때문에 저면에코높이 h_B와 표면에코높이 h_S의 비는 다음과 같이 된다.

$$\frac{h_B}{h_S} = \frac{T_{1 \to 2}}{r_{1 \to 2}} \fallingdotseq 0.13$$

이 된다.

제 1회째 표면에코 S_1의 에코높이 h_{S1}을 화면상에 100%가 되도록 탐상기의 감도를 조정하면 제1회째의 저면에코 B_1의 에코높이 h_{B1}은 약 13%가 된다. 이 예에서도 알 수 있듯이 초음파는 이물질의 경계면에서 잘 반사한다. 보통 초음파탐상검사의 대상이 되는 결함내부는 기체 또는 비금속개재물로 되어 있기 때문에 결함표면에서 초음파는 잘 반사하고 결함의 검출이 가능하게 된다.

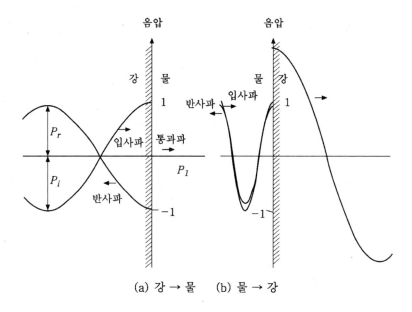

〔그림 2.19〕 강/물 경계면에서 초음파의 반사와 투과

2.4.2 경사입사

가. 반사와 굴절

초음파가 경계면에 경사로 입사하면 반사파와 굴절파도 경사를 갖고 발생한다. 액체와 기체 사이에서는 입사파·반사파·굴절파 모두 종파이나, 고체 내에서의 입사파는 종파 또는 횡파일 수 있으며 반사파 또는 굴절파는 입사파의 종류와 상관없이 종파와 횡파의 2종류로 발생한다.

그림 2.20은 이 관계를 나타내고 있다. 그림에서 입사각 α_L, α_S과 반사각 β_L, β_S 및 굴절각 θ_L, θ_S 사이에는 빛과 같은 관계가 성립한다. 입사측의 속도를 C_i, 굴절측의 속도를 C_L, C_S라 하면 파동방정식으로부터 다음식이 얻어진다

$$\frac{C_i}{\sin\alpha_L} = \frac{C_L}{\sin\theta_L} = \frac{C_S}{\sin\theta_S} \quad \cdots\cdots\cdots\cdots\cdots\cdots(2.37)$$

이 식을 스넬의 법칙(**Snell's law**)이라 부르고 입사각 α, 반사각 β, 굴절각 θ와 음속의 관계는 이 식으로 나타낼 수 있다. 매질2의 음속 C_L, C_S가 매질 1의 음속 C_i 보다 클 때

입사각 α를 증가해가면 굴절각 θ는 90°가 된다. 이때의 α를 임계각(***critical angle***)이라 부르고 이 이상의 입사각에서는 굴절파는 존재하지 않고 모두 반사해버린다. 이 현상을 전반사라 부른다.

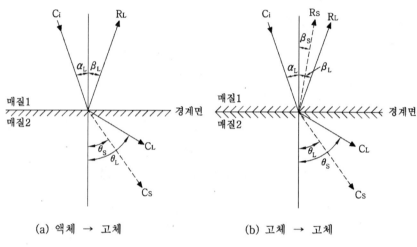

(a) 액체 → 고체   (b) 고체 → 고체

α : 입사각 β : 반사각 θ : 굴절각 R: 반사파
C : 통과파(L은 종파, S는 횡파)

〔그림 2.20〕 경사입사 시의 반사와 굴절

그림 2.20에서 알 수 있듯이 초음파가 경계면에 경사 입사하였을 때 반사와 굴절에 의해 종파의 일부가 횡파로 변환되는 경우가 있다. 이러한 경우를 모드변환(***mode conversion***)에 의해 횡파가 발생했다고 말한다. 모드는 물질내부의 진동양식을 구별할 때 사용되는 용어로 종파, 횡파 및 표면파는 각각 종파모드, 횡파모드 및 표면파모드라 불린다. 즉 표면파도 모드변환에 의해 종파나 횡파로 변환된다.

그림 2.21는 사각탐촉자의 단면도이다. 아크릴수지 중을 전파하여 온 종파 초음파는 강 내부에 입사하고 굴절 투과하였을 때 모드변환에 의해 강 내부에서는 횡파 초음파가 전달되어 간다. 사각탐촉자에서 강재 내부에 횡파만을 전파시키기 위해서는 아크릴 수지의 쐐기 각도 범위를 계산하면 그림 2.20에서 아크릴수지와 강재와의 경계면에 경사 입사시의 반사 및 굴절을 식 (2.37)에 적용하고, 강재중의 종파음속 $C_L{'}$는 5,900 m/s, 횡파음속 $C_S{'}$는 3,230 m/s, 그리고 아크릴수지중의 종파음속 C_L는 2,730 m/s이다.

$$\frac{\sin\alpha_L}{\sin\theta_L} = \frac{C_i}{C_L{}'}$$

$$\frac{\sin\alpha_L}{\sin\theta_S} = \frac{C_i}{C_S{}'} \quad\cdots\cdots\cdots\cdots\cdots\cdots\cdots\cdots\cdots\cdots\cdots\cdots(2.38)$$

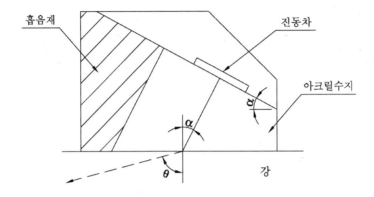

〔그림 2.21〕 사각탐촉자의 단면도

아크릴수지의 쐐기각도 α는 입사각에 상응한다. 또 강재 중에 횡파만을 전달시키기 위해서는 굴절 종파가 나오지 않도록, 다시 말해 굴절종파에 대한 임계각 α_{LC}(제1임계각) 이상으로, 또 굴절 횡파가 나오도록 다시말해 굴절횡파에 대한 임계각 α_{SC}(제2임계각) 미만이 되도록 조정할 필요가 있다. 임계각 α_{LC}, α_{SC}를 식(2.38)에 대입하면 다음의 관계가 성립한다.

$$\frac{\sin\alpha_{LC}}{\sin\theta_L} = \frac{C_i}{C_L{}'}, \quad \alpha_{LC} = \sin^{-1}\frac{C_i}{C_L{}'}\sin90^\circ \fallingdotseq 27.6^\circ$$

$$\frac{\sin\alpha_{LC}}{\sin\theta_S} = \frac{C_i}{C_S{}'}, \quad \alpha_{SC} = \sin^{-1}\frac{C_i}{C_S{}'}\sin90^\circ \fallingdotseq 57.7^\circ$$

따라서 입사각이 $28^\circ \leq \alpha \leq 57^\circ$가 되도록 쐐기각도 α를 가공하면 좋다. 또 이 입사각 α의 범위에서 횡파굴절각 θ_S의 범위를 구하면

$$\frac{\sin\alpha_{LC}}{\sin\theta_S} = \frac{C_i}{C_S}, \quad \theta_S = \sin^{-1}\left(\frac{C_s}{C_i}\cdot\sin\alpha_{LC}\right)$$

$$\alpha_{LC} = 28° \text{ 일 때, } \theta_S = \sin^{-1}\left(\frac{3,230}{2,730} \cdot \sin28°\right) = 33.7°$$

$$\alpha_{LC} = 57° \text{ 일 때, } \theta_S = \sin^{-1}\left(\frac{3,230}{2,730} \cdot \sin57°\right) = 82.9°$$

따라서 횡파의 굴절각 범위 θ_S는 그림 2.22과 같이 $35° \leq \theta_S \leq 80°$가 된다. 보통 초음파 탐상검사에 이용되고 있는 사각탐촉자의 굴절각은 $45°$, $60°$ 및 $70°$로 $35 \sim 80°$의 범위에 포함되어 있고 이들 탐촉자를 이용한 경우 강중에는 횡파만이 전파되고 종파는 전달되지 않는다.

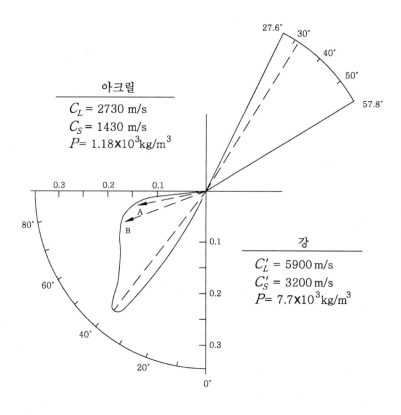

〔그림 2.22〕 아크릴수지 강재 경계면에서의 에코 투과율

나. 반사율과 투과율

고체 내에서의 초음파는 종파와 횡파 모두 전파한다. 경계면에 초음파가 경사 입사하였을 때 입사각에 따라서는 반사의 경우도 굴절 투과의 경우도 종파와 횡파 모두가 발생하기도 하고 어느 한쪽만 발생하기도 한다. 이 때문에 경사입사시의 음압반사율 및 음압투과율 모두 계산식은 복잡하다. 여기서는 실제 초음파탐상검사에 필요한 범위에 한하여 그 계산결과만을 나타내는 것으로 한다.

그림 2.23은 강과 알루미늄을 각각 제1매질로 하고 공기를 매질2로 하였을 때 종파 음압 반사율의 입사각 의존성의 계산결과를 나타낸다. 입사각에 따라서 반사율은 크게 변화하는 것을 알 수 있다. 특히 강의 입사각 70° 부근에서의 음압반사율은 최소값인 약 13%이다. 이것은 입사한 종파의 초음파의 대부분이 횡파로 모드변환한 것을 의미하고 종파의 대부분은 손실한 것이다. 이와 같은 현상을 모드변환손실이라 한다.

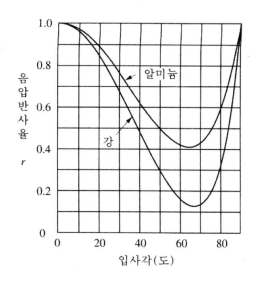

〔그림 2.23〕 종파의 경사입사시의 음압반사율(계산값)

그림 2.24는 강 내부 횡파의 표면에서 음압반사율의 입사각 의존성의 계산결과이다. 실선은 매질2가 진공인 경우로 입사각이 30° 부근에서 반사율은 최저값을 나타내고 33° 이상에서는 반사율은 1이 되고 전반사하게 된다. 이것은 종파 임계각을 넘기 때문이다. 점선은 매질2가 물의 경우이다. 전반사 영역에서도 반사율이 반드시 1 이 되지 않는 것은 물속에서 초음파의 일부가 굴절 투과하기 때문이다.

그림 2.25는 굴절각 70°의 사각탐촉자를 이용하여 가로구멍이나 단부(端部)와 같은 모서리부분에서 횡파의 반사형태를 나타낸 것으로 시험체의 저면과 그것에 수직한 면에서 2회 반사된다. 이 때 각각의 면에서 초음파의 반사각과 모서리 전체로 보았을 때 음압반사율은 다음과 같이 구할 수 있다.

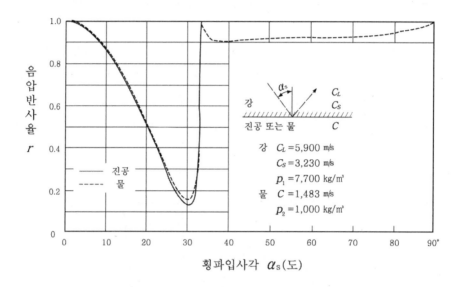

〔그림 2.24〕 고체 중 횡파의 음압반사율(계산값)

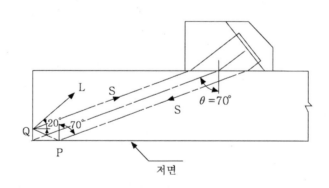

〔그림 2.25〕 직각인 모서리에서 초음파의 반사

굴절각 70°일 때 시험체 저면에서의 초음파의 입사각은 70°이기 때문에 그림 2.25에서 음압반사율은 1 다시 말해 전반사(100%)가 된다. 저면의 반사파는 횡파만으로 반사각은 입사각과 같은 70°이다. 저면의 수직한 면에서는 입사각이 20°가 되고 반사파는 모드변환에 의해 횡파외에 종파도 발생한다. 횡파의 반사각은 20°, 종파의 반사각 β_L은 다음과 같이 된다.

$$\beta_L = \sin^{-1}\left(\frac{5,900}{3,230}\sin 20°\right) \fallingdotseq 38.7°$$

이 위치에서의 음압반사율은 그림 2.22로부터 입사각 20°에 대해 음압반사율은 0.5(50%)가 되고 모서리에서의 입사파의 음압에 대한 반사파의 음압비는 100%×0.5 = 50%가 된다.

같은 방법으로 굴절각 45° 및 60° 경우의 모서리에서 음압반사율을 구하면 100% 및 13%가 된다. 다시 말해 굴절각이 60° 및 70° 경우, 음압반사율의 저하(모드변환 손실)에 의해 모서리로부터의 에코높이는 각각 13% 및 50%가 된다. 굴절각 60° 경우에는 모드변환손실이 상당히 크다. 이 때문에 모서리형 결함(예를들면 세로구멍, 표면균열 등의 표면개구결함, 한면용접의 용입불량 등)을 탐상하는 경우, 통상의 초음파탐상검사에는 굴절각 60°의 탐촉자는 사용하지 않는다.

STB-A2 표준구멍(세로구멍)으로부터의 에코높이가 일정하게 되도록 탐상기의 감도를 조정하여 기공과 같은 구형결함을 탐상하면, 굴절각 45°의 탐촉자에 의한 결함에코높이는 굴절각 70°의 탐촉자에 비해 약 절반의 높이에 해당된다. 결함에코높이를 같게 하기 위해서는 굴절각 45°의 탐촉자에서는 굴절각 70°보다도 감도를 6 dB만큼 높여줄 필요가 있다. 이 차는 탐상감도의 조정시에 발생한 세로구멍부분의 모드변환손실 영향분에 상당한다.

이상 기술한 것은 초음파 빔의 중심이 모서리에 부딪혔을 때의 계산값이다. 실제의 초음파탐상에는 모서리에서의 입사각이 굴절각 60°의 경우 굴절각 60°보다 약간 작은 각도일 때 에코가 최대가 되고 그 때의 빔 진행거리는 약간 짧아진다. 한편 굴절각 70°의 경우는 굴절각 70°보다 약간 큰 각도일 때 에코가 최대가 되고 이 때의 빔 진행거리는 약간 길어진다.

그림 2.26은 매질1을 아크릴 수지, 매질2를 강으로 했을 때의 음압왕복투과율의 계산결과이다. 아크릴 수지중의 종파가 경계에 경사입사하고 강중에 종파 T_L과 횡파 T_S가 발생한다. 이들의 음압왕복투과율을 세로축에 가로축에는 매질1중의 종파입사각을 나타낸다. 또 그래프 상부의 가로축에는 횡파굴절각 및 종파굴절각을 나타내고 있다. 아크릴수지의 종파음속보다 강의 종파음속, 강의 횡파음속이 모두 크기 때문에 종파임계각, 횡파임계각이 존재한다. 또 종파의 음압왕복투과율보다 횡파의 경우가 높다. 이 그림은 사각탐촉자를 이용하여 강재를 탐상하는 경우의 시험체의 탐상면에서 음압왕복투과율을 나타내고 있다. 횡파굴절각이 35°보다 큰 범위에서는 횡파만이 시험

체 내부에 전달되고 특히 통상의 사각탐상에 이용되고 있는 굴절각 45° ~ 70° 의 범위에서는 굴절각에 대한 음압왕복투과율의 변화가 적다.

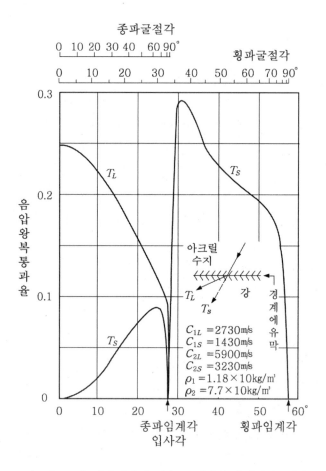

〔그림 2.26〕 사각탐상의 경우 굴절파의 음압왕복투과율

2.5 초음파 빔의 음장 특성

2.5.1 원형진동자의 중심축상의 음압

탐촉자의 진동자에 전압이 가해지면 진동자는 진동한다. 이 때 진동자에 접해 있는 매질도 진동하고 초음파가 되어 매질속에 빔으로 전달되어 간다. 초음파의 전파양식은 진동자의 크기, 진동자의 진동주파수에 따라 진동자의 전파 매질 속에서 독특한 음의 크기 분포가 형성되는데 이것이 음장이다.

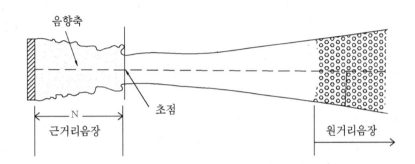

〔그림 2.27〕 진동자가 만드는 초음파 빔의 음장

진동자가 만드는 음상의 한 예를 그림 2.27에 나타낸다. 흰부분은 음압이 높고, 섬은 부분은 음압이 낮은 부분이다. 진동자에서 가까운 곳에서는 가는 모양으로 되고 음압의 변화가 심하고 복잡하지만 원거리에서는 음압의 변화가 비교적 단순하다는 것을 알 수 있다. 원형진동자의 음축상(중심축상)의 음압은 다음 식으로 주어진다.

$$P_x \fallingdotseq 2P_0\sin\left[\frac{ka}{2}\left(\sqrt{1+(\frac{x}{a})^2} - \frac{x}{a}\right)\right] \quad \cdots\cdots\cdots\cdots\cdots(2.39)$$

여기서, P_x : 진동자 전면 중심축상에서의 평균음압

$k = 2\pi/\lambda$

a = 진동자의 반지름

식 (2.39)에서 $x \geq a$, 즉 충분한 원거리라 가정하면 다음과 같이 표현된다.

$$P_x = 2P_0 \sin\left[\frac{ka}{2}\frac{x}{a}\left(1 + \frac{1}{2}\left(\frac{a}{x}\right)^2 - 1\right)\right]$$

$$= P_0 \frac{\pi D^2}{4 \lambda x} = P_0 \frac{A}{\lambda x} \quad\text{..}(2.40)$$

D : 진동자의 지름 A : 진동자의 단면적 λ : 파장

원형진동자의 중심축상의 음압은 거리 x가 증가함에 따라 점점 작아지는 것을 알 수 있다. x_0보다 가까운 범위를 근거리음장(**Fresnel zone** 또는 **near field**)이라 하는데, 중심축상의 음압 P_x의 최후의 산의 위치까지의 거리를 나타내고 있으며, 다음 식으로 주어진다.

$$x_0 = \frac{D^2}{4\lambda} = \frac{D^2 \cdot f}{4C} \quad\text{...}(2.41)$$

D : 원형진동자의 지름 λ : 파장

f : 주파수 C : 음속

식 (2.41)으로부터 근거리음장한계거리 x_0는 진동자 지름의 제곱에 비례하고 파장에 반비례하여 변화하는 것을 알 수 있다. x_0보다 먼 거리에서는 중심축상에서의 거리에 의한 음압 P_x는 근사적으로 식 (2-32)로 나타낼 수 있으며 이 범위를 원거리음장(**Fraunhofer zone** 또는 **far field**)이라 한다. 원거리음장에서 P_x는 진동자의 면적 A에 비례하고, 거리 x에 반비례하고 있다. 중심축상의 음압이 거리에 반비례하여 작아지는 것은 초음파가 확산해가며 전파해가기 때문이다.

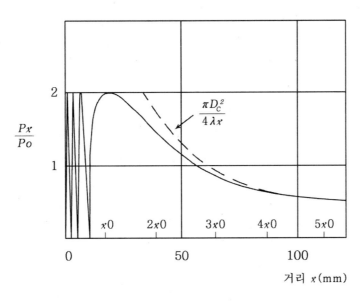

〔그림 2.28〕 음축상에서 음압의 거리에 의한 변화

표 2.9 근거리음장한계거리 x_0

파동양식	종파					
주파수(MHz)	1	2	2.25		4	5
진동자 지름(㎜)	30	20	18	28	20	20
알루미늄	36	32	29	70	64	80
강	38	34	31	75	68	85
물	152	135	123	298	270	338
기름	162	144	131	317	288	360

2.5.2 지향성

가. 원형진동자의 지향성

진동자는 일정방향으로 초음파를 강하게 방사하는 성질이 있다. 이것을 지향성(*beam spread, angle of directivity*)이라 한다. 충분한 원거리에서는 중심축(음축) 상에서 제일 강하고 음축으로부터 멀어질수록 급격히 약해진다. 그 정도는 진동자가 클수록, 주파수가 높을수록 현저해진다.

음축상의 음압을 1로 하고 주목하고자하는 방향의 음압을 나타내는 함수를 지향계수라 부른다. 원형진동자의 지향계수 D_C는 다음 식으로 표시될 수 있다.

$$D_C = \frac{2\,J_1(m)}{m}$$ ·······················(2.42)

$J_1(m)$: Bessel 함수(***Bessel function***)

m : $(ka)\sin\phi$

k : $2\pi/\lambda$

a : 진동자의 반지름, (진동자의 지름 D) / 2

ϕ : 주목하는 방향의 음축으로 부터의 각도

DC와 m의 관계를 식 (2.42)로 계산한 결과는 그림 2.29에 나타낸다. m = 3.83 에서 D_C = 0이 되고, m = 3.83에 대응하는 각도 ϕ를 지향각이라 부른다. 그 각도를 ϕ_0라 하면

$$\phi_0 = \sin^{-1}\frac{3.83}{ka} = \sin^{-1}3.83\frac{\lambda}{\pi D}$$

$$= \sin^{-1}[1.22\frac{\lambda}{D}]\ (rad) \fallingdotseq 70\,\frac{\lambda}{D}\ (degree)$$ ·············(2.43)

이 된다.

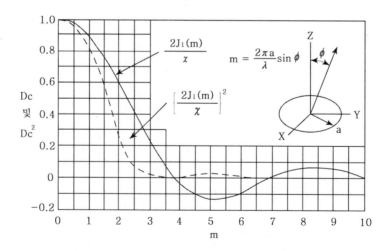

〔그림 2.29〕 원형진동자의 지향계수

그림 2.30은 원형진동자의 지향성 계산결과이다. 원형그래프의 원주방향은 진동자의 중심축방향을 0도로 할 때의 경사각 ϕ를, 원형그래프의 반지름방향은 진동자의 중심축상의 음압을 1로 할 때의 음압비를 나타낸다. 진동자의 중심축방향의 음압이 가장 강하고, 경사각 ϕ가 커지게 되면 음압은 점점 약해지다가 0이 된다. 이 때의 각도 ϕ_0을 지향각(*angle of directivity*)이라고 한다. 실제로는 진동자에서 송신된 초음파 에너지는 진동자의 중심축 방향을 포함한 지향각까지의 범위에 집중된다. 지향각 ϕ_0(도)은 식 (2.43)에서 알 수 있듯이 진동자의 지름에 반비례하고 파장에 비례한다는 것을 알 수 있다. 지향각이 크면 지향성은 둔하다고 하고, 지향각이 작으면 지향성은 예리하다고 한다.

그림 2.30은 주파수가 같아도 진동자의 지름이 2배가 되어서 지향각이 절반이 되어서 지향성이 2배 예리해지는 예를 나타낸다. 같은 탐촉자를 이용하더라도 매질과 음속이 다르기 때문에 파장도 다르고, 지향각도 다르다.

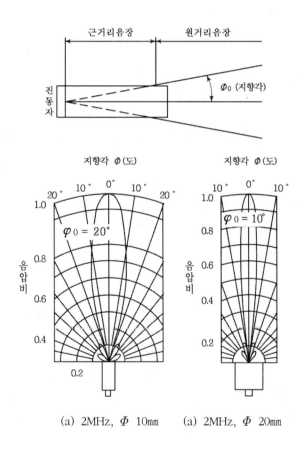

(a) 2MHz, Φ 10mm (a) 2MHz, Φ 20mm

〔그림 2.30〕 원형진동자의 지향성의 계산결과

표 2.10 지향각 ϕ_0

단위: (도)

파동 양식	종파					
주파수 (MHz)	1	2	2.25		4	5
진동자 지름 (mm)	30	20	18	28	20	20
알루미늄	14.7	11.0	10.9	7.0	5.5	4.4
강	13.8	10.4	10.2	6.6	5.2	4.2
아크릴 수지	6.3	4.8	4.8	3.1	2.4	2.0
물	3.5	2.6	2.6	1.7	1.3	1.1

나. 직사각형진동자의 지향성

사각탐촉자에는 직사각형의 진동자를 주로 사용한다. 직사각형진동자의 한쪽 변의 길이를 $2a$라 하고 그 $2a$의 변에 의한 지향성만을 고려하는 것으로 한다. $2a$ 변의 지향계수 D_R은 다음 식과 같다.

$$D_R = \frac{\sin(ka\sin\phi)}{ka\sin\phi} \quad\cdots\cdots\cdots\cdots\cdots\cdots\cdots\cdots\cdots\cdots\cdots(2.44)$$

여기서 $m = ka\sin\phi$ 라 하면 다음과 같다.

$$D_R = \frac{\sin(m)}{m} \quad\cdots\cdots\cdots\cdots\cdots\cdots\cdots\cdots\cdots\cdots\cdots\cdots(2.45)$$

식 (2.45)의 계산 결과는 그림 2.31와 같다.

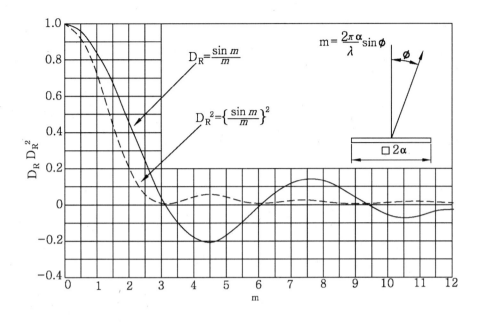

〔그림 2.31〕 직사각형진동자의 지향 계수

$m = \pi$에서 $D_R = 0$이 되고 이것에 대응하는 각도 ϕ을 지향각 ϕ_0이라 하면

$$\phi_0 = \sin^{-1}\frac{\pi}{ka} = \sin^{-1}\frac{\lambda}{2a} \quad \cdots\cdots\cdots\cdots\cdots\cdots\cdots\cdots(2.46)$$

$$\fallingdotseq 57\frac{\lambda}{2a} \ (도) \quad \cdots\cdots\cdots\cdots\cdots\cdots\cdots\cdots\cdots\cdots(2.47)$$

이 되고, 원형진동자의 경우보다 더 예리하게 된다.

2.5.3 점 집속탐촉자의 음상

점집속탐촉자에는 음향렌즈 식과 구면진동자 식이 있다. 음향렌즈 식은 제작은 용이하지만 음향렌즈 내의 반사파를 피할 길이 없고 초점거리가 짧을 때에 구면 수차가 있게 된다. 구면진동자 식은 음향렌즈 내의 반사나 구면 수차는 없기 때문에 이상적이다.

음향렌즈식이 가장 잘 이용되는 곳이 수침법의 경우이다. 음향렌즈에 의한 초음파의 집속은 그림 2.32과 같이 평오목렌즈에 의해 집속되고 렌즈의 곡률반지름 r과 초점거리 f_{OP}와의 관계는 진동자로부터 초음파는 평면파로 생각해도 좋기 때문에 기하 광학에서와 같이 취급하고 다음 식으로 주어진다.

$$f_{OP} = \frac{r}{1 - C_2/C_1} \quad \cdots\cdots\cdots\cdots\cdots\cdots\cdots\cdots\cdots\cdots\cdots\cdots\cdots\cdots\cdots\cdots (2.48)$$

여기서 C_1은 음향렌즈에서의 음속, C_2는 물에서의 음속이다.

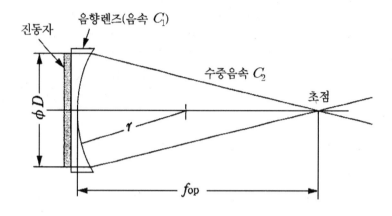

〔그림 2.32〕 음향렌즈에 의한 초음파의 집속

2.6 초음파의 감쇠

2.6.1 확산 손실

초음파의 빔은 근거리음장 한계거리를 넘으면 확산하고 거리가 증가함에 따라 에코높이는 낮아진다. 이 특성은 DGS 선도로 나타내어지며 원형평면결함의 경우 탐상거리에 대한 에코높이를 이론적으로 나타내고 있다. 실제의 탐상에서 탐상거리가 긴 시험체를 탐상하는 경우에는 탐상거리에 따라 평가가 동일하게 되도록 탐상감도를 조정할 필요가 있다.

2.6.2 전달 손실

진동자에서 발생한 초음파는 접촉매질을 매개로 하여 시험체에 전파된다. 이 때 탐촉자가 접촉하는 시험체의 표면이 거칠다든가 울퉁불퉁하다든가 또는 시험체가 원통형 또는 구형인 경우 초음파가 시험체에 충분히 전파되지 못하고 결함을 탐상할 경우 평활한 면의 시험체에 비해 동일 크기의 결함이라도 에코높이는 낮아진다.

(1) 표면거칠기의 영향

표면거칠기의 영향으로 거칠기에 따라서 감도가 변화한다. 이 원인의 하나는 탐촉자의 탐상면에서 접촉매질의 층이 일정하지 않는 것을 들 수 있다. 일반적으로 시험체의 표면이 거칠면 주파수가 낮은(파장이 긴)쪽이 감도의 저하량이 적다.

(2) 곡률의 영향

탐상면에 곡률이 있는 경우 예를 들면 봉강이나 강관을 원주방향으로 탐상할 때 탐촉자는 선접촉에 가까운 상태가 되어 접촉 부분에서 떨어질수록 접촉매질 층이 두꺼워져 초음파는 투과하기 어려워진다. 따라서 곡률이 있는 시험체의 탐상에는 작은 탐촉자가 유효하다.

사용하는 접촉매실, 탐촉사의 주파수 및 보호막의 영향은 표면거칠기의 경우와 같이 접촉매질의 음향임피던스가 클수록 탐촉자의 주파수가 낮을수록 또 보호막을 사용한 경우가 곡률에 의한 에코높이의 저하량은 작아진다.

(3) 저면 및 탐상면에서의 반사손실

저면이 울퉁불퉁하면 초음파는 반사할 때 산란 반사하여 손실이 생긴다. 이것은 초음파가 탐상면에서 반사하는 경우에도 생긴다. 특히 수직탐상에서는 탐상면이 평활한 경우에도 탐상면에서 반사할 때 초음파의 일부는 탐촉자로 되돌아오기 때문에 반사손실이 생긴다.

수직탐상에서 저면에서의 반사손실이나 사각탐상에서 탐상면 및 저면에서의 반사손실은 시험체 중의 초음파의 파장과 반사면의 거칠기에 의존한다. 초음파의 파장이 짧을수록 또 반사면이 거칠수록 반사손실은 크게 된다.

2.6.3 초음파의 산란감쇠

가. 감쇠의 원인과 표시

초음파가 금속 중을 전파하는 경우 확산에 의한 감쇠(확산감쇠) 외에 결정입에 의한 산란 및 금속의 내부 마찰 때문에 초음파의 에너지가 감쇠한다. 초음파 감쇠의 원인을 열거하면 다음과 같다.

① 결정입자 및 조직에 의한 산란
② 점성감쇠
③ 전위운동에 의한 감쇠
④ 강자성재료에서 자벽의 운동에 의한 감쇠
⑤ 잔류응력으로 인한 음장의 산란에 의한 겉보기 감쇠

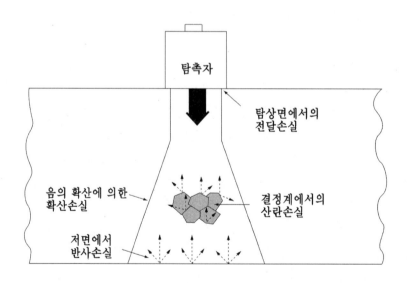

〔그림 2.33〕 초음파의 손실과 감쇠

감쇠의 크고 작음은 현장에서는 다중반사횟수의 많고 적음으로 표시되나 이론적 취급의 경우에는 감쇠계수로 표시된다. 실험적으로 감쇠계수의 절대치를 측정하기 위해서는 조직인자에 의한 감쇠 이외에 그림 2.33과 같이 파면에 전파함에 따른 확산으로 인한 확산손실(*divergence loss*)이나 시험체표면 · 저면에서의 입사 · 반사에서 수반되는 반사손실(*reflection loss*)에 대해서도 보정할 필요가 있다. 반대로 감쇠가 작은 재료의 초음파측정을 할 경우에는 확산손실이나 반사손실을 주로 고려하는 경우가 많다.

일반적으로 초음파가 매질 중을 x방향으로 전파하는 경우에는 그 음압의 감쇠는 평면파(확산하지 않고 전파하는 파)에 대해 다음 식으로 표시할 수 있다.

$$P = P_0 \times e^{-\alpha \cdot d} \quad \cdots\cdots\cdots\cdots\cdots\cdots\cdots\cdots\cdots (2.49)$$

단, P_0 : d=0에서의 초기음압

　P : 거리 d에서의 음압

　d : 매질 내에서의 빔거리

　α : 감쇠계수

위 식에 자연대수를 취하면

$$\alpha \cdot d = \ln\left(\frac{P_0}{P}\right)(N_p) \quad \cdots\cdots\cdots\cdots\cdots\cdots\cdots (2.50)$$

식 2.50은 초음파가 거리 d만큼 이동했을 때의 전체 감쇠량을 나타내며 단위는 무차원의 N_p로 나타낸다. 그러나 실제적으로는 전기에서 사용되는 단위인 데시벨을 사용한다. 데시벨은 10을 밑으로 하는 상용대수에 20을 곱해주어 얻어진다. 즉, 식 2.51과 같이 된다.

$$\alpha \cdot d - 20\log\left(\frac{P_0}{P}\right)(dB)$$

$$\alpha = \frac{20\log\left(\frac{P_0}{P}\right)}{d}(dB/m) \quad \cdots\cdots\cdots\cdots\cdots\cdots (2.51)$$

음압은 스크린의 에코높이 H와 비례하므로 식 2.52와 같이 감쇠계수를 구할 수 있다.

$$\alpha = \frac{20 \times \log(\frac{H_0}{H})}{d} \quad \cdots\cdots\cdots\cdots\cdots\cdots\cdots\cdots\cdots\cdots\cdots\cdots\cdots(2.52)$$

이는 초음파 평면파가 재료 중을 진행할 때 초음파가 재료에 따라서 어느 정도 감쇠하는 가를 나타내는 재료상수이다. α_0를 감쇠계수(**attenuation coefficient**)라 하고 단위는 dB/mm 이다. 재료의 감쇠계수는 주파수에 크게 의존하고 일반적으로 주파수가 높을수록 감쇠계수는 커진다.

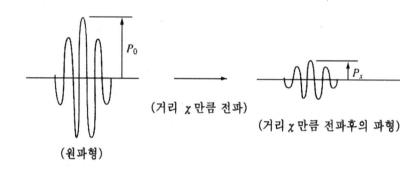

〔그림 2.34〕 초음파의 감쇠

나. 결정립에 의한 초음파의 산란 감쇠

초음파가 시험체 내를 전파할 때 그림 2.33에 나타낸 것과 같이 초음파확산에 의한 감쇠 (확산감쇠) 외에 결정립에 의한 산란 및 내부마찰 때문에 초음파의 감쇠가 생긴다. 금속 특히 다결정체 금속에서 초음파의 감쇠는 결정체 또는 그 조직에 의한 산란감쇠가 주이고 내부마찰에 의한 감쇠는 매우 적다. 파장 λ와 결정입자 지름 D_S 비의 크기에 따른 다결정체에서의 감쇠계수 α는 다음과 같이 정리된다.

(a) $\dfrac{\lambda}{D_S} \gg 1$ 일때, $\alpha = A \cdot D_S^3 \cdot f^4$ (*Rayleigh*산란)

(b) $\dfrac{\lambda}{D_S} \cong 1$ 일때, $\alpha = B \cdot D_S \cdot f^2$ (*Stochastic*산란)

(c) $\dfrac{\lambda}{D_S} < 1$ 일때, $\alpha = \dfrac{C}{D_S}$ (확산산란)

여기서, f는 주파수, A, B, C는 비례상수이다. 일반적으로 주파수가 높을수록 감쇠가 커지는데, 전위에 의한 감쇠는 f^2에 관계하고, 파장에 비해 작은 산란감쇠는 f^4에 관계되는 것으로 알려져 있다.

감쇠는 저면에코의 저하 및 저면에코의 다중반사회수의 감소로 관찰된다. 또, 산란파의 일부는 탐촉자에 되돌아와 감쇠 노이즈(임상에코라 부른다)로 관찰된다. 결정입계 등의 산란인자에 의한 산란감쇠가 있다.

이와 같이 감쇠도 임상에코도 시험체 중의 결정립에 의한 초음파의 산란에 의해 생기는 것으로 주파수 의존성이 강하고, 파장과 결정입자의 지름과 관계가 있고, 결정입자가 크게 됨에 따라서 감쇠나 임상에코도 증가한다. 감쇠는 결함에코높이만 저하시키나 임상에코는 결함의 검출한계에 영향을 미치기 때문에 그 저감에 유의할 필요가 있다. 예를 들면, 주조품이나 오스테나이트계 강용접부와 같이 결정립이 조대한 시험체를 초음파탐상하는 경우에는 펄스폭이 좁은 광대역(고분해능)탐촉자를 사용함으로써 임상에코 높이를 저감시켜 S/N비를 높이는 것이 가능하다.

강의 측정에 대해서 생각해보면 결정입계는 수십 ㎛ 에 대해서 사용하는 초음파의 대부분은 파장이 서브밀리(sub-mm)정도이기 때문에 대부분의 측정에서 Rayleigh 산란의 경우 주파수와 조직크기의 증가에 따라서 감쇠계수는 급격하게 커지게 된다.

금속, 특히 다결정체금속에서 초음파는 결정체 또는 그 조직에 의한 산란감쇠가 주로 일어나고 내부마찰에 의한 감쇠는 매우 적다. 감쇠계수 α의 주파수 의존성으로 표시되어 일반적으로 잘 사용되는 Mason에 의해 제시된 식 (2.53)으로 표시된다.

$$\alpha = Af + Bf^4 \quad \cdots\cdots\cdots\cdots\cdots\cdots\cdots\cdots\cdots\cdots\cdots\cdots(2.53)$$

제 1항 Af는 내부 마찰에 의한 감쇠이다. 제 2항 Bf^4은 결정립에 의한 산란(**Rayleigh** 산란이라 불린다)에 근거한 감쇠이다. 다결정금속에서는 제 2항이 대부분이기 때문에 윗 식은 다음과 같이 된다.

$$\alpha \fallingdotseq Bf^4 \quad \cdots\cdots\cdots\cdots\cdots\cdots\cdots\cdots\cdots\cdots\cdots\cdots(2.54)$$

여기서 B의 값은 Mason에 의하면, $B = H\dfrac{D^3}{C^4}[\dfrac{\Delta K}{K}]^2$

여기서 $(\dfrac{\Delta K}{K})^2$은 이방성에 근거한 산란인자, D는 결정립의 지름, C는 음속이고 H는 비례정수이다.

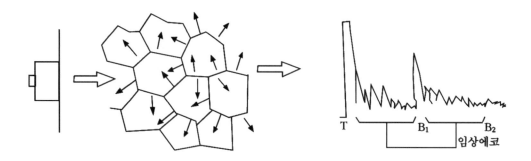

〔그림 2.35〕 결정립에 의한 초음파의 산란과 감쇠

결정입자의 지름이 더 커져 결정입자 지름이 파장과 거의 같아지면, $\alpha \fallingdotseq SDf^2$이 된다. 여기서 S는 비례정수이고 이와 같은 산란을 Stochastic산란이라 불린다. 그림 2.35는 결정립에 의한 초음파의 산란과 감쇠의 관계를 설명하고 있다.

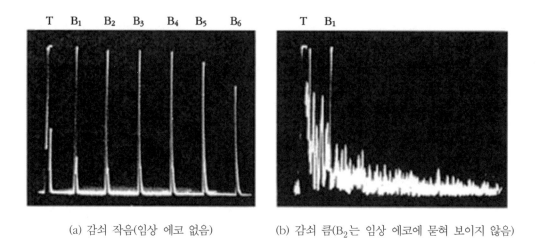

(a) 감쇠 작음(임상 에코 없음)　　　　(b) 감쇠 큼(B_2는 임상 에코에 묻혀 보이지 않음)

〔그림 2.36〕 감쇠파형

확산에 의한 손실은 DGS선도의 B/B_0 곡선과 같은 산란감쇠가 없는 경우의 저면에코높이로 나타나고, 빔 진행거리가 근거리음장한계거리 x_0보다 길게 되면 거리가 증가함에 따라 저하한다. 기준화거리 $n(=x/x_0)$이 4이상이 될 때는 거리가 2배되면 에코높이는 1/2이 되고 거리와 에코높이와는 반비례의 관계가 있다.

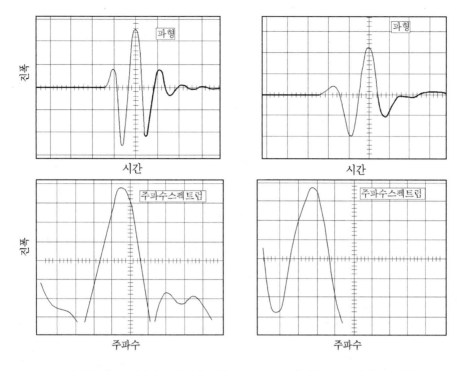

(a) 감쇠가 작은 시험체를 탐상한 경우　　(b) 감쇠가 큰 시험체를 탐상한 경우

〔그림 2.37〕 감쇠계수가 다른 재료의 수신 에코파형과 스펙트럼

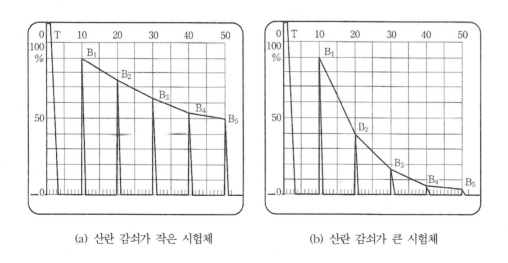

(a) 산란 감쇠가 작은 시험체　　　　(b) 산란 감쇠가 큰 시험체

〔그림 2.38〕 다중 반사 도형에 의한 감쇠의 비교

감쇠는 지면에코의 저하 및 저면에코의 다중반사회수의 감소로 관찰된다. 그림 2.38은 수직탐상에서 다중반사도형을 촬영한 결과이다. 또, 산란파의 일부는 탐촉자에 되돌아와 감쇠잡음 (임상에코라 부른다)으로 관찰된다. 결정입계 등의 산란입자에 의한 산란감쇠가 있다.

이와 같이 감쇠도 임상에코도 시험체중의 결정립에 의한 초음파의 산란에 의해 생기는 것으로 주파수의존성이 강하고, 파장과 결정입자의 직경과의 관계가 있고, 결정입자가 크게 됨에 따라서 감쇠나 임상에코도 증가한다. 감쇠는 결함에코높이만 저하시키나 임상에코는 결함의 검출한계에 영향을 미치기 때문에 그 저감에 유의할 필요가 있다. 예를 들어 주조품이나 오스트나이트계 강용접부와 같이 결정립이 큰 조대한 시험체를 초음파탐상하는 경우에는 펄스폭이 좁은 광대역(고분해능)탐촉자를 사용하므로서 임상에코 높이를 저감시켜 SN비를 높일 수 있다.

강의 측정에 대해서 생각해보면, 수십 μm의 결정립계에 대해서 사용하는 초음파의 대부분은 파장이 서브밀리(sub-mm)정도이기 때문에 대부분의 측정에서 Rayleigh 산란의 경우 주파수와 조직크기의 증가에 따라서 감쇠계수는 급격하게 커진다.

감쇠특성이 다른 강에 대해 저면 1회 에코의 파형과 각각의 주파수성분을 평가하기 위해 각 에코의 스펙트럼을 구한 예를 그림 2.37에 나타내고 있다. 동일한 조건으로 측정한 것임에도 불구하고 전파와 함께 감쇠에 의해 스펙트럼이 커지고, 감쇠가 큰 재료의 에코에서는 고주파 성분이 선택적으로 감쇠하며, 시간축의 에코형상도 저주파 성분에 지배적인 파형은 일그러지는 것을 알 수 있다. 사용한 초음파의 주파수는 초음파측정에서 중요한 인자이지만, 감쇠가 큰 재료에서는 측정에 이용한 초음파의 주파수와 수신파의 주파수는 반드시 일치하는 것은 아니다. 따라서 수신에코의 주파수 성분을 파형해석하고 측정 주파수를 파악할 필요가 있다.

2.6.4 회절

초음파의 또 다른 중요한 특성의 하나는 회절이다. 초음파가 파장정도의 크기가 되는 물질 즉, 금속내의 작은 기포나 개재물에 부딪치게 되면 그 방해가 되는 물질을 피하여 그 주위로 돌아가는 이른바 파의 간섭현상 또는 회절현상으로서 이 때에는 에너지의 일부분이 결함에 직접 부딪치지 않고 그 주위로 구부러져 그림 2.39(a)와 같이 반사량은 감지할 수 없을 정도로 작아지게 되던가 또는 그림 2.39(b)와 같이 초음파가 시편의 끝 부분에서 휘어져 정상진로에서 벗어나게 된다.

이러한 파의 회절현상으로 인하여 탐상시에 정상적으로 수신될 위치와 다른 위치에서 초음파가 수신되어 탐상에 장해가 될 수도 있어 특별한 주의를 기울어야 하지만, 회절을 이용하여 균열(*crack*)의 크기를 측정한다든지 하는 검사방법도 연구되고 있으므로, 회절에 대한 정확한 이해가 필요하다.

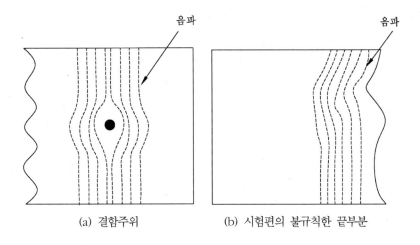

(a) 결함주위　　　　(b) 시험편의 불규칙한 끝부분

〔그림 2.39〕 고체내에서의 초음파 회절

2.7 결함에 의한 반사

2.7.1 원형평면결함으로부터의 에코높이

그림 2.40은 표준시험편 STB-G와 같이 탐상면에 평행한, 즉 초음파 빔에 수직한 원형평면결함(*flat bottom hole; FBH*)이 거리 x에 위치한다고 가정한다. 지름 D의 원형진동자로부터 발생한 음압 P_0의 초음파가 결함 위치에 도달했을 때의 초음파의 수신음압 P_x는 다음과 같다.

$$P_x = P_0 \frac{\pi D^2}{4\lambda\pi} = P_0 \frac{A}{\lambda\pi}(x > 1.6x_0) \quad\text{.............................(2.55)}$$

$\quad A$: 원형진동자의 면적

위의 관계로부터

$$P_F = P_x \frac{\pi D_F^2}{4\lambda\pi} = P_x \frac{A_F}{\lambda x}(x > 1.6x_0) \quad\text{.............................(2.56)}$$

P_F : 결함으로부터의 반사파가 진동자에 입사하였을 때의 음압(수신음압)

P_x : 결함에서의 입사파의 음압 (빔 중심축상의 거리 x점의 음압)

D_F : 결함의 지름

$\quad x$: 진동자로부터 결함까지의 거리 (빔 진행거리로 생각하여도 좋다)

A_F : 결함의 면적

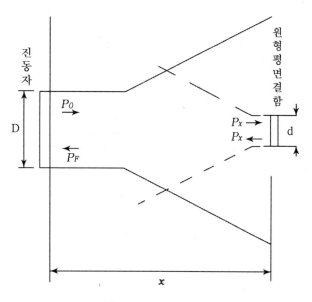

〔그림 2.40〕 원형 평면 결함에 의한 초음파의 반사

결함에코높이는 결함의 면적에 비례하고 거리의 제곱에 비례한다.

$$P_F = P_x \frac{\pi D_F^2}{4\lambda\pi} = P_0 \frac{\pi D^2}{4\lambda\pi} \times \frac{\pi D_F^2}{4\lambda x} = P_0 \frac{A \cdot A_F}{\lambda^2 \cdot x^2} \quad \cdots\cdots\cdots\cdots(2.55)$$

따라서 화면에 측정되는 에코높이 $h_F(\%)$는 수신음압에 비례하기 때문에 비례상수를 K
라 하면 다음과 같이 나타낼 수 있다.

$$h_F = K \cdot P_F = K \cdot P_0 \cdot \frac{\pi^2 D^2 D_F^2}{16\lambda^2 x^2} \quad \cdots\cdots\cdots\cdots\cdots\cdots\cdots\cdots(2.56)$$

남상면으로부터의 깊이 x_s의 위치에서 지름 D_s의 원형평면결함을 가공한 대비시험편을
이용하여 그 에코높이 $h_s(\%)$가 되도록 감도조정을 하였다고 하면 윗 식으로부터 다음 식이
성립한다.

$$h_S = K \cdot P_0 \cdot \frac{\pi^2 D^2 D_s^2}{16\lambda^2 x_s^2} \quad \cdots\cdots\cdots\cdots\cdots\cdots\cdots\cdots\cdots\cdots\cdots(2.57)$$

동일한 탐상감도로 탐상하여 빔거리 x의 위치에 $h_F(\%)$의 결함에코가 검출되었다면 식 (2.56)이 성립하고, 두 식의 비를 취하면 결함의 지름 D_F는 다음과 같이 된다.

$$D_F = \sqrt{\frac{h_F}{h_S}} \cdot \frac{x}{x_S} \cdot D_S \quad \text{……………………………………(2.58)}$$

검출된 결함에코가 빔 중심축에 수직인 원형평면결함이라고 가정하였을 때 그 지름은 식 (2.58)로부터 간단히 구할 수 있다. 이것을 시험편방식에 의한 감도조정의 원리라 부른다.

2.7.2 저면에 의한 에코높이

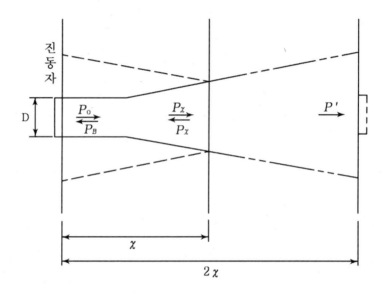

〔그림 2.41〕 큰 평면에 의한 초음파의 반사

수직탐상의 경우 탐상감도 조정에 저면에코를 이용하는 경우가 있다. 그림 2.41은 두께 T 시험체의 저면에서 초음파의 반사 형태를 나타낸 것으로 진동자에서 발생한 초음파는 거리 T의 위치에 있는 저면에서 전반사하여 진동자에 되돌아온다. 이 때 수신된 초음파의 음압 P_B는 점선으로 나타낸 것과 같이 시험체 두께의 2배 즉 거리 $2T$의 위치에 있는 면에 입사할 때의 음압 P_{2T}와 같다고 생각할 수 있다. 따라서 $2T \gg 4x_0$에서 수신음압 P_B는 식 (2.55)의 x에 $2T$을 대입하여 다음과 같이 표시된다.

$$P_B = P_{2T} \fallingdotseq \frac{\pi D^2}{8\lambda T} = P_0 \cdot \frac{A}{2\lambda T} = P_0 \cdot \frac{\pi x_0}{2\pi} \quad \text{..............................(2.59)}$$

저면에코높이는 어느 정도이상의 두꺼운 시험체에서는 두께에 반비례하게 된다. 또한, 브라운관 상에 나타나는 저면에코높이를 h_B(%)로 하면 다음과 같이 표시할 수 있다.

$$h_B = K \cdot P_B \fallingdotseq K \cdot P_0 \cdot \frac{\pi D^2}{8\lambda T} \quad \text{..(2.60)}$$

저면에코를 이용하여 탐상기의 감도를 조정한 후 탐상했을 때 높이 h_B(%)의 결함에코가 검출되었다고 하면, 식 (2.60)로 표시되고 식 (2.56)과의 비를 구하여 결함의 지름 D_F에 대해 정리하면 다음과 같이 된다.

$$D_F = \sqrt{\frac{h_F}{h_B} \times \frac{2\lambda x^2}{\pi T}} \quad \text{...(2.61)}$$

윗 식에서 우변의 각각의 값은 측정 또는 계산 가능하고 결함을 빔 중심축에 수직한 원형평면결함이라고 가정했을 때의 지름 D_F가 구해진다. 이것은 저면에코방식에 의한 감도조정의 원리라고도 불린다. 여기서 결함크기로 부터 결함크기의 추정이 가능한 것은 결함에코높이가 동일한 거리에 있는 저면에코보다 작은 경우에 한한다. 저면에코높이와 동일하게 되는 원형평면결함의 최소지름을 D_{cr}이라 하면 식 (2.61)에서 $\frac{h_F}{h_B}$, $T = x$로 치환함으로써 다음과 같이 나타낼 수 있다.

$$D_{cr} = \sqrt{\frac{2\lambda x}{\pi}} \quad \text{...(2.62)}$$

따라서 식 (2.58), 식 (2.62)에 의해 에코높이로부터 결함크기의 추정이 가능한 것은 식 (2.62)에 표시된 한계치수 D_{cr}보다 작은 결함에 한한다. 이것을 초과하는 결함에는 에코높이가 일정하게 되고 탐촉자를 이동시켰을 때의 에코높이의 변화로부터 결함의 크기(다시 말해 결함지시길이)를 측정할 수 있다.

2.7.3 각종 결함에 의한 반사

각종 형상의 결함에 의한 에코높이를 정량적으로 취급할 때 고려해야할 것이 『결함으로부터의 반사』와 『형상반사능률』 2가지가 있다. 이 모두 결함으로부터 반사하여 진동자에 수신된 초음파의 음압을 표현하는 것이나 기준을 잡는 방법이 다르다.

가. 결함의 반사율

결함에 의한 초음파의 반사의 정도를 정량적으로 취급하기 위해 그림 2.42와 같이 결함 위치에 무한히 큰 초음파 빔에 수직인 완전반사면이 있다고 가정하여 그 무한대평면으로부터의 반사파(에코)의 음압 P_∞에 대한 결함에 의한 반사파(에코)의 음압 P_F와의 비(단, 절대값을 취한다)를 결함의 반사율 γ라 정의한다. 다시 말해 다음 식으로 나타내진다.

$$\gamma = \frac{P_F}{P_\infty} \quad\text{...(2.63)}$$

$\gamma = 1$은 무한히 큰 완전반사면과 동등한 에코를 발생한다는 것을 의미한다.

결함의 반사율을 적용할 수 있는 것은 적어도 $n \geq 1$(기준화 거리, $n = x/x_0$, x_0는 근거리음장한계거리)에 한정된다. 이와 같은 원거리음장에서는 음원은 점음원으로 간주하는 것이 가능하다. 점음원으로부터 발사된 초음파는 구면 확산해가면서 전파해 가기 때문에 그 음압은 음원으로부터의 거리에 반비례하여 약해진다. 따라서 무한히 큰 완전반사면으로부터의 에코(반사파의 음압) P_∞는 음원으로부터의 거리 x에 반비례한다. 다시 말해

$$P_\infty = K/x \quad\text{..(2.64)}$$

가 된다. 여기서 K는 비례상수이다.

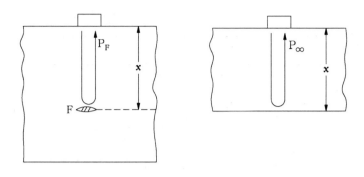

(a) 결함으로부터의 반사   (b) 가상 완전 반사면으로부터의 반사

〔그림 2.42〕 결함의 반사율의 정의

그런데 앞에 유도한 바와 같이 무한히 큰 완전반사면으로부터의 수신음압 P_∞는 식 (2.56)로 표현된다.

$$P_\infty = \frac{\pi D^2}{8\lambda x} \quad\dots\dots\dots\dots\dots\dots\dots\dots\dots\dots\dots\dots\dots\dots(2.65)$$

식 (2.55)과 식 (2.56)를 비교하면 비례상수 K는 다음과 같이 나타내진다.

$$K = P_0 \frac{\pi D^2}{8\lambda} = P_0 \frac{A}{2\lambda} \quad\dots\dots\dots\dots\dots\dots\dots\dots\dots\dots\dots(2.66)$$

여기서 A는 진동자의 면적
저면에코의 음압 P_B는 식 (2.56)의 P_∞을 P_B로 바꾸어 얻는다.

$$\frac{P_B}{P_0} = \frac{A}{2\lambda x} \quad\dots\dots\dots\dots\dots\dots\dots\dots\dots\dots\dots\dots\dots(2.67)$$

식 (2.54)와 식 (2.57)을 정리하면 결함에코의 수신음압 P_F는 다음과 같이 나타내진다.

$$\frac{P_F}{P_0} = \frac{A}{2\lambda x} \cdot \gamma = \frac{A}{2\lambda} \cdot \frac{\gamma}{x} \quad\dots\dots\dots\dots\dots\dots\dots\dots(2.68)$$

표 2.11 각종 형상의 결함의 반사율

결함의 형상		적 용 조 건	결함 반사율 γ
원형평면		$2r \geq 0.7\lambda$	$2\sin\left(\dfrac{\pi r^2}{\lambda x}\right)(rad)$
		$0.7 \leq 2r \leq 0.8\lambda\pi$	$2\pi r^2/(\lambda x)$
		$2r \geq 0.8\sqrt{\lambda\pi}$	1
사각평면		$0.8\sqrt{\lambda x} \geq 2a \geq 0.7\lambda, 2b \geq 3\sqrt{\lambda x}$	$2a\sqrt{2/\lambda x}$
		$0.8\sqrt{\lambda x} \geq 2a \geq 0.7\lambda, 0.8\sqrt{\lambda x} \geq 2b \geq 0.7\lambda$	$8ab/(\lambda x)$
		$2a \geq 3\sqrt{\lambda x}, 2b \geq 3\sqrt{\lambda x}$	1
구		$r \geq 0.1\lambda$	λ/x
		$0.1\lambda \geq r$	$66r^3/(\lambda^2 x)$
원주		긴 원주 $2r \geq 0.2\lambda, 2b \geq 3\sqrt{\lambda x}$	$\sqrt{r/(r+x)}$
		짧은 원주 $2r \geq 0.2\lambda, 0.8\sqrt{\lambda x} \geq 2b \geq 0.7\lambda$	$2b\sqrt{2r/((r+x)\lambda x)}$
곡면		$2a \leq 3\sqrt{\dfrac{\lambda\rho_1 x}{\rho_1+x}}, \; 2b \geq 3\sqrt{\dfrac{\lambda\rho_2 x}{\rho_2+x}}$	$\sqrt{\dfrac{\rho_1\rho_2}{(\rho_1+x)(\rho_2+x)}}$

결함에코 높이는 결함에코의 음압에 비례하기 때문에 진동자의 크기와 주파수가 동일한 경우에는 원거리 음장에서 결함에코 높이는 식 (2.68)에 의해 결함의 반사율 γ에 비례하고, 결함까지의 거리 x에 반비례하는 것에 주의할 필요가 있다. 또 표준 구멍에 의한 거리진폭 특성곡선을 이용하여 결함에코높이를 평가하는 경우 표준구멍과 결함의 에코를 동일 거리에 서 비교하는 것이 되기 때문에 결함의 반사율의 차이만을 고려하면 좋다.

각종 형상의 결함의 반사율을 정리한 것이 표 2.11과 같다.

나. 형상반사능률

1탐촉자법에서 형상반사능률은 그림 2.43과 같이 진동자로부터 거리 x의 위치에 있는 결함을 고려한다. 결함에서의 초음파의 입사음압을 P_x라 하면 P_x는 진동자의 형상·크기와 파장 λ, 송신음압 P_0로 나타내진다. 예를 들면 지름 D인 원형진동자의 경우 식 (2.44)로 나타내진다.

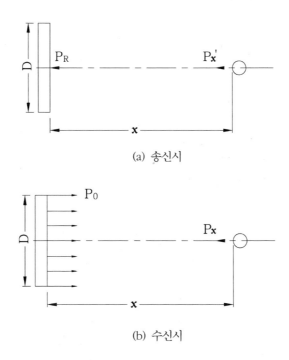

(a) 송신시

(b) 수신시

〔그림 2.43〕 결함에코 높이

결함에 입사한 초음파는 결함의 표면에 반사되는데 이 때 반사 직후의 음압을 $P_x{}'$라 한다. $P_x{}'$는 반사면의 거칠기나 반사면에서의 초음파의 입사각, 시험체와 결함의 음향임피던스의 차에 의한 음압반사율 등의 영향을 받아 변화한다. 여기서 $P_x{}'$에 P_x대한 비를 계면반사능률 γ_1이라 정의한다.

$$\gamma_1 = \frac{P_x{}'}{P_x} \quad \cdots\cdots(2.69)$$

계면반사능률은 바꿔 말하면 결함의 반사면에서 초음파의 음압반사율을 나타낸다.

결함에서 반사된 초음파가 진동자에 돌아왔을 때의 음압, 다시 말해 수신 음압을 P_R 이라 한다. P_R 은 결함의 형상이나 크기에 의해 변화한다. 여기서 P_R 의 P_x' 에 대한 비를 형상반사 능률 γ_G 이라 정의한다.

$$\gamma_G = \frac{P_R}{P_x'} \quad\text{··(2.70)}$$

결함에 의한 에코의 수신음압 P_R 은 형상반사능률 γ_G 및 계면반사능률 γ_1 으로부터 다음 식으로 표시된다.

$$P_R = \gamma_G \cdot P_x'$$
$$= \gamma_G \cdot \gamma_1 \cdot P_x = \gamma_G \cdot \gamma_1 \cdot \frac{A}{\lambda x} \cdot P_0 \quad\text{··································(2.71)}$$

여기서,

$\qquad P_R$: 진동자에서 수신음압

$\qquad P_0$: 진동자에서 송신음압

$\qquad P_x'$: 결함에서 반사한 직후의 음압

$\qquad P_x$: 진동자로부터 거리 x 의 위치의 중심축 상의 음압

$\qquad \gamma_G$: 형상반사능률($\gamma_G = P_R/P_x'$)

$\qquad \gamma_1$: 계면반사능률($\gamma_1 = P_x'/P_x$),

$\qquad\qquad$ 결함의 반사면에서 초음파의 음압반사율

$\qquad \lambda$: 파장

$\qquad x$: 진동자로부터 결함까지의 거리

$\qquad A$: 진동자의 면적

계면반사능률 γ_1 은 결함의 반사면에 대해 초음파가 수직으로 입사하였을 때 이때의 내부가 공동이 되어 있는 경우는 1이 된다.

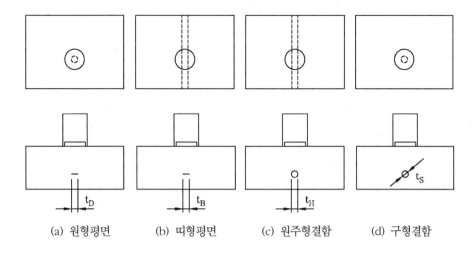

(a) 원형평면   (b) 띠형평면   (c) 원주형결함   (d) 구형결함

〔그림 2.44〕 결함의 모형화(수직탐상)

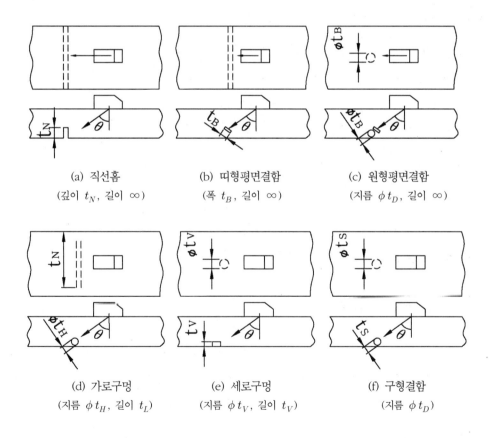

(a) 직선홈
(깊이 t_N, 길이 ∞)

(b) 띠형평면결함
(폭 t_B, 길이 ∞)

(c) 원형평면결함
(지름 ϕt_D, 길이 ∞)

(d) 가로구멍
(지름 ϕt_H, 길이 t_L)

(e) 세로구멍
(지름 ϕt_V, 길이 t_V)

(f) 구형결함
(지름 ϕt_D)

〔그림 2.45〕 각종 모형 결함(사각탐상)

각종 결함의 형상과 크기를 표시하는 방법을 그림 2.44 및 그림 2.45에 나타낸다. 그림 2.44은 수직탐상, 그림 2.45는 사각탐상의 경우이다. 각 결함의 형상반사능율을 표 2.12에 나타낸다.

표 2.12 형상반사능율

결함형태	$\dfrac{\lambda}{2} \leq t \leq t_{cr}$	$t \geq t_{cr}$	한계치수 t_{cr}
원형평면결함 (지름: t_D)	$\dfrac{\pi t D^2}{4\lambda x}$	$\dfrac{1}{2}$	$t_{D-cr} = \sqrt{\dfrac{2\lambda x}{\pi}}$
띠형평면결함 (폭 t_B, 길이 ∞)	$\sqrt{\dfrac{t_{B^2}}{\lambda x}}\sqrt{\dfrac{1}{2}}$	$\dfrac{1}{2}$	$t_{B-cr} = \sqrt{\dfrac{\lambda x}{2}}$
직선홈 (폭 t_N, 길이 ∞)	$\sqrt{\dfrac{4 t_{N^2}}{\lambda x}}\sqrt{\dfrac{1}{2}}\,sin\theta$	$\dfrac{1}{2}$	$t_{N-cr} = \sqrt{\dfrac{\lambda x}{8}}\dfrac{1}{\sin\theta}$
가로구멍 (지름 t_H, 길이 t_L)	$\sqrt{\dfrac{t_H}{4x}}\sqrt{\dfrac{\pi t_{L^2}}{4\lambda x}}$	$\sqrt{\dfrac{t_H}{4x}}\sqrt{\dfrac{1}{2}}$	$t_{L-cr} = \sqrt{\dfrac{2\lambda x}{\pi}}$
세로구멍 (지름 t_V, 길이 t_V)	$\sqrt{\dfrac{t_V}{4x}}\sqrt{\dfrac{\pi t_{L^2}}{\lambda x}}\sqrt{\sin\theta}$	$\sqrt{\dfrac{t_V}{4x}}\sqrt{\dfrac{1}{2}}\sqrt{\dfrac{1}{\sin\theta}}$	$t_{N-cr} = \sqrt{\dfrac{\lambda x}{2\pi}}\dfrac{1}{\sin\theta}$
구형결함 (지름 t_D)	$\dfrac{t_s}{4x}$	$\dfrac{t_s}{4x}$	

2.7.4 각종 결함의 크기와 에코높이

가. 수직탐상에서 결함 에코높이

각종 결함의 크기와 에코높이의 관계를 거리진폭특성과 동일하게 식 (2.71)을 이용하여 계산한 결과가 그림 2.46이다. 이 경우 탐촉자는 2 MHz 및 5 MHz 이고 진동자 지름은 20 mm로 동일하다. 또 탐상거리 x는 100 mm 로 계산하였다.

① 한계치수 이상 크기의 평면결함(저면)의 에코높이는 크기에 관계없이 일정하다.

② 한계치수 이하 지름의 원형평면결함의 에코높이는 지름 t_D 의 제곱에 비례한다.

③ 한계치수 이하 폭을 갖는 띠형평면결함의 에코높이는 폭의 크기에 비례한다.

④ 원주형결함의 에코높이는 결함 지름의 평방근에 비례한다.

⑤ 구형결함의 에코높이는 결함 지름에 비례한다.

이상과 같이 결함에코 높이는 동일 크기에서도 그 형상에 따라서 다르기 때문에 에코높이로부터 결함크기를 추정하는 데는 결함 형상을 조사해 놓을 필요가 있다.

한편 주파수에 의한 차이를 그림 2.46(a), (b)에서 비교해 보면 원주형 및 구형 결함에서는 양자에 차이가 없으나 띠형 및 원형결함에서는 각각 파장 λ 의 평방근 및 1승에 반비례한 에코높이가 된다.

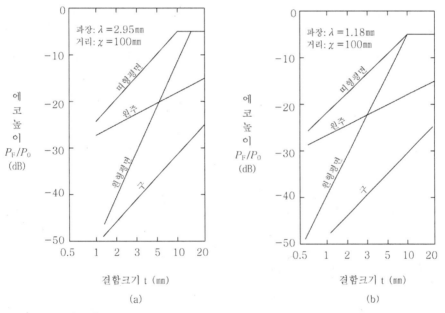

〔그림 2.46〕 각종 결함의 크기와 에코높이의 관계(수직탐상)

화면상에 나타난 에코높이 $h(\%)$는 수신음압 P_R 에 비례한다. 따라서 식 (2.71)에서 비례상수를 K, $\gamma_1 = 1$이라 하면 에코높이 $h(\%)$는 다음과 같이 나타내진다.

$$h = K \cdot P_R = K \cdot \gamma_G \cdot \frac{A}{\lambda x} \cdot P_0 \quad \cdots\cdots\cdots\cdots\cdots\cdots\cdots(2.72)$$

지금 탐상면에서 결함까지의 거리 x_s(㎜), 형상반사능률 γ_{GS}의 표준 결함을 탐상하고 그 에코높이를 h_s(%)에 조정하였다고 하면, h_s(%)는 식 (2.72)으로부터 다음과 같이 나타내진다.

$$h_S = K \cdot \gamma_{GS} \cdot \frac{A}{\lambda x_s} \cdot P_0 \quad\text{\dotfill}(2.73)$$

이 탐상감도로 시험체를 탐상하고 빔 진행거리 x_F(㎜) 위치에서 형상반사능률 γ_{GS}의 결함에코가 검출되었다고 하면 이 결함의 에코높이 h_F(%)는 식 (2.74)과 같은 형식으로 나타내진다.

$$h_F = K \cdot \gamma_{GS} \cdot \frac{A}{\lambda x_F} \cdot P_0 \quad\text{\dotfill}(2.74)$$

식 (2.73)에 나타낸 기준에코높이 h_s(%)와 식 (2.74)에 나타낸 결함에코높이 h_F(%)와의 비는 다음과 같이 된다.

$$\frac{h_F}{h_s} = \frac{\gamma_{GF}}{\gamma_{GS}} \cdot \frac{x_s}{x_F} \quad\text{\dotfill}(2.75)$$

실제 탐상에서는 식 (2.75)에서 탐상감도를 조정했을 때 사용한 시험편의 표준 결함으로부터의 γ_{GS}, x_s 및 h_s를 알 수 있다. 그리고 결함에코를 검출하였을 때 h_F 및 x_F를 알고 결함의 형상을 추정할 수 있으면 결함크기도 추정이 가능하게 된다.

또 이들 식은 $n \geq 3$의 범위에서 설명해 왔으나 통상의 방법 다시 말해 결함에코와 동일한 빔 진행거리에서 표준결함의 거리진폭특성곡선의 높이 h_s(%)를 기준으로 하여 결함에코높이 h_F(%)를 측정하는 경우 식 (2.75)의 x_s와 x_F는 같아지고 이 식은 $n \geq 1$의 범위에 적용 가능하다.

나. 사각탐상에서 결함의 에코높이

수직탐상에서와 동일하게 식 (2.71)을 이용하여 계산한 결과를 그림 2.47에 나타낸다. 빔 진행거리는 50 ㎜이다. 또 직선 홈 및 세로구멍에서는 결함 면의 초음파의 음압반사율

(모드변환손실)을 고려하여 굴절각 $60°$ 에서는 식 (2.71)에 의한 계산값의 0.13배(-17.7 dB), $70°$ 에서는 0.5배(-6 dB)로 하였다. 각종 형상의 결함 크기와 에코높이의 관계를 정리하면 다음과 같이 된다.

① 한계치수 이상 크기의 평면결함과 직선홈의 에코높이는 크기에 관계없이 일정하다.
② 한계치수 이상 결함크기의 가로구멍과 세로구멍(지름 = 깊이)의 에코높이는 지름의 1/2승에 비례한다.
③ 한계치수 이하 지름의 원형평면결함의 에코높이는 지름의 제곱에 비례한다.
④ 한계치수 이하의 결함크기의 띠형평면결함과 직선홈의 에코높이는 결함 크기에 비례한다.
⑤ 한계치수 이하의 결함크기의 가로구멍의 에코높이는 길이에 비례하고, 직격의 1/2승에 비례한다.
⑥ 구형결함의 에코높이는 결함 지름에 비례한다.

이상과 같이 결함에코 높이는 수직탐상법의 경우와 동일하고 결함의 형상에 따라 다르기 때문에 결함 크기를 추정하는 데는 결함의 형상을 알 필요가 있다.

또 그림 2.47 중의 수평선은 STB A2 $\phi 4 \times 4$와 RB-4 No. 2의 가로구멍으로부터의 에코높이이다. 사용하는 굴절각에 따라 가로구멍과 세로구멍의 에코높이는 상당히 다르기 때문에 사각탐상의 감도조정에 어느 시험편을 이용할 것인가에 대해 주의할 필요가 있다.

화면상에 나타난 에코높이 $h(\%)$는 수신음압 P_R에 비례한다. 따라서 식 (2.66)에서 비례상수를 K라 하면 에코높이 $h(\%)$는 다음과 같이 나타내진다.

$$h = K \cdot P_R = K \cdot \gamma_G \cdot \gamma_1 \cdot \frac{A}{\lambda x} \cdot P_0 \quad \cdots\cdots\cdots\cdots\cdots\cdots\cdots (2.76)$$

지금 텀성감도를 조정했을 때 표준결함의 에코높이를 $h_s(\%)$라 하면 결함에코 $h_F(\%)$와의 비는 수직탐상법과 동일하게 다음 식으로 나타내는 것이 가능하다.

$$\frac{h_F}{h_s} = \frac{\gamma_{1F}}{\gamma_{1S}} \cdot \frac{\gamma_{GF}}{\gamma_{GS}} \cdot \frac{x_s}{x_F} \quad \cdots\cdots\cdots\cdots\cdots\cdots\cdots\cdots\cdots\cdots (2.77)$$

식 (2.76)에서 탐상감도를 조정하여 γ_{GS}, γ_{1S}, x_s 및 h_s를 알 수 있다. 그리고 결함에

코를 검출하여 h_F 및 x_F을 알 수 있다. 여기서 결함의 형상을 추정할 수 있으면 결함크기도 추정이 가능하게 된다.

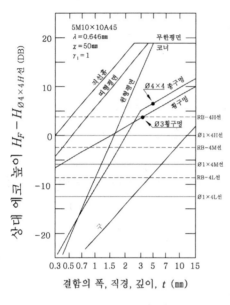

(a) 5M10×10A45의 경우

(B) 5M10×10A60의 경우

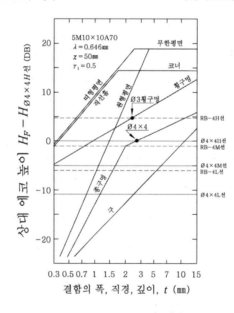

(C) 5M10×10A70의 경우

〔그림 2.47〕 결함 크기와 에코높이의 관계(사각탐상)

2.8 특수한 경로에 의한 에코

2.8.1 지연 에코

초음파 빔의 퍼짐에 비해 폭이 좁은 시험체 즉 환봉이나 사각봉 등의 시험체 표면의 주변부에 탐촉자를 닿게 하면 초음파 빔이 측면에 닿게 되어 모드 변환을 일으켜 지연 에코(***delayed echo***)라 부르는 에코가 나타난다. 수직탐촉자를 사용하여 가늘고 긴 재료를 그 단면에서 탐상하면 그림 2.48에 나타내듯이 초음파 빔의 대부분은 직진하여 반사측의 단면(저면)에서 반사하여 탐촉자에 되돌아온다. 초음파 빔의 퍼짐에 의해 종파 초음파의 일부가 측면에 기울어져 입사하면 반사시에 다른 일부의 초음파가 모드 변환(종파→횡파)을 일으킨다.

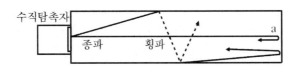

〔그림 2.48〕 지연 에코의 경로

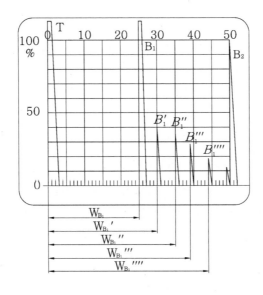

〔그림 2.49〕 탐상 도면

이 횡파의 초음파가 반대쪽 측면에 기울어져 입사하거나 또한 반사시에 횡파 초음파의 일부가 모드 변환(횡파 → 종파)을 일으키는 것처럼 측면에 기울어져 입사할 때마다 모드 변환을 일으키면서 탐촉자로 되돌아온다. 탐촉자에서 수신되는 초음파는 모두 화면에 에코로서 나타나지만, 직접 저면에서 반사된 초음파와 비교하여 모드 변환을 일으킨 초음파는 전파거리가 길고, 게다가 속도가 늦은 횡파로 되어 있기 때문에 저면 에코 B보다 지연되어 수신된다. 이 에코를 지연 에코라 한다.

저면 에코와 지연 에코의 빔 진행거리의 차를 ΔW_n로 하면 ΔW_n은 식 (2.78)으로 나타낼 수 있다.

$$\Delta W_n = \frac{nd}{2}\sqrt{\left(\frac{C_L}{C_S}\right)^2 - 1} \quad \text{················(2.78)}$$

여기에서 d는 시험체의 폭, C_L은 시험체 중의 종파 음속, C_S는 시험체 중의 횡파 음속, n은 시험체 중의 폭을 횡단한 회수로 저면 에코에서 세어 n번째에 나타나는 에코이다.

시험체가 강철인 경우에는 종파 음속 5,900 m/s, 횡파 음속 3,230 m/s로 계산하면 식 (2.79)처럼 된다.

$$\Delta W_n = 0.76nd \quad \text{·····················(2.79)}$$

이들은 반드시 저면 에코보다 나중에 발생하기 때문에 결함 에코로 오인하지 않는 것이 중요하다.

2.8.2 원주면 에코

둥근 봉을 지름 방향으로 수직 탐상을 하면 탐촉자의 접촉 부분의 폭이 매우 좁아져, 그결과 접촉 부분을 투과하는 초음파 빔의 폭도 좁아지며 지름이 작은 진동자를 편성한 수직 탐촉자와 같아져 초음파 빔의 지향각이 커지며, 그림 2.50에 나타내듯이 저면 에코 후에 일종의 지연 에코(N₃, N'₃, N₅, N'₅)가 나타난다. 이들 에코는 다음에 나타내는 이유에 의해 발생한다.

둥근 봉의 측면에 수직탐촉자를 닿게 하였을 때 탐촉자가 접촉하는 부분의 폭이 매우 좁아지기 때문에 초음파는 시험체의 내부에는 치수가 매우 작은 진동자를 사용한 것과 같은 전달 방식을 하여 지향각이 커진다. 크게 퍼져 내부에 전달된 초음파는 둥근 봉의 내부를 반사하면서 돌며, 그 일부가 그림 2.50에 나타내는 경로를 더듬어 탐촉자에 되돌아오며, 저면 에코에 뒤져서 에코로서 나타난다.

그림 2.50(a)는 초음파가 종파 그대로 둥근 봉에 내접하는 정삼각형의 변을 경로로 한 경우이다. 저면 에코의 빔 진행거리 W_{B_1}(지름 D와 같다.)에 대하여 이 에코 N_3의 빔 진행거리는 1.30D가 된다. (b)그림은 탐촉자의 접촉부가 정점(頂點)에서 둥근 봉에 내접하는 이등변 삼각형의 변을 경로로 했을 때이다. 종파가 진행된 초음파가 1회째의 반사로 모드 변환하여 삼각형의 저변을 횡파로서 진행하며, 2회째의 반사에서 다시 모드 변환하여 종파로서 되돌아온 경우이다.

이 에코 N_3'의 빔 진행거리는 강철의 경우 1.68D가 된다. 또한 (c)그림에 나타내듯이 종파가 성형(星型) 오각형에 반사하는 경우도 있다. 이들을 원주면 에코라 한다. 원주면 에코의 경우도 지연 에코와 마찬가지로 저면 에코보다 나중에 나타나므로 결함 에코로 오인하지 않도록 할 필요가 있다.

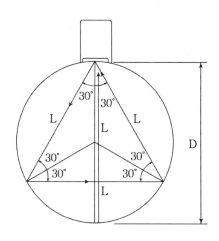

(a) 원주면 에코 N_3 빔 진행거리=1.30D

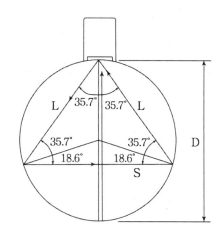

(b) 원주면 에코 N_3의 빔 진행거리 1.68D

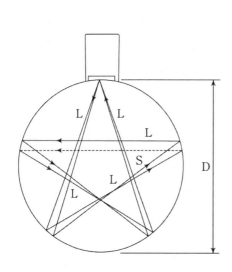

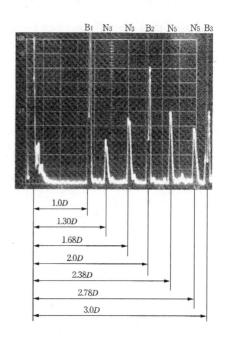

(c) 원주면 에코 N_5의 빔 진행거리 = $2.38D$ (d) 원주면 에코(강철의 경우)

N_5의 빔 진행거리 = $2.78D$

〔그림 2.50〕 원주면 에코(강철의 경우)

2.9 에코높이에 영향을 미치는 인자

초음파탐상검사에서 에코높이에 영향을 미치는 인자에는 다음과 같은 것이 있다.
① 결함의 크기, ② 결함의 형상, ③ 결함의 기울기, ④ 전달 손실(표면 거칠기), ⑤ 확산 손실(음장),
⑥ 초음파의 감쇠(산란, 점성), ⑦ 주파수 등

실제의 탐상에서는 이들 인자가 복잡하게 영향 받아 에코높이를 변동시킨다. 초음파탐상검사를
계획하는 경우에 이들 영향을 미리 파악한 후에 탐상하고자 하는 재료, 검출해야 할 결함, 그 밖의
표면의 거칠기 등에 따라 탐상 조건의 설정을 하지 않으면 안된다. 또한 탐상 결과를 해석하는 경우
에도 이들 점에 대하여 감안하지 않으면 안된다. 여기에서는 전항에서 기술하지 않았던 결함의 크기,
결함의 형상, 결함의 기울기, 주파수에 대하여 기술한다.

가. 결함의 크기

실제 시험체에서 결함 에코의 높이에 큰 영향을 미치는 것은 결함의 크기, 형상 및 그 기울기
이다. 결함의 면에 대하여 초음파가 수직으로 입사되는 것이라면 결함의 면적이 큰 것이 초음파
빔을 보다 많이 반사시키기 때문에 에코높이는 높아진다. 탐상 거리가 근거리 음장 한계 거리(x_0)
의 1.6배 정도까지는 거의 진동자의 치수와 같이 초음파 빔이 퍼지며 그것보다 먼 곳은 점차로 확
산하여 거리 증가에 따라 초음파 빔의 강도는 약해져 간다. 이 $1.6x_0$ 근방까지는 결함의 크기가 진
동자의 크기(사각 탐상의 경우에는 외관 진동자 사이즈) 정도까지는 결함의 면적에 비례하여 에코
높이는 높아지지만, 그것 이상에서는 포화되어 최대 에코높이를 나타내어 일정해진다.

결함의 크기가 작은 경우에는 탐촉자마다 DGS 선도를 사용하여 결함의 크기를 원형 평면 결
함으로 치환하여 추정할 수 있다. 또한 결함의 크기가 근거리 음장에서 진동자의 크기 이상, 혹은
원거리 음장에서도 빔의 퍼짐 이상의 결함이 있으면 마치 수직 탐상의 저면 에코와 마찬가지의 높
은 에코높이를 얻을 수 있다.

일반적으로 에코높이는 결함의 크기의 지표로서 사용할 수 있다. 강판의 수직 탐상과 같이 결
함이 평면적이고 결함의 면에 대하여 수직으로 초음파 빔이 입사되는 경우 이와 같은 현상은 현저
해진다.

나. 결함의 형상

결함의 크기와 함께 결함의 형상이 에코높이에 미치는 영향은 크다. 강판이나 단강품의 철강 제
품이나 강용접부에서 초음파탐상검사로 검출을 목적으로 하는 결함에는 평면상의 균열, 비금속개재

물, 블로우홀, 슬래그혼입, 융합불량 등 결함의 형상은 여러 가지가 있다. 초음파 빔이 이들 결함에 닿아 반사하는 경우 빔에 수직 방향으로 퍼져 있는 면상의 결함에서는 큰 에코높이가 얻어지며 기공과 같은 구상(球狀)의 결함에서는 작은 에코높이 밖에 얻을 수 없다.

이것은 초음파가 닿은 반사원이 초음파의 발신 원으로 생각한 경우, 원래의 진동자의 부분에 얼마만큼 강한 초음파 빔을 도달시킬 수 있을지를 생각하면 알기 쉽다.

구상(球狀)의 결함과 같이 넓은 범위에 광각도로 반사하면 진동자로 되돌아오는 초음파는 작아지며, 작은 에코높이가 되며, 반대로 결함 형상이 오목 모양이 되어 원래의 진동자에 집속하는 것 같은 상태로 반사하면 에코높이는 높아진다.

다. 결함의 기울기

평면상의 결함으로 생각한다면 결함이 기울어짐에 따라 초음파의 반사 지향성은 기울며 원래의 진동자로 되돌아오는 초음파 빔은 매우 작아지며 에코높이는 낮아진다.

초음파 지향각 $\phi_0 = 70\lambda/D = C/(fD)$에서 나타나듯이 진동자의 크기가 작고 주파수가 낮을수록 넓어진다. 따라서 기울어진 평면상의 결함이 예상되는 경우에는 낮은 주파수나 진동자 크기가 작은 탐촉자를 사용하는 편이 검출하기 쉽다.

용접부 등에 발생하는 균열, 융합불량 등의 자연 결함은 평면상의 결함이라도 실제로 결함면을 자세히 보면 요철이 있으며 초음파를 잘 반사시키므로 약간 정도의 기울기가 있어도 검출할 수 있다. 그러나 두꺼운 강판 용접부의 용입 부족처럼 기계 가공된 면이 그대로 남아 있는 것은 결함면이 평활하기 때문에 초음파 빔에 대하여 결함면이 기울어져 있으면 지향각이 예리한 경우 검출은 곤란하다.

라. 주파수

일반적으로 초음파탐상검사를 하는 경우에는 사용하는 탐상기와 탐촉자를 사용하여 감도 조정을 한 후 탐상을 하기 때문에 주파수에 의해 에코높이가 높아지기도 하고 낮아지기도 하는 경우는 없다.

초음파탐상검사에서 주파수에 의한 영향으로 검출하려고 하는 결함의 크기가 매우 작은 경우 높은 주파수의 짧은 파장을 가지는 초음파가 아니면 검출이 곤란하다. 그러나 높은 주파수의 초음파는 탐상 거리가 멀어지면 감쇠가 현저하기 때문에 두꺼운 시험체에는 적용이 곤란해진다. 한편 낮은 주파수는 감쇠가 작기 때문에 빔 진행거리가 커지는 두꺼운 시험체에 적합하지만 높은 주파수의 초음파의 경우와 상반하여 작은 결함의 검출이 곤란해진다.

현재에는 얇은 강관의 미소 개재물의 검출이나 IC나 LSI 회로의 접속 상태의 검사 등에 50 MHz 정도의 높은 주파수를 사용한 수직 탐상이 행해지고 있다. 한편 단강품이나 주강품의 검사에는 1 MHz 또는 2 MHz의 낮은 주파수의 탐촉자가 사용되어 두께가 두꺼운 시험체의 탐상에 적용되고 있다. 또한 오스테나이트계 스테인리스강의 용접부는 결정립이 커져 감쇠가 크기 때문에 횡파의 사각 탐상에는 탐상이 곤란하기 때문에 파장이 길고 감쇠가 작아지는 종파 사각 탐촉자를 사용하여 사각 탐상이 이루어지고 있다.

『익힘문제』

1. 다음은 초음파탐상검사에 이용되는 초음파의 종류에 대해 기술한 것이다. 올바른 것은?

   1) 수직탐상에 이용되는 종파는 입자의 진동방향이 초음파의 전파방향에 수직이다.
   2) 사각탐상에 이용되는 횡파는 입자의 진동방향이 초음파의 전파방향에 평행이다.
   3) 체적결함의 검출에는 물체의 표면만을 전파하는 종파가 이용되고 있다.
   4) 용접부의 사각탐상에 주로 이용되고 있는 것은 횡파이며 강판의 수직탐상에 이용되고 있는 것은 종파이다.

2. 다음은 초음파탐상검사에 이용되는 초음파의 음속에 대해 기술한 것이다. 올바른 것은?

   1) 시험체 중을 전파하는 초음파의 음속은 밀도와 탄성계수에 의존한다.
   2) 초음파의 음속은 초음파가 전파하는 물체의 종류와 초음파의 종류에 상관없이 일정하다.
   3) 고체 중에만 존재하는 종파의 음속은 횡파의 약 절반이다.
   4) 대표적인 음속으로 5 MHz 종파의 경우 강에서는 340 m/sec 공기 중에서는 약 5,900 m/sec이다.

3. 다음은 초음파탐상에 있어서 파장의 영향에 대해 기술한 것이다. 올바른 것은?

   1) 초음파라는 것은 20 kHz보다 낮은 주파수의 음파를 말한다.
   2) 파장 λ, 음속 C, 주파수 f 사이에는 $C = f / \lambda$의 관계가 있다.
   3) 파장이 짧을수록 작은 결함을 검출하기 쉽다.
   4) 파장이 길수록 감쇠가 증가하기 때문에 유효한 탐상거리가 짧아진다.

4. 다음은 초음파탐상검사에 있어서 초음파의 반사특성에 대해 기술한 것이다. 올바른 것은?

   1) 초음파는 결함이나 시험체 끝단부 또는 이종금속의 접합면과 같은 경계면에서는 두 물질의 밀도 만에 의해 정해지는 어떤 비율로 반사한다.
   2) 진동자와 시험체와의 사이에 공기가 있는 경우에는 탐촉자로부터의 초음파는 거의 100 % 투과하여 시험체 중에 전달된다.

3) 결함의 치수가 크면 초음파는 잘 반사하고 그 반사의 정도는 결함의 치수에만 영향을 받는다.

4) 초음파는 두 매질 경계면에서 음향임피던스의 차에 의해서 음압반사율이 달라진다.

5. 이종매질 간의 음향임피던스 Z_1, Z_2의 비율이 클수록 경계면에서 음압반사율 값은 어떻게 변하는가 ?

1) 감소한다.

2) 증가한다.

3) 변하지 않는다.

4) 증가 후 감소한다.

6. 원형진동자로부터 x 만큼 떨어진 빔 중심축 상의 점에서 초음파의 음압을 나타내는 식 중 올바른 것은 ? 단, D; 진동자지름, λ; 파장

1) $P_x = P_o \dfrac{D^2}{4\lambda x}$

2) $P_x = P_o \dfrac{\pi D^2}{4\lambda x}$

3) $P_x = P_o \dfrac{\pi D^2}{4\lambda}$

4) $P_x = P_o \dfrac{\pi D^2}{\lambda x}$

7. 초음파탐상검사에서 주파수가 증가하면 빔의 분산은 어떻게 되겠는가?

1) 감소한다.

2) 불변한다.

3) 증가한다.

4) 파장에 따라 균일하게 변화한다.

8. 탐촉자의 지름이 작을수록 빔의 분산은 어떻게 되겠는가?

1) 감소한다.

2) 변하지 않는다.

3) 증가한다.

4) 형태가 원추형으로 된다.

9. 압전재료 중에서 송신효율이 가장 좋은 것은?

   1) 황산리튬 (*Lithium Sulfate*)

   2) 수정 (*Quartz*)

   3) 티탄산바륨 (*Barium Titanate*)

   4) 세라믹

10. 최근 광대역 초음파탐촉자의 진동자재료로 널리 사용되고 있는 재료는?

   1) 고분자재료(*PVDF*)

   2) 수정

   3) 황산리튬

   4) 티탄산바륨

11. 초음파탐상검사 시 반드시 주의해야할 현상이 아닌 것은?

   1) 지연에코 (*delayed echo*)

   2) 잔향에코 (*ghost echo*)

   3) 저면에코 (*back echo*)

   4) 원주면에코

12.. 초음파의 진동양식 중에서 SV파와 SH파의 발생방법과 전파 특징에 대해 비교 · 설명하시오.

13. 표층부의 결함 검출에 활용되고 있는 표면파(*Rayleigh wave*), 크리핑파(*creeping wave*) 및 표면 SH파의 발생방법과 전파 특징에 대해 기술하시오.

14. 유도초음파(*ultrasonic guided wave*) 또는 램파(*Lamb wave*)의 발생 방법과 전파 특징에 대해 기술하시오.

15. 누설탄성표면파(*leaky surface acoustic wave; LSAW*)의 발생 방법과 특징에 대해 기술하시오.

16. 초음파의 모드변환(*mode conversion*)에 대해 기술하시오.

17. 초음파 파장과 결함검출의 한계치수에 대해 기술하시오.

18. 횡파가 종파보다 미세 결함검출에 유리한 이유를 기술하시오.

19. 1 MHz 탐촉자로 강(steel; 음속 5,900 m/s)에 초음파가 전파할 때 파장은 얼마인가?

20. 2.25 MHz, 지름 10 mm 인 탐촉자를 강재 표면에 대고 초음파탐상을 하였을 때, 오실로스코프 상에서 첫 번째 저면신호와 두 번째 저면 신호와의 전파시간차(*time of flight; TOF*)가 20 μs였다면 피검체의 두께는 몇 mm 인가?

21. 압전효과(*piezoelectric effect*)란 무엇인가?

22. 압전효과와 초음파의 발생과 수신 방법을 설명하시오.

23. 초음파 탐촉자의 감도(*sensitivity*)와 분해능(*resolution*)에 대하여 펄스폭(*pulse width*)과 Q-값 및 대역폭(*band width*)의 상관관계에 대해 기술하시오.

24. 진동자의 재료로 사용되고 있는 압전재료의 종류를 5가지 이상 들고 특징, 용도, 기호에 대해 기술하시오.

25. 수침법으로 주파수 5 MHz 탐촉자로 수직탐상을 하였다. 이 때 강재 표면에서 음압 반사율은 몇 %인가? 재료의 정수는 다음과 같다.

	탄소강	물
음속	5,900 m/sec	1,486 m/sec
밀도	7.9 g/cm^3	1.0 g/cm^3

26. 한쪽에 동을 클래드(*clad*)한 강판을 강을 탐상면으로 하여 주파수 5 MHz의 탐촉자로 수직탐상하였다. 접합경계면에서 경계면에코가 나타났을 때 경계면에서 음압반사율은 몇 %인가? 단 재료의 정수는 다음과 같다.

	강	동
음속	5,900 m/sec	4,700 m/sec
밀도	7.9 g/cm^3	8.9 g/cm^3

27. 수침법에서 초음파가 14°의 각도로 강재에 전달되었다면 강재 내에서 횡파의 굴절각은 몇 도가 되겠는가? (단, Vs = 3,200 m/s, Vw = 1,500 m/s)

28. 초음파가 물에서 강으로 진행할 때와 강에서 물로 진행할 때의 음압반사율 및 투과율을 구하고 음압반사율이 음수(--)인 경우에 대한 물리적 의미를 설명하시오.
(단, 물의 음향임피던스 = 1.5×10^6 kg/m^{2}sec, 철의 음향임피던스 = 45×10^6 kg/m^{2}sec)

29. 제1임계각과 제2임계각의 관계로부터 사각탐촉자에서 횡파만 발생시키기 위한 아크릴 쐐기의 각도(입사각)과 횡파 굴절각의 범위를 계산하라. 단, 재료는 강이다.
(단, V_l = 5,900 m/s, V_s = 3,200 m/s, V_{acr} = 2,700 m/s)

30. 수침법에서 초음파가 14°의 각도로 강재에 입사되었다면 강재 내에서 횡파의 굴절각은 몇 도가 되겠는가? (단, V_s = 3,200 m/s, V_w = 1,500 m/s)

31. 국부수침법에 의해 강재를 사각탐상할 때 강재 중에 횡파 굴절각 45°로 전파시키기 위해서는 입사각을 얼마로 하면 되는가? (단, V_s = 3,200 m/s, V_w = 1,500 m/s)

32. 5 MHz, 지름 10 mm 인 초음파탐촉자가 음속 5,920 m/sec 인 철강내로 초음파를 발생시켰다. 근거리 음장한계거리 x_0와 빔분산각 ϕ_0는 얼마인가?

33. 2 MHz, 지름 20 mm 인 초음파탐촉자로 18-8스테인레스강을 탐상하는 경우의 근거리음장한계거리와 지향각은 얼마인가? 단, 18-8스테인레스강의 종파속도는 5,790 m/s, 횡파속도는 3,100 m/s이다.

34. 초음파의 감쇠의 원인과 감쇠계수의 정의에 대해 기술하시오.

35. 두께 50 mm 의 강판을 5C20N 탐촉자로 수직탐상하였을 때 건전부에서 B_1 = 75%, B_2 = 15%의 저면 에코가 얻어졌다. 확산손실을 0.4 dB, 탐상면에서의 반사손실을 1.9 dB, 저면에서의 반사손실을 0.2 dB이라 하면 이 강판의 초음파 감쇠계수는 몇 dB/mm인가?

36. 표면거칠기 100S로 가공한 두께 200 mm 의 단강품을 2C20N 탐촉자로 탐상하였을 때 건전부에서 B_1/B_2의 값이 12.0 dB 였다. 이 단강품의 감쇠계수는 몇 dB/mm 인가? (단, 저면에서의 반사손실과 탐상면에서의 반사손실은 무시한다)

37. 두께 500 mm, 표면거칠기 25S로 가공한 단강품을 2Z28N으로 탐상한 결과 건전부에서 B_1/B_2값이 10 dB/mm 였다. 이 단강품의 감쇠계수는 몇 dB/mm 인가? (단, 이 조건에서는 반사손실의 영향은 매우 적기 때문에 무시하기로 한다.)

38. 2 MHz, 지름 20 mm 의 탐촉자를 사용하여, 두께 100 mm 의 저면에코를 측정하였더니 B_1 및 B_2의 크기가 각각 H_{B1}=25dB, H_{B2}=16dB였다. 감쇠계수를 구하라. 단, 반사손실은 무시한다.

39. 저면에코방식에 의한 감도조정의 원리를 이용하여 에코높이로부터 결함치수를 추정하는 한계치수 $D_{cr} = \sqrt{\dfrac{2\lambda x}{\pi}}$ 는 무엇을 의미하는가?

40. 결함에코높이에 영향을 미치는 인자는 무엇이 있는가?

제 3 장 초음파탐상장치

3.1 초음파탐상기

초음파탐상장치는 초음파탐상기, 탐촉자, 탐촉자케이블 등으로 구성된다. 탐상을 할 때에는 탐상장치 이외에 표준시험편(*standard test block; STB*) 또는 대비시험편(*reference block; RB*), 접촉매질(*couplant*), 자(*scale*), 기록용지, 탐촉자 주사용 치구(治具) 등이 필요하다. 철강제품이나 강판 용접부에서 자동탐상이 사용되는 경우에는 탐촉자 주사기능, 기록장치, 마킹장치, 비드추종장치 등이 있다.

초음파 탐상기   충전기

수직탐촉자   사각탐촉자

〔그림 3-1〕 탐상장치

3.1.1 아날로그 탐상기

일반적인 펄스반사식 초음파탐상기(***Ultrasonic flaw detector***)는 그림 3.2와 같이 송신부, 수신부, 화면(***display***), 시간축부 및 전원부로 구성된다. 송신부는 고전압(500V 이상)의 전기펄스를 생성하고 그 전기펄스를 탐촉자 중의 진동자에 인가하여 초음파를 발생시키는 기능을 가지고 있다. 수신부는 반사하여 되돌아온 에코를 수신하고 그 음압을 전압으로 바꿈과 동시에 증폭하는 기능을 갖는 부분이다. 화면의 세로축은 반사원에서 되돌아 온 초음파에 의한 음압을 나타내고 있으며 가로축은 초음파가 송신되어 반사원에서 되돌아올 때까지의 시간으로 거리에 정비례하므로 가로축은 반사원까지의 거리를 나타내며 전 가로축 폭을 "측정범위"라고 부르고 있다. 그림 3.4은 펄스에코 초음파탐상기의 각종 조정 노브를 나타내고 있다.

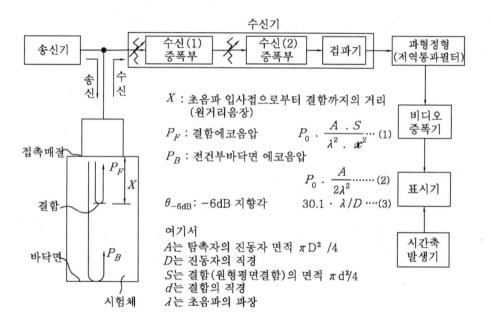

X : 초음파 입사접으로부터 결함까지의 거리
　　(원거리음장)

P_F : 결함에코음압　　　$P_0 \cdot \dfrac{A \cdot S}{\lambda^2 \cdot x^2}$ ···(1)

P_B : 전건부바닥면 에코음압

$\qquad\qquad\qquad\qquad P_0 \cdot \dfrac{A}{2\lambda^2}$ ·······(2)

θ_{-6dB} : −6dB 지향각　　　$30.1 \cdot \lambda/D$ ····(3)

여기서
A는 탐촉자의 진동자 면적 $\pi D^2/4$
D는 진동자의 직경
S는 결함(원형평면결함)의 면적 $\pi d^2/4$
d는 결함의 직경
λ는 초음파의 파장

〔그림 3.2〕 초음파탐상기의 구성

가. 세로축 관계 노브

(1) 송신조정

사용하는 탐촉자에 대해 최적의 송신상태를 얻기 위해 조작하는 노브이다. 펄스전압을 변화시키며 이 조작으로부터 탐촉자로부터 송신된 초음파펄스의 전압 및 진동횟수가 변화한다. 진동횟수가 많으면 송신펄스의 폭과 에코의 폭이 넓어지게 되고 분해능이 떨어진다. 수신부의 증폭능력이 부족하다고 판단될 때는 펄스전압을 높게 하는 것이 좋다. 그러나 일단 탐상감도를 설정한 후에 조작하면 결함에 대한 평가가 달라지기 때문에 송신조정은 반드시 탐상감도를 설정하기 전에 행해야 한다.

(2) 게인(**Gain**)조정

탐상감도를 조정할 때 이용된다. 보통 데시벨(dB) 단위로 눈금이 매겨져 있는데, 데시벨은 식 (3.1)로 정의되고 에코높이의 비를 나타내는데 이용된다.

$$H(dB) = 20\log_{10}(h_2/h_1) \quad\cdots\cdots\cdots\cdots\cdots\cdots\cdots\cdots\cdots\cdots\cdots\cdots\cdots\cdots(3.1)$$

H (dB) : h_2의 h_1에 대한 비의 값을 dB단위로 표시한 값

h_1 (%) : 에코높이 (예를 들면 기준에코높이)

h_2 (%) : 에코높이 (예를 들면 결함에코높이)

(3) 리젝션(**Rejection**)

노이즈를 제거하기 위한 노브로 대부분의 리젝션을 이용하면 에코가 마치 기선밑으로 침몰하는 변화를 일으킨다. 그 결과 표시되는 에코높이는 수신된 초음파펄스의 음압에 비례하지 않을 수도 있기 때문에 "증폭직선성"이 상실될 우려가 있다.

나. 가로축 관계 노브

화면에 나타난 에코위치를 직접, 결함까지의 거리(빔진행거리)로 읽기 위해 우선 화면의 가로축을 거리의 눈금에 대응시킬 필요가 있다. 이 대응을 취하기 위한 조정(측정범위의 조정)을 할 때에 조작하는 노브이다.

(1) 측정범위 조정 노브

이 노브에는 화면상에 관찰 가능한 범위를 크게 변화시킬 수 있는 거친 조정노브와 연속적으로 변화시킬 수 있는 미세조정 노브가 있다. 이들 노브를 조작하면 화면에 나타나는 에코의 간격을 임의로 변화시킬 수 있다.

(2) 펄스위치 조정 노브

이 노브를 조작하면 화면에 나타나는 에코의 간격을 변화시키지 않고 임의의 위치로 이동시킬 수 있다. 말하자면, 영점위치조정과 같은 역할을 한다.

(3) 음속 조정 노브

화면상에 나타나는 에코의 간격을 변화시킬 때 사용한다.

다. 그 외 조정노브

(1) 펄스반복주파수(*PRF*) 절환

이 노브를 조작하여 펄스반복주파수(*pulse repetition frequency; PRF*)를 높이면 소인횟수(掃引回數)가 많아지기 때문에 표시화면이 밝아지고, 자동탐상의 속도를 높일 수 있다. 그러나 펄스반복주파수를 너무 높이면 수직탐상의 경우 잔향에코가 나타나기 쉬운데, 특히 지름이 작고, 긴 봉, 또는 검사 두께가 아주 큰 재료를 수직탐상할 경우에 나타나기 쉽다.

(2) 게이트의 기점 및 폭 조정

게이트가 작동되면 일반적으로 기선(基線)의 일부분이 높아지거나 낮아진다. 이렇게 변화한 범위를 탐상게이트라 하는데, 이 범위에 먼저 설정된 문턱값(*threshold*) 이상의 에코가 나타나면 부자가 울리기도 하고 ON – OFF 신호를 외부에 출력시킨다. 또한, 그 에코 높이에 비례한 크기의 신호를 잡아내는 것도 가능하다.

(3) 거리진폭보상(*DAC*)회로

동일 반사원이라도 반사원의 위치에 따라 표시되는 에코높이가 다르다. 다시 말해 탐촉자로부터 가까운 거리에 위치한 결함과 동일한 크기의 결함이 먼 거리에 위치한 경우, 먼 거리에 위치한 결함으로부터의 에코높이는 작게 된다. 이는 거리가 증가함에 따라 초음파가 확산에 의해 약해지고 재질에 따른 감쇠를 일으키기 때문이다. 동일 크기의 결함에 대해서 거리에 관계없이 동일한 에코높이를 갖도록 전기적으로 보상하는 것을 거리 진폭보상(*DAC: distance amplitude compensation*)회로라 한다.

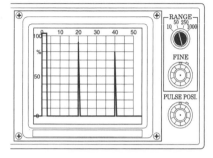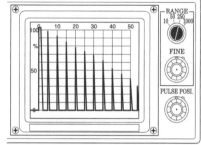

(a) 에코와 에코 간격이 신축한다.

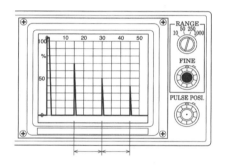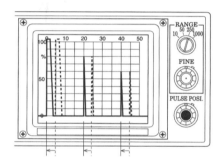

(b) 에코와 에코 간격이 신축한다.   (c) 에코와 에코 간격이 신축한다.

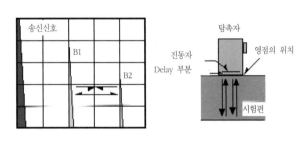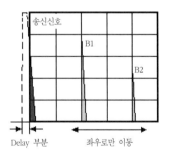

펄스위치조정노브

〔그림 3.3〕측정범위조정노브의 동작

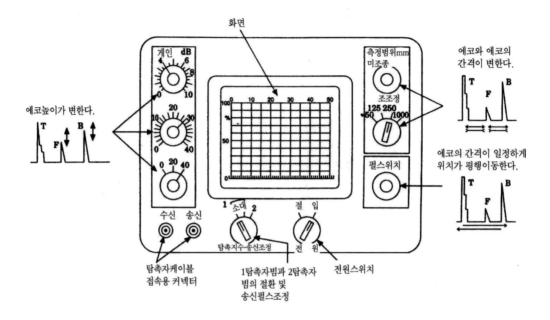

〔그림 3.4〕 펄스 에코 초음파탐상기의 조정 노브

3.1.2 디지털 초음파탐상기

디지털탐상기는 수신신호를 아날로그로부터 디지털로 변환하고 수치로 저장하기도 하고 신호처리 하는 것이 가능하다. 따라서 탐상데이터로부터 곧바로 음속값이나 측정범위 정보, 에코높이구분선 정보 등 많은 데이터를 저장하는 것이 가능하여 편리하다. 그러면서도 탐상 데이터의 샘플링을 짧게 하지 않으면 최대값이 바뀌게 되기도 하고 탐상의 주사속도를 빠르게 할 수 없는 등의 문제가 있다. 최근에는 처리 속도가 빠른 PC가 출현하여 이러한 문제를 해결하고 있다.

그림 3.5는 디지털탐상기의 외관 예이다. 디지털탐상기에는 아날로그탐상기의 소인부에 해당하는 부분이 없고 대신 샘플링 신호 및 변환 신호를 만드는 시간축부가 있다. 수신부에는 수신된 신호를 샘플링 처리하고 저장한다. 샘플링 간격이 짧을수록 실제의 탐상지시에 가깝게 된다.

표시부는 액정 등의 반도체소자가 사용된다. 디지털탐상기에는 아날로그탐상기에는 없는 편리한 기능이 있고, 탐상기의 조도의 저장, 빔진행거리의 수치표시, 사각탐상에서 반사원의 깊이나 반사원-탐촉자거리의 표시가 가능하고 탐상지시의 저장도 가능하다. 그러나 사각탐촉자를 사용하여 탐상하는 경우 디지털탐상기도 아날로그탐상기와 동일하게 표준시험편을 이용하여 입사점, 굴절각의 측정을 해야 한다.

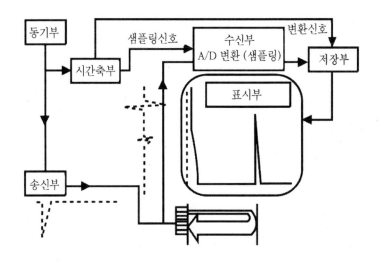

〔그림 3.5〕 디지털 초음파 탐상기의 구성 예

3.1.3 초음파 두께측정기

초음파탐상기와 동일한 원리로 강판이나 강판의 부식부의 두께를 측정하는 장치로 초음파두께측정기가 있다. 수직탐상으로 빔진행거리를 읽으면 반사원까지의 거리를 측정하는 것이 가능하다. 이 빔진행거리를 재료의 두께로 전기적으로 계측이 가능하도록 한 것이다. 그림 3.6은 디지털초음파두께측정기의 외관 예이다.

계측방법으로는 그림 3.7과 같이 clock pulse수를 카운트하는 방법이 많이 사용된다. 예를 들면 1 pulse가 0.1 ㎜가 되게 설정해 놓으면 계측 게이트 내의 펄스 수를 카운트 하는 것으로 그 재료의 두께를 표시하는 것이 가능하다. 이 설정은 두께측정기에 붙어 있는 음속조정 기능으로 해당 재료의 음속에 맞추면 자동적으로 조정된다.

〔그림 3.6〕 디지털 두께측정기의 예

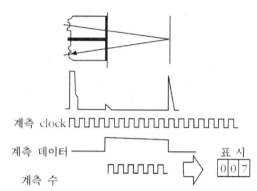

〔그림 3.7〕 두께측정기의 구성 예

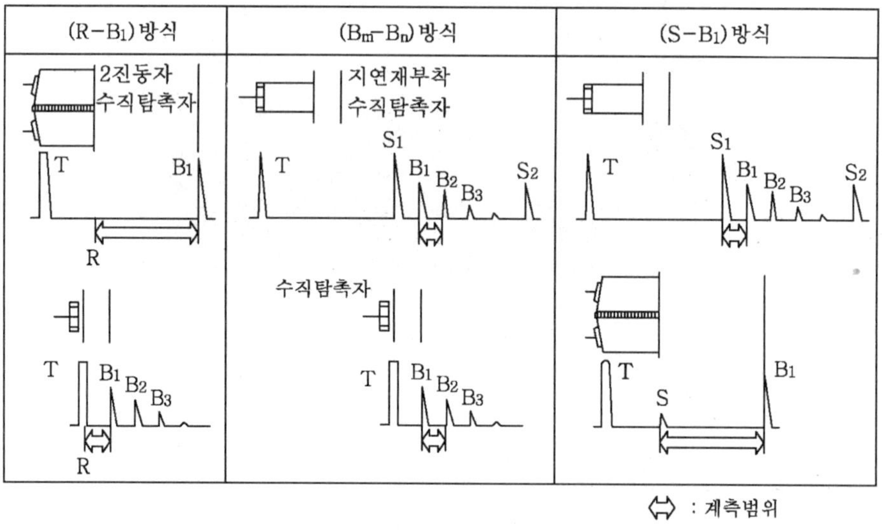

(R–B$_1$) 방식	(B$_m$–B$_n$) 방식	(S–B$_1$) 방식

⟨⟩ : 계측범위

〔그림 3.8〕 계측 방식

계측 게이트의 설정방법은 그림 3.8과 같이 3가지가 있다. 각각 (R ~ B$_1$), (S ~ B$_1$) 또는 (B$_m$ ~ B$_n$) 방식을 들 수 있다. 두께측정기의 탐촉자에는 1진동자 수직탐촉자, 지연재부착 1진동자 수직탐촉자, 2진동자 수직탐촉자 등이 사용되고 있으나, 1진동자 수직탐촉자를 이용하는 기종은 $(R \sim B_1)$ 또는 $(S \sim B_1)$, 지연재부착 1진동자 수직탐촉자를 이용하는 기종은 $(B_m \sim B_n)$ 또는 $(S \sim B_1)$, 2진동자 수직탐촉자를 이용하는 기종은 $(R \sim B_1)$의 방식을 사용하고 있다. 두께측정기에 따라서는 계측하는 방식을 선택할 수 있는 기종도 있다. 또 계측 데이터를 거는 방법도 종류가 있고, 그림 3.9와 같이 에코높이의 일정레벨 높이에서 ON/OFF하는 것과 최대 에코높이에서 ON/OFF하는 것도 있다.

두께측정기의 기종 선정에는 이들 장치의 특성과 대상물의 특성이나 측정 정밀도를 고려할 필요가 있다. 다시 말해 부식부에서 다중반사가 얻어지기 어려운 것, 측정 정밀도가 엄격하게 요구되는 것 등을 감안한 뒤에 기종을 선정하는 것이 필요하다.

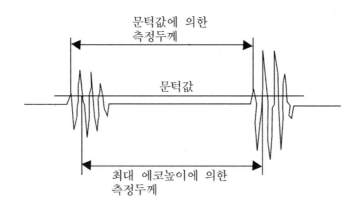

〔그림 3.9〕 계측 데이터의 ON/OFF

3.1.4 자동 탐상 장치

철강제품의 제조공장에서 두꺼운 강판이나 강관 또는 대구경 가스배관의 현장 원주용접부 등의 초음파탐상에 자동탐상이 이용되고 있다. KS D 0252 아크용접 강관의 초음파탐상검사의 경우 「자동탐상에서 탐상장치는 탐상기 및 탐촉자 외에 이송장치, 탐촉자 추종장치, 자동추종장치, 자동경보장치 및 마킹장치 또는 기록장치로 구성한다」라고 규정되어 되어 있다.

그림 3.10과 같이 자동탐상장치는 수동탐상장치에 비해 다음과 같은 추가 기능이 필요하다.

① 탐촉자 주사 또는 시험체 반송의 자동 기구
② 결함에코를 자동검출할 수 있는 게이트회로 또는 파형 수록 기능
③ 탐촉자의 추종장치

④ 음향결합이 불량한 경우의 검출 및 보상 또는 경보장치
⑤ 결과의 자동기록장치나 자동마킹장치

　　자동화의 장점의 하나인 탐상의 고속화를 위해서는 펄스반복주파수가 높게 설정해야한다. 펄스반복주파수(**PRF**)가 낮은 상태로 탐상속도를 빠르게 하면 탐상을 할 수 없는 부분이 생긴다. 또 대부분의 자동탐상장치는 탐촉자의 마모를 피하기 위해 수침법이나 갭법을 사용하고 탐촉자의 수도 복수로 한다. 시험체의 형상이 일정하거나 단순할수록 탐상작업을 자동화하기 쉽다. 예를 들면 강판이나 강관 등의 제조라인 중의 검사에 자동탐상장치가 도입되고 있다.

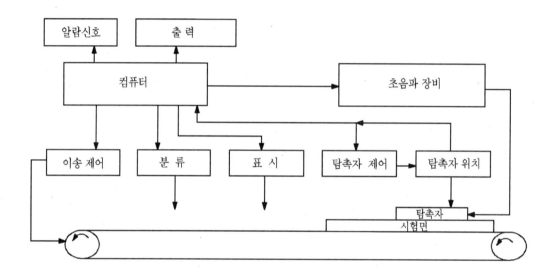

〔그림 3.10〕 자동탐상장치의 블럭선도

　　자동화에 의한 또 다른 장점은 작업자에 의한 차이가 적다는 것이다. 게이트의 위치나 탐상감도의 조정을 인위적으로 하는 경우 작업자에 의한 차이가 생길 수 있으나 자동화는 게이트의 위치나 탐상감도의 조정을 자동적으로 설정하는 경우에는 작업자에 의한 차이가 생기지 않는다. 다음에 탐촉자의 주사 또는 시험체의 반송이 위치 제어된 기계로 되어 있기 때문에 앞에 기술한 기본표시 이 외의 표시방법으로 탐상결과를 직관적으로 아는 것이 가능해진다. 기본표시 이 외의 표시방법에는 단면표시(**B - Scope**), 평면표시(**C - Scope**)가 있고, 모두 탐촉자의 위치 정보가 필요한 표시방법이다.

3.2 초음파 탐촉자

탐촉자는 탐상기 본체의 송신부로부터 송신되어 오는 전기신호를 초음파 펄스로 변환하고 또 초음파펄스를 수신하면 전기신호로 변환하여 탐상기 본체에 보내는 역할을 한다.

3.2.1 초음파탐촉자의 구성

초음파탐촉자의 기본구성은 다음과 같다.

- 압전탐촉자: 진동자
- 충진재(*backing material*)
- 탐상장치의 에너지를 탐촉자에 연결해 주는 탐상 케이블과 압전 진동자 사이의 전기 임피던스를 맞춰주기 위한 회로
- 케이스

가. 압전탐촉자

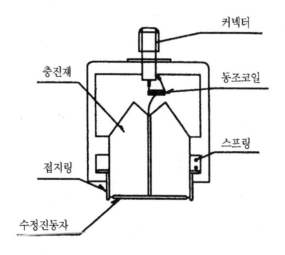

〔그림 3.11〕 초음파 탐촉자

초음파탐촉자에 주어지는 진압펄스의 여기시간은 10^{-6}초 미만이며 짧은 전압펄스는 일련의 주파수대역(*frequency band*)으로 구성되어 있어 이들 주파수중에서 탐촉자의 공진주파수에서 최대의 진동이 일어나게 한다. 즉, 진동자두께의 함수이다.

$$f_r = \frac{v}{2t} \quad \cdots\cdots\cdots\cdots\cdots\cdots\cdots\cdots\cdots\cdots\cdots\cdots\cdots\cdots\cdots\cdots\cdots\cdots\cdots\cdots\cdots\cdots (3.2)$$

단, f_r : 탐촉자의 공진주파수, t : 탐촉자의 두께, v : 종파속도

특정주파수의 탐촉자를 제작할 때에는 이 식을 이용하여 진동자의 두께를 결정하게 된다.

나. 충진재(*Backing Material*)

충진재(*backing material*)는 탐촉자의 중요한 두 가지 특성인 분해능과 감도에 영향을 미치게 된다. 탐촉자의 분해능은 서로 근접해 있는 두 개의 결함을 분리하여 에코로 나타내는 능력을 말하며 탐촉자의 감도는 어느 정도의 작은 결함을 탐상할 수 있는가의 능력을 말한다.

탐촉자의 분해능을 높이기 위해서는 탐촉자의 진동이 가능한 한 빨리 흡음(*damping*)되어야 한다. 그러나 탐촉자의 감도를 높이려면 흡음이 낮아야 되므로 이들 두 성질은 서로 상치되게 된다. 그러므로 탐상의 목적에 따라 이들 두 성질을 적당히 조합하여 흡음의 정도를 설정하여 충진재 재질을 결정한다. 흡음재의 음향임피던스가 탐촉자의 재질과 거의 동일할 때 탐촉자진동의 흡음이 가장 이상적으로 된다. 탐촉자와 충진재의 음향임피던스를 맞춰주면 초음파가 탐촉자로부터 쉽게 충진재로 들어가게 된다. 충진재는 효과적으로 초음파를 감쇠시키는 재질이므로 초음파가 충진재에서 다시 반사되어 탐촉자로 되돌아가 허위지시가 나타나는 것을 방지하게 된다. 감도와 분해능을 동시에 좋게 하려면 탐촉자의 진동자와 흡음재의 음향임피던스의 차이를 수정일 때에는 5:1의 비율로 진동자가 유화리튬일 때는 1.1대 1의 비율로 제작한다.

펄스에코탐상에서는 흡음의 정도가 문제가 되므로 흡음재로서 섬유플라스틱(*fibrous plastic*)이나 금속분말에 여러 종류의 플라스틱물질을 혼합하여 충진재로 사용하기도 하며 흡음재 내에서의 초음파의 감쇠를 크게 하기 위하여 금속분말의 입자의 크기를 조절하던가, 금속분말과 플라스틱의 비율을 조절하던가 하여 음향임피던스를 조정하는 방법 등을 사용한다.

현재 많은 종류의 탐촉자가 시판되고 있는데, 주파수 및 진동자크기가 다른 것, 최근에는 광대역형 탐촉자라고 부르는 것과 집속형 탐촉자 등 선정폭이 넓어졌다. 예전에는 고온에서의 초음파 측정은 어려웠지만 지금은 300 ~ 400℃ 까지도 충분히 측정이 가능하게 되었다.

측정대상물에 따라서 탐상에 어느 탐촉자를 사용하는 것이 좋은가를 결정하는 것은 어려운 문제이다. 따라서 정밀한 탐상을 하기 위해서는 시행착오법(*try and error*)에 의지하는 경우가 많다. 일반적으로 주파수가 높은 것을 사용하면 분해능과 더불어 지향성도 향상되고 결함위치나 깊이의 측정정도도 향상되어 근접한 결함의 분리나 표면근방의 결함도 쉽게 검출할 수 있다.

3.2.2 수직탐촉자

일반적으로 "수직탐촉자(*normal probe*)"는 직접접촉용, 표준용(1진동자)—보호막 부착, 보호막 없음, 지연재부착—등으로 분류되고 그 구조는 그림 3.12와 같다.

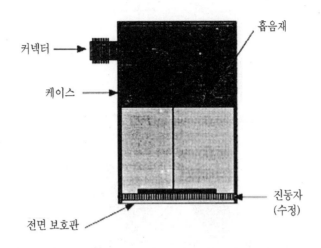

커넥터

흡음재

케이스

진동자
(수정)

전면 보호판

〔그림 3.12〕 탐촉자의 구성 요소

보호막부착 수직탐촉자는 보호막의 영향에 의해 감도여유치나 분해능이 다소 떨어지지만 주강표면 등과 같이 탐상면이 거친 것에 적용할 경우, 연질의 보호막이 거친 탐상면과 잘 접촉하기 때문에 보호막이 없는 경우보다 안정된 탐상을 할 수 있다. 탐상면이 매끈하게 다듬질되어 있는 경우에는 보호막이 없는 수직탐촉자를 이용하여 감도여유치나 분해능을 양호한 상태로 탐상하는 것이 좋다.

탐상면이 거친 탐상에서 진동자를 보호하고 탐상의 안정성을 꾀하기 위해 아크릴지연재를 부착시킨 수직탐촉자가 있다. 이 형식의 수직탐촉자는 그림 3.13과 같이 지연재 내에서 다중반사가 나타나기 때문에 지연재의 길이에 따라 탐상이 가능한 범위가 제한을 받으나 탐상면 거칠기의 변화에 의한 영향이 적고 안정된 탐상이 가능하다.

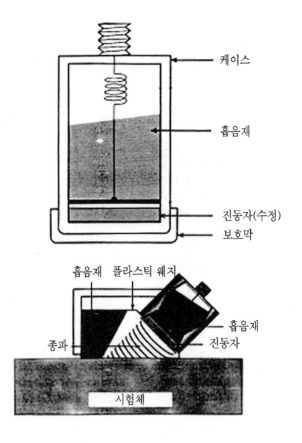

케이스

흡음재

진동자(수정)

보호막

흡음재 플라스틱 웨지

흡음재

종파 진동자

시험체

〔그림 3.13〕 수직 및 사각탐촉자

집속수직탐촉자는 그림 3.14과 같이 구면진동자 또는 음향렌즈를 이용하여 시험체 내부의 일정거리에 초점을 설정하면 초점 근방에서는 초음파빔이 가늘게 교축되기 때문에 미소결함으로부터 높은 에코를 얻을 수 있고 방위분해능도(*angular resolution*) 높아 작은 결함의 검출이나 결함위차·크기의 정밀측정에 적합하다. 또한 임상에코가 나타나는 재료의 탐상에 이용하면 S/N비가 대폭 개선된다. 적용시에는 미리 에코높이의 거리특성 및 지향특성을 측정하여 놓고 목적에 맞는 집속범위 및 빔폭을 갖는 탐촉자를 선택한다. 집속형탐촉자(*focused probe*)는 초음파빔을 집속함으로서 지향성을 최대한 향상시킬 수 있다.

일반적으로 두께방향으로 진동하는 압전소자를 진동자에 이용하여 종파를 송·수신하지만, 폭방향으로 진동하는 특수한 압전소자를 진동자로 이용하면 횡파수직탐촉자가 되고 횡파를 송·수신하게 된다. 횡파수직탐촉자는 음향이방성의 측정에 이용되나, 기름이나 글리세린으로는 횡파를 전달하지 못하므로 횡파 전파용의 접촉매질이 필요하게 된다.

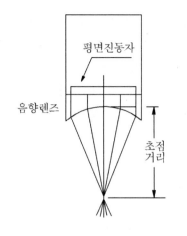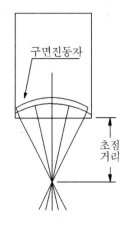

(a) 음향렌즈에 따른 접속(수침법)　　(b) 구면진동자에 다른 접속(직접접촉법)

〔그림 3.14〕 집속형탐촉자

3.2.3 사각탐촉자

　　탐상면에 경사로 초음파를 전파시키는 탐촉자를 총칭하여 사각탐촉자라 부른다. 사각탐촉자에는 그림 3.15와 같이 초음파를 탐상면에 경사로 입사시키기 위해 쐐기가 필요하게 된다.

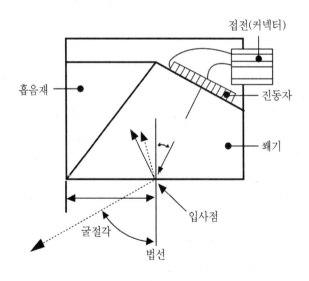

〔그림 3.15〕 사각탐촉자의 구조

일반적으로 사각탐촉자(*angle probe*)는 직접접촉용, 표준형(1진동자, 고정각)으로 쐐기 내부는 진동자로부터 송신된 종파가 전파하지만 시험체와 경계면에서의 모드변환을 이용하여 시험체내부에서는 횡파를 굴절 전파시킨다. 이 경우 입사각이 종파의 임계각 이상이 되도록 설정되어 있기 때문에 종파는 시험체에 전파하지 않는다. 일반적으로 강 내부에서 횡파의 굴절각이 45°, 60° 및 70°가 되도록 제작된 탐촉자가 시판되고 있다. 이 각도를 공칭굴절각이라 부르고 실제의 굴절각은 반드시 45°, 60°, 70°가 되지 않기 때문에 실제 사용하는 경우에는 실측할 필요가 있다.

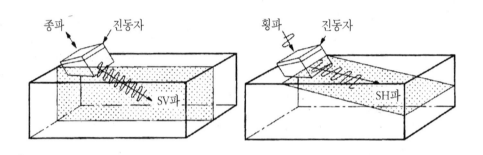

〔그림 3.16〕 SV파와 SH파의 발생 원리

SH파 사각탐촉자는 그림 3.16과 같이 폭방향으로 진동하는 진동자를 이용하여 진동방향이 탐상면과 평행하게 되도록 하면 탐상면에서 모드변환이 없는 횡파의 사각탐촉자가 된다. 이 횡파는 SH파라 부르고 이 탐촉자를 일반적인 횡파(SV파) 사각탐촉자와 구별하여 SH파 사각탐촉자라 한다.

종파사각탐촉자는 입사각이 종파의 임계각보다 작고, 시험체에 종파가 굴절 전파하도록 제작된 탐촉자이다. 오스테나이트계 스테인리스 강용접부등에서는 조대결정립에 의한 임상에코가 크고 횡파에 의한 탐상은 곤란하여 종파사각탐촉자(굴절각 45° ~ 60°)가 사용된다. 사용시에는 다음 사항에 유의할 필요가 있다. ⅰ) 횡파도 동시에 전파하기 때문에 일반 강재 등 초음파의 감쇠가 작은 재료에 적용하면 횡파에 의한 에코도 화면 상에 나타나기 때문에 탐상이 어려워진다. ⅱ) 이면에서 반사되면 거의 횡파로 모드변환하기 때문에 직사법에 한정된다.

가변각 사각탐촉자는 그림 3.17과 같이 입사각이 변화 가능한 구조로 되어 있고 설정하는 각도에 따라 일반형, 종파사각 및 표면파탐촉자로 사용이 가능하며, 일반적으로 형상·치수가 다소 크다.

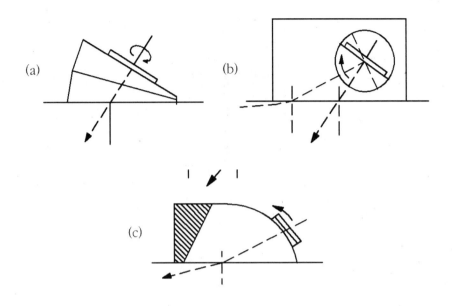

〔그림 3.17〕 가변각탐촉자의 구조

3.2.4 기타 특수 탐촉자

가. 2진동자탐촉자

2진동자탐촉자는 송수신용진동자를 조금씩 경사로 배치하고 1개의 탐촉자에 조립되어 있다. 양(兩)진동자를 음향격리면(隔離面)으로 분리하고 있기 때문에 수침법에서와 같이 표면에 코를 수신하는 것이 없으며(표면에코는 거의 나타나지 않는다), 불감대(**dead zone**)가 없기 때문에(또는 매우 적다) 표면 직하의 결함의 검출이나 두께측정에 사용되고 있다.

즉, 송수신의 진동자를 조금씩 경사로 배치하고 있기 때문에 교축점(송수신진동자 중심축의 교점)이 생기는데, 에코높이는 이 교축점에서 최대가 되고 이곳을 벗어나면 급격히 저하한다. 따라서 2진동자탐촉자는 교축점 근방의 검출능이 높아지므로 특정 부위를 S/N비 높게 탐상하려는 경우에 이용된다.

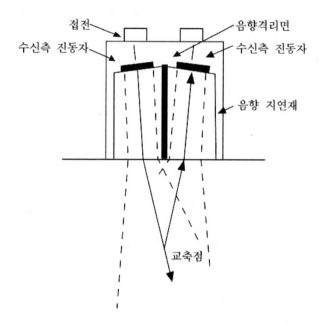

접전
음향격리면
수신측 진동자
수신측 진동자
음향 지연재
교축점

〔그림 3.18〕 2진동자수직탐촉자

나. 광대역형 탐촉자(고분해능탐촉자)

진동의 지속횟수가 매우 적은 초음파펄스를 송수신하는 탐촉자를 말한다. 진동횟수가 매우 적은 초음파펄스는 그 진동성분의 주파수범위가 넓기 때문에 광대역이라고 불린다. 초음파펄스의 진동회수가 적으면 표시되는 에코의 폭이 좁고 분해능이 높기 때문에 고분해능탐촉자라고도 불린다. 이 분해능을 높이기 위해서는 탐상기 본체의 수신부에도 광대역증폭기가 필요하다.

그림 3.19와 같이 동일 탐촉자라도 탐상기의 조합에 따라서 파형이 변화함을 보여주고 있다. 이 탐촉자는 얇은판의 탐상이나 두께측정, 근거리결함의 분리를 목적으로 사용되는 것 외에 조직이 조대한 재료의 탐상에도 이용되고 있다. 그림 3.21에서와 같이 재료조직으로부터의 임상에코가 작기 때문에 S/N비가 개선된다.

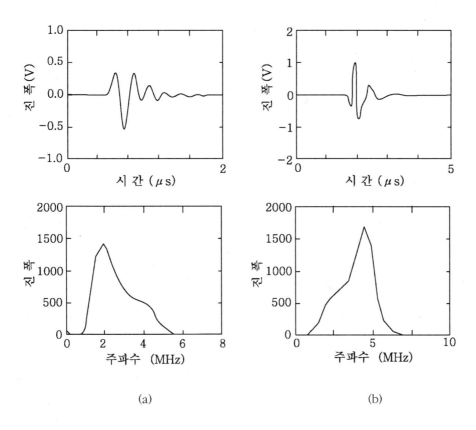

(a)   (b)

〔그림 3.19〕 동일 탐촉자로 탐상기의 조합에 따른 파형의 변화

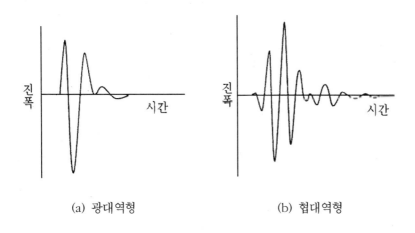

(a) 광대역형   (b) 협대역형

〔그림 3.20〕 광대역형 탐촉자와 협대역탐촉자의 펄스파형 비교 예

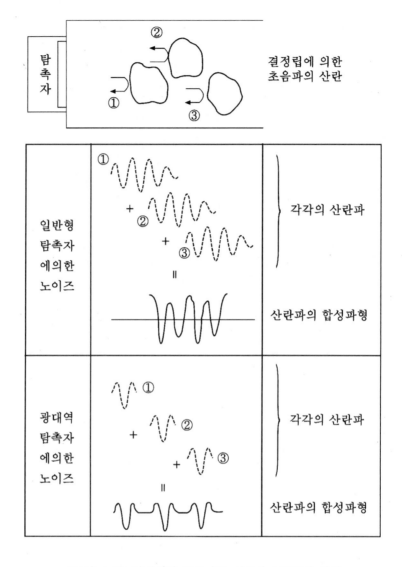

〔그림 3.21〕 광대역형 탐촉자를 이용한 S/N비의 향상

3.3 기타 사용기기

3.3.1 탐촉자 케이블

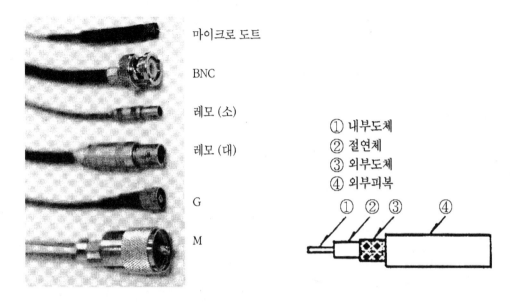

마이크로 도트

BNC

레모 (소)

레모 (대)

G

M

① 내부도체
② 절연체
③ 외부도체
④ 외부피복

〔그림 3.22〕 탐촉자 케이블과 커넥터의 종류　　〔그림 3.23〕 동축 케이블의 구조

　　탐촉자 케이블은 고주파케이블의 양끝에 접속하기 위해 커넥터(*connector*)가 부착되어 있다. 탐촉자 케이블의 커넥터에는 그림 3.22와 같이 여러 종류가 있고 탐상기와 탐촉자의 커넥터에 맞는 것을 사용한다. 커넥터의 착탈 방법은 각각의 종류에 따라 다르고 탐촉자 케이블을 급격한 각도로 구부린다든가 잘못 취급하면 접속불량이나 단선의 원인이 되기 때문에 주의할 필요가 있다

3.3.2 접촉매질

　　초음파의 전달효율을 향상시키기 위해 탐상면과 탐촉자 사이에 도포하는 액체를 접촉매질(*couplant*)이라 한다. 접촉매질에는 물, 기계유, 글리세린 페이스트 등이 사용되고 있다. 탐촉자가 시험체에 접하는 탐상면이 거칠 경우 초음파의 전달능력은 접촉매질의 종류에 따라 달라진다. 밀도와 음속을 곱한 상태인 음향임피던스가 큰 접촉매질 일수록 초음파의 전달능력이 뛰어나다. 글리세린이나 글리세린 페이스트는 기계유나 물에 비해서 음향 임피던스가 크다.

접촉 매질로는 탐상면이 평면으로 평활한 경우에는 주로 기계유나 물을 이용하고, 표면이 거친 경우나 곡면이 있는 경우에는 주로 글리세린이나 글리세린 페이스트 등을 이용한다. 횡파 수직 탐촉자, SH파 사각 탐촉자 및 표면 SH파 탐촉자를 사용하는 경우에는 횡파 전용의 접촉매질을 사용한다. 표준 시험편을 사용하는 경우에는 방청을 하기 때문에 기계유를 사용한다.

『 익 힘 문 제 』

1. 다음은 초음파탐상기에 대해 기술한 것이다. 틀린 것은?
   1) 초음파탐상기는 화면 가로축상의 에코위치로부터 그 반사면의 위치를 추정하는 것이 가능하다.
   2) 초음파탐상기는 두께측정기와 동일한 원리로 화면상의 결함에코높이로부터 결함의 크기를 추정 할 수 있는 것이 많다.
   3) 초음파탐상기는 펄스를 사용하기 때문에 반사체의 형상을 잘 알 수 있다.
   4) 초음파탐상기는 기공은 잘 검출하지만 라미네이션은 검출이 어렵다.

2. 초음파탐상장치의 각 구성부분과 기능에 대한 설명 중 옳지 않는 것은?
   1) 소인회로 − 시간축 작동
   2) 수신부 − 증폭과 감도조정
   3) 탐촉자 − 초음파의 발생과 수신
   4) 송신부 − 측정범위의 조정

3. 리젝션(*Rejection*)을 사용하였을 때 일어나는 현상은?
   1) 기준선으로부터 노이즈가 제거된다.
   2) 장비의 증폭직선성에는 영향을 미치지 않는다.
   3) 분해능이 좋아진다.
   4) 시간축직선성이 좋아진다.

4. 펄스반복주파수(*PRF*)에 관한 다음 기술 중 올바른 것은?
   1) 펄스반복주파수를 높게 하면 검사주파수를 높게 잡는 것이 가능하다.
   2) 펄스반복주파수를 너무 높게 화면상의 탐상지시가 어두워진다.
   3) 펄스반복주파수를 너무 낮게 하면 잔향에코가 발생하기 쉬워진다.
   4) 펄스반복주파수를 높게 하면 자동탐상속도를 빠르게 할 수 있다.

5. 사각탐촉자만이 갖는 특유한 성능에 해당하는 것은?
   1) 감도
   2) 분해능
   3) 접근한계길이
   4) 불감대

6. 탐촉자의 분해능은 탐촉자의 무엇에 직접 관계 되는가?
   1) 지름 (*diameter*)
   2) 대역폭 (*bandwidth*)
   3) 펄스반복율 (*Pulse-repetition rate*)
   4) 두께 (*Crystal thickness*)

7. 다음은 초음파탐상기에 사용하는 1진동자 및 2진동자탐촉자에 대해 기술한 것이다. 틀린 것은?
   1) 보통 1진동자수직탐촉자에는 송신펄스폭이 넓기 때문에 근거리의 탐상이 어렵다.
   2) 2진동자탐촉자는 근거리결함의 탐상에 유리하다.
   3) 2진동자에 의한 탐상지시에는 지연재 때문에 표면에코가 나타난다.
   4) 1진동자수직탐촉자에 의한 직접접촉법의 탐상지시에도 표면에코를 관측할 수 있다.

8. 점집속형(*point focus type*) 수직탐촉자의 최대 장점은?
   1) 모드변환(*mode conversion*)가 일어나기 쉽다.
   2) 초음파 빔이 탐상면으로부터 어느 일정한 거리에 집속되기 때문에 거리분해능이 우수하다.
   3) 특히 고온에서의 사용이 가능하다.
   4) 모드변환(*mode conversion*)의 영향을 받기 쉬우며 수신효율이 우수하다.

9. 점집속(*point focus type*)탐촉자가 갖는 특유한 성능에 해당하지 않는 것은?
   1) 집속거리
   2) 집속범위
   3) 집속한계길이
   4) 집속 빔 폭

10. 점집속(*point focus type*)에 사용되는 음향집속 방법이 아닌 것은?
   1) 구면진동자
   2) 음향렌즈
   3) 평면진동자
   4) Array 진동자

11. 시험체 내에서 결함깊이에 따라 에코높이가 달라지는 것을 보상해주는 것은?

1) 감쇠   2) 회절

3) 거리진폭보정   4) 리젝션

12. 초음파탐상의 경우 탐상면에 바르는 접촉매질에 대한 설명 중 올바른 것은?

1) 탐촉자와 시험체 사이에 액체로 채우고 초음파의 전달효율을 좋게 하기 위해 이용하는 물질을 접촉매질이라 부른다.

2) 접촉매질에는 물, 기계유, 글리세린, 물유리, 페스트 등이 있지만 매질의 종류에 따라 초음파의 주파수가 변한다.

3) 음향임피던스가 작을수록 초음파의 전달능력은 우수하다.

4) 글리세린이나 물유리는 기계유나 물에 비해 음향임피던스가 작다.

13. 게이트(*gate*)의 기능과 사용목적에 대해 기술하시오.

14. 리젝션(*rejection*)의 기능과 사용 시 주의할 사항에 대해 기술하라.

15. 펄스반복주파수(*PRF*) 사용 시 주의해야 할 사항과 PRF를 너무 높여 사용하면 어떠한 결과가 발생할 수 있는가?

16. DAC 회로의 기능과 사용목적을 기술하라.

17. KS B 0535의 탐촉자의 표시방법에 근거한 B5Z14I F15 ~ 25 탐촉자를 설명하시오.

18. 점집속형 수직탐촉자의 특성과 적용분야에 대해 기술하라.

19. 광대역탐촉자에 대해 그 특징과 적용에 대해 기술하고 적용 시 주의점에 대해 기술하시오

20. 종파 사각탐촉자의 사용상의 주의점을 기술하시오.

21. 탐촉자 케이블의 종류와 사용 시 주의할 사항에 대해 기술하시오.

22. 초음파 탐상에 사용되는 접촉매질의 종류 및 사용 용도를 서술하시오.

제 4 장 탐상장치의 교정

4.1 교정의 목적

펄스반사식 초음파탐상에서 얻어지는 기본 정보로는 화면에 나타나는 에코의 위치와 높이이므로 이것으로 피검체 내부의 결함 정보를 평가하기 위해서는 비교 평가할 수 있는 시험편이 필요하게 된다. 그러므로 평가의 신뢰도를 확보하기 위해서 시험편에 인공결함인 노치(*notch*), 평저공(*flat bottom hole; FBH*) 그리고 측면공(*side drilled hole; SDH*)을 가공하여 다음과 같은 목적에 사용한다.

① 탐상기와 탐촉자의 특성 검증
② 탐상조건의 설정(측정범위, 탐상감도, 검출레벨 등)
③ 시험편의 인공결함과 피검체의 결함으로부터 반사된 에코높이와 위치를 비교 평가한다.

초음파탐상장치의 교정(*calibration*) 및 탐상감도의 교정 등에 이용되는 시험편은 규격에 따라 표준시험편(*standard test block; STB*)과 대비시험편(*reference block; RB*)으로 분류된다.

4.2 표준시험편

표준시험편(**STB**)은 각 나라마다 정해진 규격에 따라 형태와 용도가 조금씩 다르지만 그 원리는 거의 비슷하므로 시험편의 용도와 그 필요성을 정확히 이해하는 것이 무엇보다 중요하다. 표준시험편은 재질, 형태, 치수 및 성능이 미국재료협회규격(**ASTM**), 국제용접규격(**IIW**)이나 일본공업규격(**JIS**) 등의 규격에 근거하여 제작되고 공인된 기관에서 검증된 시험편을 말한다. 이 시험편은 탐상 장소, 탐상 시기가 달라도 탐상 결과를 상호 비교할 수 있는 보편성을 가져야 한다. 동일 형식의 시험편을 사용하여 감도교정을 한 탐상은 상호 비교가 가능하다.

그러나 실제 시험체의 탐상에서는 시험체와 표준시험편 사이에 표면거칠기의 차에 의한 전달 손실, 결정립의 대소에 의한 산란 감쇠의 차에 의해 얻어진 탐상 결과에 차이가 생기는 경우가 많다. 표 4.1은 표준시험편과 대비시험편의 종류와 용도를 나타내었다.

표 4.1 표준시험편의 종류와 용도

명 칭	주 용 도						관 계 규 격 사용상의 주의 등
	수 직 탐 상			사 각 탐 상			
	측정범위 교정	탐상감도 교정	성능특성 측정	측정범위 교정	탐상감도 교정	성능특성 측정	
STB-G		○	○				KS B 0817
STB-N	○	○	○				KS B 0817 원칙적으로 수침법 또는 갭법에서 사용
STB-A1	○		○	○	○	○	KS B 0817
STB-A2					○	○	KS B 0817
STB-A3				○	○	○	KS B 0817, 현장체크용
STB-A21					○	○	KS B 0817
STB-A22						○	KS B 0817

4.2.1 표준시험편의 종류와 용도

가. STB G 표준시험편(STB-G)

수직탐상의 감도교정과 특성 검사에 사용되는 시험편으로서 단면 크기가 60 mm × 60 mm 와 50 mm × 50 mm 의 2종류로 구성되어 있다. 시험편 저면의 중심에 수직으로 평저공(**FBH**)이 가공되어 있다. V2는 단면 크기가 60 mm × 60 mm 이고 탐상면으로부터 2 cm 의 위치에 평저공이 있다는 것을 의미하며, 탐상면으로부터 평저공까지의 거리가 각기 다른 4종류의 시험편이 있다.

V15 시리즈는 단면의 크기가 50 mm × 50 mm 이고 탐상면으로부터 평저공까지의 거리는 일정하고 지름이 다른 6개의 시험편으로 구성되어 있다.

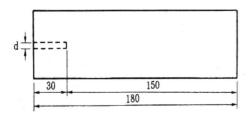
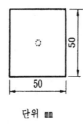

50도의 STB-G의 구성 (50×50㎜)

시험편의 종류	표준구멍의 직경 d (mm)
V 15 – 1	1.0
V 15 – 1.4	1.4
V 15 – 2	2.0
V 15 – 2.8	2.8
V 15 – 4	4.0
V 15 – 5.6	5.6

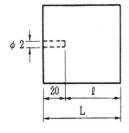
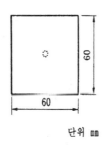

60도의 STB-G의 구성 (50×50㎜)

시험편의 종류	시험편전길이 L (mm)	탐상면으로부터표준 구멍까지의 거리 ℓ(mm)
V 2	40	20
V 3	50	30
V 5	70	50
V 8	100	80

〔그림 4.1〕 시험편의 형상과 주요치수(STB-G)

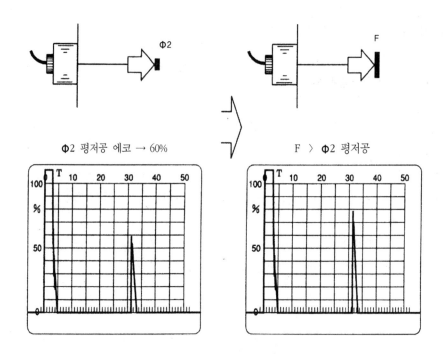

[그림 4.2] STB G V 15 시리즈의 에코높이의 변화

그림 4.2와 같이 STB-G V15-5.6, V15-4, V15-2.8, V15-2 표준시험편으로 동일 거리, 형상에서도 결함의 크기가 다르면 에코높이가 달라지는 것을 확인할 수 있으며, 결함이 같은 크기, 형상이라도 탐상면으로부터 결함이 위치하는 거리가 다르면 역시 에코높이는 달라진다. 따라서 결함을 정확히 평가하기 위해서는 같은 감도로 STB-G V Φ2 시리즈(V2~8, V15-2, STB-G V2, V3, V5, V8, V15-2) 시험편을 탐상하고 에코높이가 거리에 따라 변화하는 양상을 관찰하기 위해 최대에코높이를 측정하여 「거리진폭특성곡선, (*Distance Amplitude Correction or characteristic curve; DAC*)」을 그려 놓고 결함에코높이를 「거리진폭특성곡선」과 비교한다.

나. STB N1형 표준시험편(STB-N1)

강판의 두께 13 ~ 60 mm 의 수직탐상용 감도표준시험편으로서 그 제원은 그림 4.3과 같다. 수침법에 사용하는 것이 원칙이며 STB-G형 시험편으로 탐상하기 어려운 때에 사용된다. 즉 피검체의 두께에 비하여 탐상거리가 짧을 때 사용되며 STB-G의 평저공의 지름이 2 mm 인 V2로 탐상하도록 교정하면 탐상감도가 너무 높아져 얇은 판의 탐상에는 부적당할 때 사용한다.

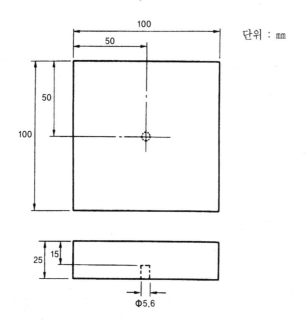

〔그림 4.3〕 시험편의 형상과 주요치수(STB-N1)

다. STB A1형 표준시험편(STB-A1)

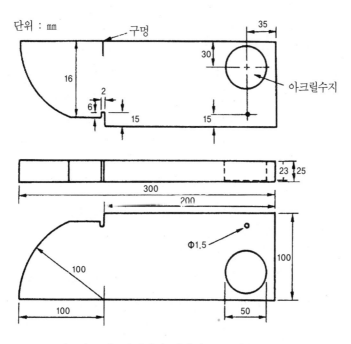

〔그림 4.4〕 시험편의 형상과 주요치수(STB-A1)

이 시험편은 IIW(국제용접협회)에서 IIW-1형으로 제안되어 ISO(국제표준기구)에서 공인된 시험편으로서 외국 규격에서는 IIW시험편 또는 V1시험편으로도 불리는 시험편이다. JIS(일본 공업규격)와 KS(한국산업규격)에서 STB A1시험편으로 불리며, 형상과 치수는 그림 4.4와 같으며 다음과 같이 탐상장치의 교정에 주로 활용된다.

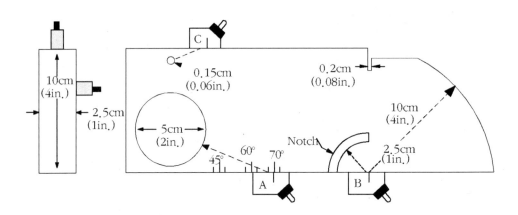

〔그림 4.5〕 IIW-1형 시험편

(1) 측정범위 교정(시간축 교정)

측정범위란 가로축 눈금의 0눈금에서 50눈금까지의 범위를 표시하는 거리로 보통 0 눈금을 시험체의 표면(탐상면)으로 했을 때 50눈금이 시험체 중 거리의 몇 ㎜에 상당하는 지를 나타낸 것이다. 즉, 탐상기 화면의 크기(즉, 화면상의 시간 축 10 눈금판)를 검사할 수 있는 크기로 조절하는 것을 말하며, 10 눈금판의 크기를 나타낸다.

측정범위의 선정은 탐상지시의 표시방법 및 시험체의 크기에 따라 정해지며, 교정 및 에코위치를 읽기 쉽도록 25, 50, 100, 125, 200, 250 및 500 ㎜ 등의 측정범위가 흔히 사용된다.

수직탐상에서 시험편의 두께가 25 mm, 100 mm 및 200 mm 가 되는 부분을 이용하여 다중저면 반사파를 얻은 후 탐상기의 소인지연(*sweep delay*)과 sweep length 조정기로 화면상의 눈금판에 에코의 위치를 맞추어 탐상범위를 조절하고 시간축을 교정한다. 그림 4.6은 STB-A1의 치수(두께 25 ㎜)를 사용하여 수직탐상으로 측정범위를 교정하기 전에 송신펄스 T가 화면 가로축 눈금 "0" 부근에 오도록 펄스위치 조정노브로 교정하는 것을 나타내고 있다. 그리고 그림 4.7은 측정범위를 교정한 결과를 보여주고 있다.

사각탐상에서 200 mm 이상이 되는 경우에는 그림 4.8과 같이 탐촉자를 사분원의 원점에 100 mm 사분원을 겨냥하도록 놓고 반사원 반사파를 얻은 다음 소인지연(*sweep delay*)과 sweep length 조정기로 화면상의 눈금판에 에코의 위치를 맞추어 탐상범위를 조절하고 시간축을 교정한다. 사각탐상에서는 저면에코가 얻어지지 않으므로 수직탐상의 경우와는 다른 방법으로 측정범위를 교정해야 한다.

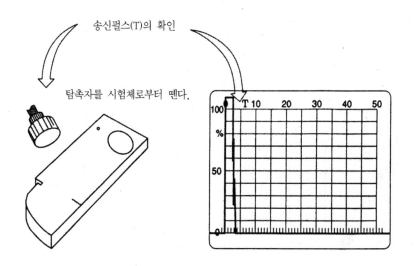

[그림 4.6] 송신펄스의 확인

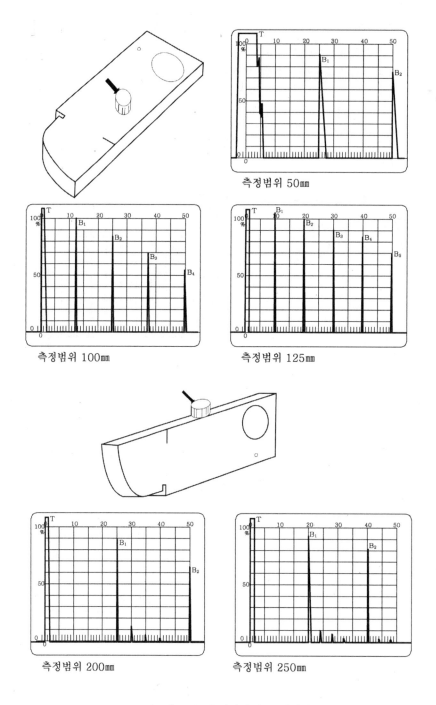

측정범위 50mm

측정범위 100mm

측정범위 125mm

측정범위 200mm

측정범위 250mm

〔그림 4.7〕 측정범위의 교정결과

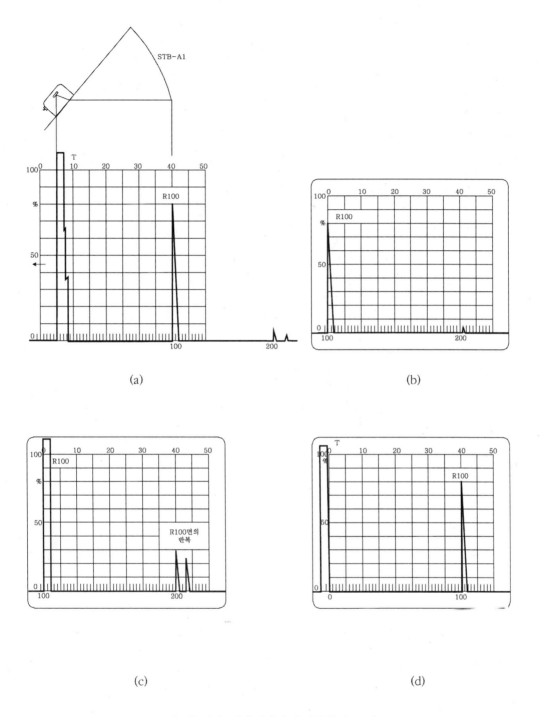

(a)

(b)

(c)

(d)

〔그림 4.8〕 사각탐상의 측정범위의 교정

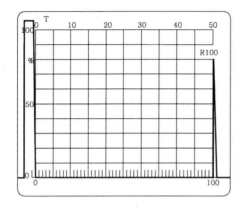

(a) 측정범위 교정결과(100mm)

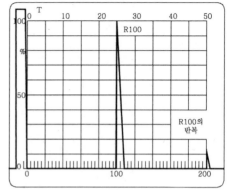

(b) 측정범위 교정결과(200mm)

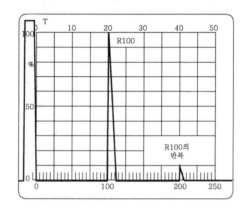

(c) 측정범위 교정결과(250mm)

〔그림 4.9〕 측정범위 교정결과

(2) 입사점 측정

사각탐상시 탐촉자의 입사점은 결함의 위치를 찾는데 매우 중요한 요소 중의 하나로 탐상기의 교정 시 반드시 측정하여야만 한다. 특히 결함의 위치를 작도하여 표기할 때 탐촉자의 위치를 표시하는데 사용한다. 입사점(**probe index**)의 측정원리는 그림 4.10과 같이 사각탐촉자를 STB-A1의 R 100면을 겨냥하여 반사원에코를 얻은 후 이 반사원에코가 시간축의 중앙에 오도록 한 후 탐촉자를 전후주사하여 에코의 높이가 최대가 되는 지점을 사각탐촉자의 입사점으로 한다. 사각탐촉자의 접촉면에서 시험체 내부로 입사하는 초음파 빔의 중심을 입사점이라 한다.

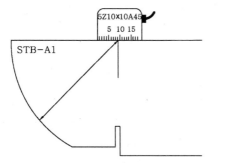
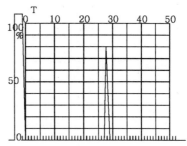

(a) 탐촉자의 입사점이 R 100 중심과 일치하였을 때 에코높이가 최대가 된다.

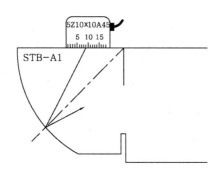
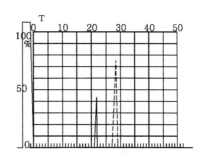

(b) 탐촉자의 입사점이 R 100의 중심보다 전방에 있을 때 에코높이는 낮아지고 빔 진행거리는 짧아진다.

〔그림 4.10〕 입사점 측정의 원리

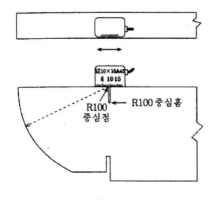
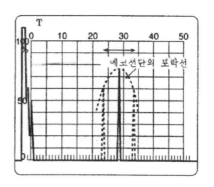

〔그림 4.11〕 입사점 측정시의 탐촉자 위치   〔그림 4.12〕 최대에코를 잡는 방법

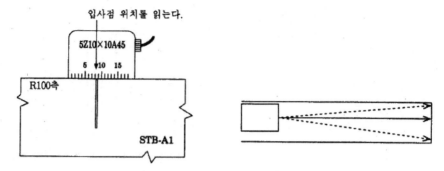

〔그림 4.13〕 입사점의 표시 　　　　〔그림 4.14〕 입사점을 측정할 때의 탐촉자 방향

(3) 굴절각의 측정

　　사각탐상에서 반사원의 위치를 정확히 교정하기 위해서는 사각탐촉자의 입사점과 함께 굴절각(*angle of refraction*)을 정확히 측정해 놓을 필요가 있다. 사각탐촉자 5Z10×10A45 의 경우는 제작 시에 굴절각이 45° 가 되도록 설계되어 있으나, 사용하는 사이에 탐촉자의 접촉면이 마모되거나 주위의 온도가 변화하면 굴절각이 공칭값과 다른 경우가 있으므로 STB-A1을 이용해서 실측 굴절각을 측정하게 된다.

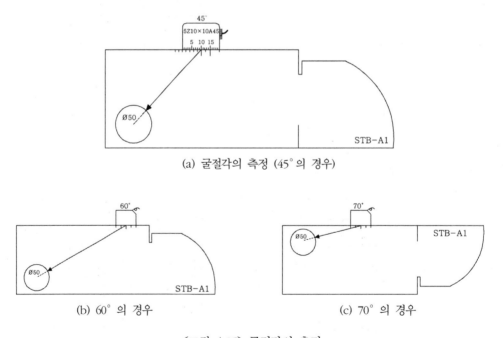

(a) 굴절각의 측정 (45° 의 경우)

(b) 60° 의 경우 　　　　　　　　(c) 70° 의 경우

〔그림 4.15〕 굴절각의 측정

공칭굴절각이 60° 또는 70°인 탐촉자의 경우는 각각 그림 4.15 (b) 또는 (c)과 같이 탐촉자를 배치하고 측정하게 된다. 측정 요령은 45°의 경우와 같고 굴절각 눈금의 간격이 넓으므로 0.2° 단위(또는 0.1° 단위)로 읽는 것이 좋다. 단, 굴절각이 커질수록 탐촉자를 전후 주사시켰을 때 화면상의 에코가 완만해지므로 최대에코를 찾기 어렵다. 따라서 충분한 연습을 한 후 바른 측정이 되도록 해둘 필요가 있다. 입사점의 측정 및 측점범위의 교정이 바르게 행해지고 있으면 굴절각이 45° 및 60°인 탐촉자의 경우에는 $(W+25)\times\cos\theta$ =70(단위: mm)의 관계가 성립되게 된다.

굴절각 눈금의 45° 바로 위에 탐촉자의 입사점이 일치하도록 놓았을 때 위 식의 θ에 45°를 대입하여 빔 진행거리 W는 74.0 mm 가 된다. 즉, 공칭굴절각 45°인 탐촉자의 굴절각을 측정할 경우 순서 ①에서 $\phi50$ mm 의 원기둥면의 에코의 빔 진행거리가 74.0 mm 인 것을 확인해 놓으면 입사점의 측정과 측정범위의 교정이 점검되게 된다.

공칭 굴절각이 60°인 탐촉자의 경우는 입사점이 굴절각 눈금의 60° 바로 위에 오도록 탐촉자를 놓았을 때 $\phi50$ mm 원기둥면의 에코의 빔 진행거리는 115 mm 가 된다. 한편, 공칭굴절각이 70°인 탐촉자의 경우는 탐촉자를 대는 면이 다르므로 위 식의 우변이 30 mm 가 된다. 따라서, 입사점이 굴절각 눈금의 70° 바로 위에 오도록 탐촉자를 놓았을 때 $\phi50$ mm 원기둥면의 에코의 빔 진행거리는 62.7 mm 가 된다. 즉, 측정범위를 125 mm 에 맞추었을 때는 가로축의 바로 중앙 25눈금의 곳에 에코가 나타나게 된다.

라. STB A2형계 표준시험편(STB-A2, A21, A22)

탐상기의 감도교정과 분해능의 측정에 사용되는 시험편으로서 그림 4.16에 형상과 치수를 나타내고 있다. $\phi1\times1$, $\phi2\times2$, $\phi4\times4$, $\phi8\times8$ 구멍은 감도 교정용으로 사용되며 주로 $\phi2\times2$, $\phi4\times4$가 흔히 사용된다. $\phi1.5\times4$의 두 개의 구멍을 이용하여 탐상장치의 분해능을 측정하며 탐상장치의 감도여유값도 측정한다.

마. STB A3형계 표준시험편(STB-A3, STB-A31, A32)

이 시험편은 STB A1과 STB A2 표준시험편을 조합하여 야외 현장에서 사용하기에 편리하도록 소형으로 만든 것으로 시험편의 제원은 그림 4.17과 같다. R 50 mm 의 곡면을 이용하여 사각탐촉자의 입사점을 측정하며 측정범위를 교정하는데 사용된다. 또한 시험편의 표면에 새겨진 굴절각도를 이용하여 사각탐촉자의 굴절각을 측정할 수 있게 설계되었으며 $\Phi4\times4$ 평저공은 감도 교정용으로 사용된다.

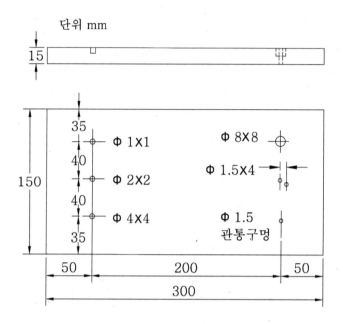

(a) STB-A2

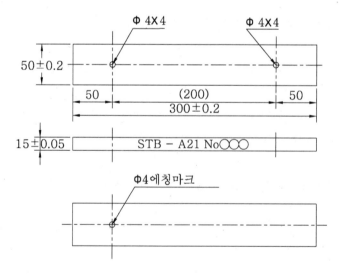

(b) STB-A21

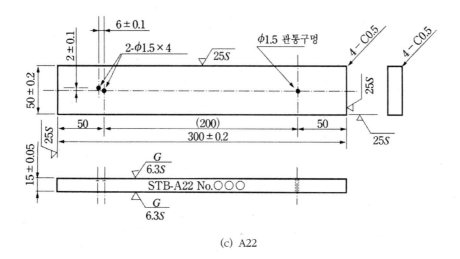

(c) A22

〔그림 4.16〕 시험편의 형상과 주요 치수(A1, A21, A22)

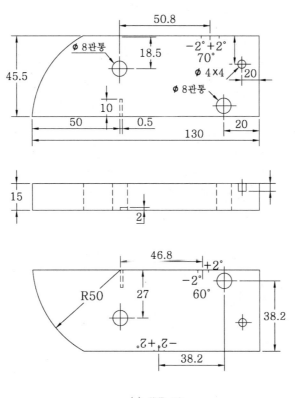

(a) STB-A3

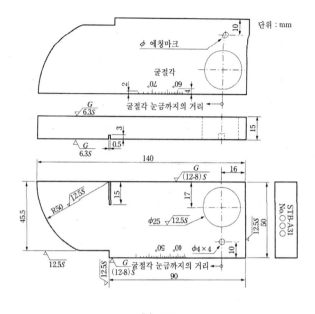

(b) A31

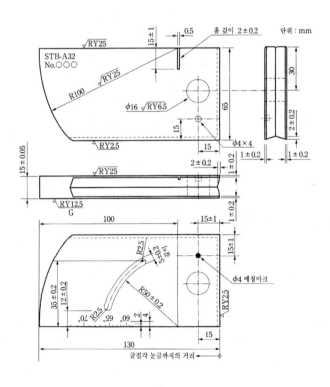

(c) A32

〔그림 4.17〕 시험편의 형상과 주요 치수(A3, A31, A32)

바. 알루미늄합금 표준시험편(STB A7963)

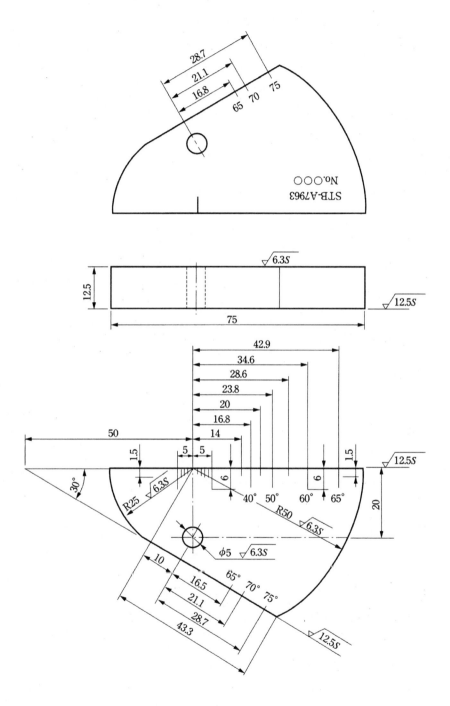

〔그림 4.18〕 시험편의 형상과 주요 치수(STB A7963형)

4.3 대비시험편

대비시험편(*reference block;RB*)은 시험체 또는 시험체와 초음파 특성이 동일한 재료를 가공하고 제작한 것이다. 수직 또는 사각탐촉자의 거리진폭특성곡선(*DAC* 곡선) 작성용으로 사용되며, 주로 탐상감도의 교정에 활용된다. 이 시험편을 이용하여 탐상감도를 교정하면 표면 상태의 차나 내부 조직의 영향을 받지 않고 시험체의 초음파 특성에 따라 평가가 가능하다. 실제 탐상 관련 규격서에서는 대비시험편에 대한 제작 사양을 언급하고 있으므로 자체 제작하여 사용하는 것이 일반적이다.

표 4.3은 대비시험편의 종류와 용도를 나타내고 있다.

표 4.3 대비시험편의 종류와 용도

| 명 칭 | 주 용 도 | | | | | | 관 계 규 격
사용상의 주의 등 |
| | 수 직 탐 상 | | | 사 각 탐 상 | | | |
	측정범위 교정	탐상감도 교정	성능특성 측정	측정범위 교정	탐상감도 교정	성능특성 측정	
RB-4		○	○		○	○	KS B 0896, 용접부탐상 사용
RB-5					○		KS B 0896
RB-6 RB-7 RB-8					○	○	KS B 0896, 곡률 이음부 탐상용
ARB		○	○		○	○	일본건축학회
RB-D		○	○				2진동자 수직탐상용

대비시험편 제작 시 유의할 점으로는

① 재료의 선택 : 시험체와 동등한 초음파특성을 갖는 재료를 선택한다.
② 인공결함의 형상·치수 : 탐상목적으로부터 결정한다. 인공결함의 종류로는 평저공(*flat bottom hole; FBH*), 측면공(*side drilled hole; SDH*), 노치(*notch*), 슬릿(*slit*) 등이 사용된다.
③ 가공 정밀도의 관리 : 반사원이 되는 부분에는 정밀도가 요구된다. 그리고 표준시험편의 취급 시에는 초음파탐상시험에서 표준이 되는 신호를 얻기 위해 항상 재현성이 확보되도록 흠이 생긴다든가 녹이 발생하지 않도록 해야 한다.

표 4.4 대비시험편의 종류와 특징

대비시험편의 명칭	용도 및 특징
RB-4	용접부의 사각탐상 및 수직탐상의 탐상감도 교정 거리진폭특성곡선의 작성 시험편 또는 시험체와 초음파특성이 근사한 강재로 제작
RB-D	2진동자 수직탐촉자의 성능점검 2진동자 수직탐촉자를 사용하는 경우의 탐상감도의 교정 2진동자 수직탐촉자를 사용하는 경우의 측정범위의 교정 두께측정기의 교정

4.3.1 대비시험편의 종류와 용도

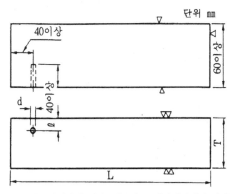

L : 대비시험편의 길이, 사용하는 빔진행거리에 따라 정한다.
T : 대비시험편의 두께.
d : 표준구멍의 직경.
ℓ : 표준구멍의 위치.

시험편의 명칭	시험편의 두께 t	대비시험편의 두께 T	표준구멍의 위치 ℓ	표준구멍의 직경 d mm
No. 1	25 mm 이하	19 mm 또는 t([1])	T/2	2.4
No. 2	25 mm 초과 50mm 이하	38 mm 또는 t	T/4	3.2
No. 3	50 mm 초과 100mm 이하	75 mm 또는 t	T/4	4.8
No. 4	100 mm 초과 150mm 이하	125 mm 또는 t	T/4	6.4
No. 5	150 mm 초과 200mm 이하	175 mm 또는 t	T/4	7.9
No. 6	200 mm 초과 250mm 이하	225 mm 또는 t	T/4	9.5
No. 7	250 mm 초과	t	T/4	([2])

주 (1) T = t 의 경우에는 표면거칠기는 시험체대로 한다.
　 (2) 시험체두께가 250 mm 를 초과하는 경우에는 두께가 50 mm 증가할 때마다 표준구멍의
　　　지름을 1.6 mm 증가시킨다.

RB-4

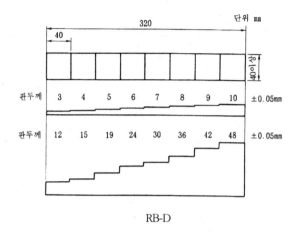

〔그림 4.19〕 시험편의 형상과 주요 치수(RB-4, RB-D)

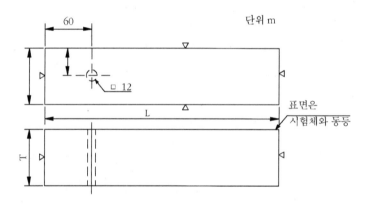

〔그림 4.20〕 시험편의 형상과 주요 치수(RB-A5)

가. RB-4, RB-D 대비시험편

사각탐상 및 수직탐상의 거리진폭특성곡선의 작성 및 탐상감도의 교정에 사용되는 대비시험편으로서 피검체로 제작하거나 피검체와 초음파특성이 유사한 재질로 제작되며 ASME시험편을 기초로 제작한 것으로서 시험편의 제원은 그림 4.19와 같다.

나. RB-A5(KS B-0896)

탠덤주사 및 두 갈래 주사에 사용되는 시험편으로서 시험체 또는 시험체와 초음파 특성이 유사한 재질로 제작하며 그 제원은 그림 4.20과 같다.

다. RB-A6, RB-A42, RB-A43

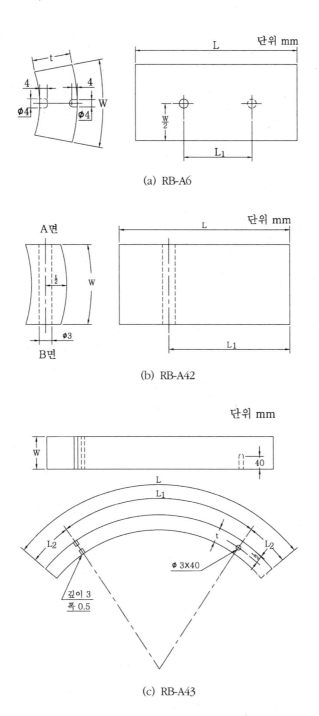

(a) RB-A6

(b) RB-A42

(c) RB-A43

〔그림 4.21〕 시험편의 형상과 주요치수(RB-A6, RB-A42, RB-A43)

곡률을 가진 피검체의 원주 용접부를 탐상할 때 탐촉자의 입사점과 굴절각의 측정과 거리진폭 특성곡선의 작성 및 탐상감도의 교정시에 사용되는 시험편으로서 피검체 또는 피검체와 초음파특성이 유사한 재질로 제작된다. 그 제원은 그림 4.21과 같다. 대비시험편의 곡률반지름은 피검체의 곡률반지름의 0.9배 이상 1.5배 이하로 하며 두께는 피검체의 2/3배 이상 1.5배 이내로 한다. 표준 구멍은 내외면에 위치하며 대비시험편의 두께가 20 ㎜ 이하일 때에는 표준구멍을 한 쪽에만 가공한다. 이때 탐상면이 외면일 때에는 내면에 표준구멍을 가공하고 내면에서 탐상할 경우에는 외면에 표준구멍을 제작한다. 그림 4.21에서 L은 대비시험편의 길이이며 L_1은 최소한 1.5스킵거리 이상이 되어야 한다. W는 60 ㎜ 이상의 폭이 되어야 하며 t는 시험편의 두께이다. 표준구멍의 수직 각도는 0.5°이내이며 끝부분각도는 118°이며 이때 구멍의 모서리는 가공하지 않는다.

라. RB-A7(KS B 0896)

곡률을 가진 피검체의 길이이음 용접부를 탐상할 때 사용하는 시험편으로서 사각탐촉자의 입사점, 굴절각의 측정과 거리진폭특성곡선의 작성 및 탐상감도의 교정에 사용된다. 필요한 경우에 1/2 두께빔거리나 1/2두께 탐촉자거리측정에 사용된다. 그림 4.22는 RB-A7의 제원을 나타내었다. L은 시험편의 길이이며 L_1은 2스킵 거리이상, L_2는 1스킵거리 이상이어야 한다. W는 시험편의 폭으로서 60 ㎜ 이상으로 하며 t는 시험편의 두께이다.

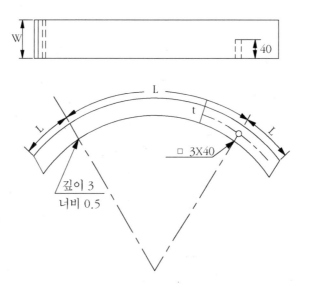

〔그림 4.22〕 시험편의 형상과 주요 치수(RB-A7)

마. RB-RD

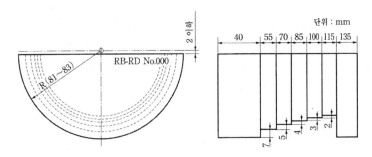

〔그림 4.23〕 시험편의 형상과 주요치수(RB-RD)

바. RB-E

단위 : mm

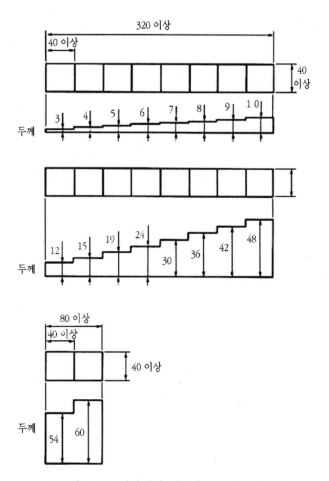

〔그림 4.24〕 시험편의 형상과 주요치수(RB-E)

4.4 ASME 대비시험편

미국기계학회(*American Society for Mechanical Engineers; ASME*)가 원자로 및 압력용기에 대한 용접부의 수직 및 사각탐상의 감도를 교정하기 위하여 만든 대비시험편(*basic calibration block*)이다. 시험편의 재질은 시험체 또는 피검체와 초음파특성이 유사한 재질로 제작하도록 되어있으며 시험편의 제원은 그림 4.25 및 표 4.5와 같다.

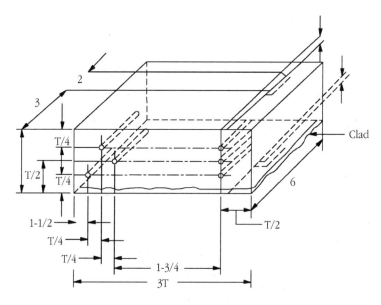

〔그림 4.25〕 ASME 대비시험편

표 4.5 ASME 대비시험편의 제원

시험지 두께 범위(t)	대비시험편 두께(T)	구멍 직경 (주2)
2″ < t ≤ 4″	3″ 또는 t	3/16″
4″ < t ≤ 6″	5″ 또는 t	1/4″
6″ < t ≤ 8″	7″ 또는 t	5/16″
8″ < t ≤ 10″	9″ 또는 t	3/8″
10″ < t ≤ 12″	11″ 또는 t	7/16″
12″ < t ≤ 14″	13″ 또는 t	1/2″
14″ < t ≤	t ± 1″	(주1)

주) (1) 두께가 2″ 증가마다 구멍 직경은 1/16″씩 증가한다.
  (2) 구멍 직경의 오차는 ±1/32″, 노치 깊이의 오차는 10에서 −20, 노치에 대한 직각성 오차는 ±2″이다.
  (3) Clad는 두께 (T)에 포함되지 않는다.

4.4.1 수직탐상의 교정

가. 시간축 교정

그림 4.26과 같이 1/4T, 1/2T, 3/4T 구멍으로부터의 에코를 이용하여 시간축의 교정 (**sweep range calibration**)을 통해 측정범위를 교정한다.

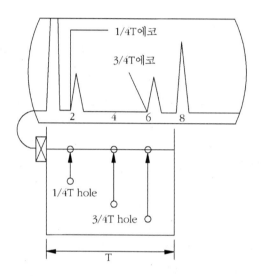

〔그림 4.26〕 시간축 교정

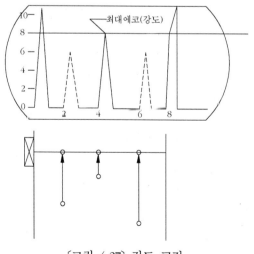

〔그림 4.27〕 감도 교정

나. 감도 교정

그림 4.27과 같이 시험편의 1/4T, 1/2T, 3/4T 측면공 중 동일한 감도에서 에코의 높이가 최대가 되는 측면공을 선정하여 이 측면공의 에코높이를 FSH의 80%로 게인을 이용하여 감도교정(*sensitivity calibration*)한 후 이를 PRL(***Primary reference level;*** 이하 ***PRL***이라 한다)으로 한다.

다. 거리진폭교정

그림 4.27에 의해 얻어진 기준 감도로서 다른 측면공으로부터의 에코를 연결하여 DAC 곡선을 그린다. 그림 4.27에서는 1/2T 측면공으로부터 최대의 에코를 얻은 후 1/4T와 3/4T 측면공으로부터의 에코를 연결하여 DAC를 그린 것이다.

4.4.2 사각탐상의 교정

가. 시간축 교정

그림 4.28과 같이 1/4T와 3/4T의 구멍으로부터의 지시를 지연조절기(*sweep delay*)와 스윕길이(*sweep length*) 조절기를 이용하여 눈금판의 눈금 2와 6에 맞추면 시간축의 두 눈금이 1/4T가 되어 시간축 교정(*sweep range calibration*)이 가능해진다.

나. 감도교정

시험편의 1/4T, 1/2T와 3/4T 중에서 에코의 높이가 최대가 되는 구멍을 선정하여 이 에코의 높이를 전체 화면 높이(이하 FSH라 한다)의 80%가 되도록 탐상기의 게인을 교정하여 이때의 dB값을 읽어 이를 PRL로 한다(그림 4.29).

다. 거리진폭교정

앞에서 교정한 감도로 다른 구멍 즉 1/4T, 3/4T 및 5/4T로부터 최대의 에코를 얻어 이점들을 연결하여 거리진폭특성(DAC)곡선을 구할 수 있다. 실제 탐상시에는 눈금판 위에 그려 놓고 탐상하게 된다(그림 4.29).

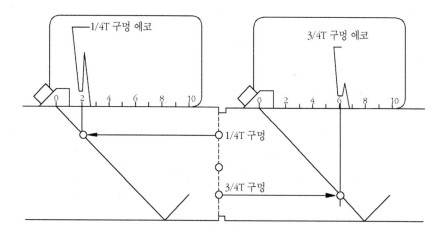

〔그림 4.28〕 시간축의 교정

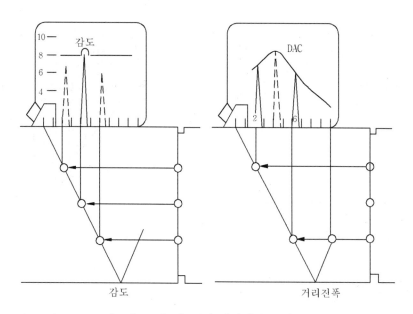

〔그림 4.29〕 감도 및 거리진폭 교정

라. 위치-깊이 교정

그림 4.30과 같이 탐촉자 저면에 표지판(*indexing strip*)을 부착하여 각각의 구멍으로부터 최대의 에코를 얻을 때의 구멍의 위치를 표지판 위에 표시하여 표지판 위의 에코의 위치로서 구멍의 깊이를 알 수 있는 위치-깊이 교정(*position-depth calibration*)을 나타내고 있다.

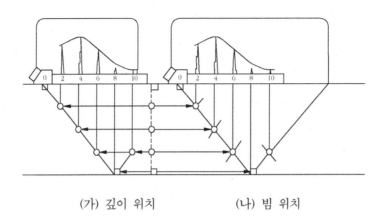

(가) 깊이 위치   (나) 빔 위치

〔그림 4.30〕 위치-깊이 교정

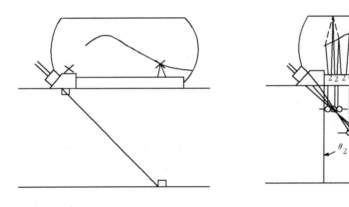

〔그림 4.31〕 평면반사체에 대한 교정   〔그림 4.32〕 빔분산의 측정

마. 평면형 반사체의 교정

45°의 횡파빔은 그림 4.31과 같이 모서리형 반사원에서 반사가 잘 된다. 그러나 60° 횡파빔은 이러한 모서리에서 파형변환이 생겨 감도가 저하되는데 이러한 현상은 50° ~ 70° 사이의 횡파 빔에서도 어느 정도 나타나게 된다. 따라서 굴절각에 관계없이 반사원의 정확한 평가를 위하여 평면형 반사체의 보정(*calibration correction for planar reflectors*)이 필요하게 된다. 예를 들면, 모서리에서는 60° 횡파빔이 45° 횡파빔에 비하여 에코높이가 DAC의 1/2이 되는 것을 확인할 수 있다.

바. 빔분산의 측정

DAC 감도에서 6 dB만큼 감도를 올려주면 화면에 그려진 DAC 곡선은 50% DAC 곡선이 된다. 그림 4.32와 같이 탐촉자를 1/4T 구멍에 겨누어 최대의 에코를 얻은 후 이 지점의 전방과 후방으로 탐촉자를 이동하여 50% DAC선과 만나는 지점을 탐촉자의 표지판 위에 작은 글자 2로 큰 글자 2의 좌우에 써놓는다. 동일한 방법으로 1/2T 및 3/4T 구멍의 지시를 4와 6으로 표지판 위에 써놓는다. 표지판 위의 각 점들을 실제의 빔 거리에 그려놓은 초음파 빔은 실측지시를 그린 다음 표지판 위에 있는 각 점을 그려 넣어 이를 직선으로 연결하면 빔분산(*beam spread*)을 알 수 있게 된다.

굴절각은 빔 중심선과 탐상표면의 수직선 사이의 각도이므로 분도기로 재어 알아낼 수 있다. 탐촉자 전면에 부착된 표지판 위의 작은 숫자 2, 4, 6을 직선으로 연결하면 빔 중심선의 50% DAC 감도 한계선을 그릴 수 있게 된다.

4.5 ASTM 대비시험편

미국재료시험학회(*American Society for Testing Materials; ASTM*)은 미국의 재료와 검정표준험회로서 초음파탐상에 사용되는 시험편으로서는 Basic Set, Area-Amplitude Set 그리고 Distance-Amplitude Set 외에 여러 가지가 있으나 여기에서 상기의 세 가지 시험편에 대하여 설명한다.

4.5.1 Area-Amplitude Blocks

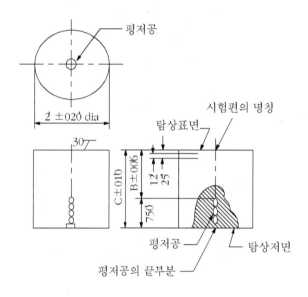

〔그림 4.33〕 ASTM 시험편

이 시험편은 그림 4.33과 같이 탐상면으로부터 인공결함인 평저공(*Flat Bottomed Hole: FBH*)까지의 거리는 3인치로 일정하며 평저공의 지름이 1/64인치에서 8/64인치까지 1/64인치씩 증가하는 8개의 시험편으로 구성되어 있다. 시험편의 제원은 표 4.6과 같다. 이 시험편은 같은 거리에서 평저공의 지름만 달라지므로 탐상장비의 증폭직선성의 측정에 사용되며 탐상감도의 교정용으로도 사용될 수 있다. 특히 탐상장치의 근거리 탐상능력을 알 수 있는 시험편으로서 *Alcoa Series A* 라고도 불린다.

표 4.6 Area Amplitude Set의 명칭과 제원

시험편 명칭	평저공의 직경(A) 1/64 ths in	금속간 거리(B) in.	m	전체 길이(C) in.	m
1-0300	1	3.000	76.2	3.750	95.3
2-0300	2	3.000	76.2	3.750	95.3
3-0300	3	3.000	76.2	3.750	95.3
4-0300	4	3.000	76.2	3.750	95.3
5-0300	5	3.000	76.2	3.750	95.3
6-0300	6	3.000	76.2	3.750	95.3
7-0300	7	3.000	76.2	3.750	95.3
8-0300	8	3.000	76.2	3.750	95.3

4.5.2 Distance-Amplitude Set

초음파의 특성 중에서 반사원으로부터의 에코높이는 초음파가 진행한 거리의 2승에 반비례하는 역자승 법칙을 이용하여 수직탐상에서 거리에 따른 에코높이의 변화를 측정함으로써 설정된 크기보다 큰 결함의 지시를 화면에서 읽을 수 있도록 탐상장치의 감도를 표준화하는데 사용되는 시험편이다. 시험편의 구성은 지름 2인치의 원통형으로 시험편의 저면으로부터 3/4인치 깊이의 평저공을 가공하였으며 평저공의 지름은 3/4인치, 5/64인치 및 8/64인치의 3종류가 있으며 각 종류별로 금속간 거리(탐상면에서 평저공까지의 거리)가 다른 19개의 시험편으로 구성되어 있다. 이 시험편은 별칭으로 *Alcoa Series B* 또는 *Hitt Block* 으로도 불리어진다. 또한 ASTM E 127에서는 평저공의 지름이 3/64인치, 5/64인치 및 8/64인치의 각 종류별로 금속간 거리가 0.125인치로부터 6.25인치까지의 30개씩 시험편으로 구성되어 전체 90개의 시험편이 된다.

4.5.3 Basic Set

휴내에 산변하도록 *Area Amplitude Set*와 *Distance-Amplitude Set* 기능을 조합하여 평저공의 지름과 금속간 거리가 각기 다른 10개의 시험편으로 구성되어 있으며 명칭과 제원은 표 4.7과 같다.

표 4.7 Basic Set의 명칭과 제원

시험편 번호	평저공의 직경(A) 1/64 ths in	금속간 거리(B) in.	금속간 거리(B) m	시험간 거리(C) in.	시험간 거리(C) m
3-0300	3	3.000	76.2	3.750	95.2
5-0012	5	0.125	3.2	0.875	22.2
5-0025	5	0.250	6.4	1.000	25.4
5-0050	5	0.500	12.7	1.250	31.5
5-0075	5	0.750	19.0	1.500	38.1
5-0150	5	1.500	38.1	2.250	57.2
5-0300	5	3.000	76.2	3.750	95.2
5-0600	5	6.000	152.4	6.750	171.4
8-0300	8	3.000	76.2	3.750	95.2
8-0600	8	6.000	152.4	6.750	171.4

4.6 탐상장치의 성능과 점검

4.6.1 점검

초음파탐상장치는 사용 환경이나 사용 시간에 따라 열화되어 간다. 점검에는 일상점검(매 검사 전), 특별점검(원거리 운송, 고장 수리 시), 정기 점검이 있고 점검의 종류에 따라 내용도 다르다. 일상 점검은 초음파탐상검사가 정상적으로 이루어지는가를 점검하는 것으로 탐촉자 및 부속품을 포함하여 점검한다. 정기 점검은 1년에 1회 이상 정기적으로 실시하는 점검으로 아래의 항목 및 점검(측정)방법에 따라 소정의 성능이 유지되어 있는지를 확인한다.

4.6.2 탐상기의 성능

초음파탐상기에 요구되는 성능으로는 초음파탐상기 본체의 시간축직선성, 증폭직선성, 분해능의 3가지가 중요하다. 표 4.8은 KS B 0534에서 규정하고 있는 탐상기와 탐촉자의 성능을 나타내고 있다.

표 4.8 탐상기와 탐촉자의 성능

항목	사각	수직
증폭직선성	±3%	
시간축직선성	±1%	
감도 여유값	40 dB이상	
접근한계길이	20×20 25 mm이내 14×14 20 mm이내 10×10 15 mm이내 5×5 7 mm이내	–
원거리분해능	2 MHz 9 mm이하 5 MHz 5 mm이하	2 MHz 9 mm이하 5 MHz 5 mm이하
불감대	2 MHz 20×20 5 mm 14×14 25 mm 5 MHz 10×10 15 mm 5×5 8 mm	2 MHz 15 mm 5 MHz 10 mm
빔중심축의 어긋남	2° 이내	–

가. 증폭직선성

증폭직선성(*amplitude or vertical linearity*)은 입력에 대한 출력의 관계가 어느 정도 비례관계가 있는가를 나타내는 성능을 말한다. 즉, 데시벨 조정기의 조절에 따라 신호의 크기가 일정한 비율로 커지거나 또는 작아지는 것을 말한다. 이 성능이 나쁘면 정확한 에코높이가 얻어지지 않고 결함을 빠뜨리기도 하고 또 결함을 과소 또는 과대하게 평가하게 된다. 그림 4.34는 증폭직선성의 간이적 확인방법을 나타내고 있다.

나. 시간축직선성

시간축직선성(*horizontal linearity*)은 탐상기의 시간축에 표시되는 저면 다중에코의 간격이 어느 정도 『등간격』인가를 표시할 수 있는 성능을 말한다. 시간축은 결함까지의 위치 정보이기 때문에 시간축의 직선성이 나쁘면 결함 위치의 측정 오차가 커진다. 시간축직선성을 일상점검에서 간이적으로 확인하는 방법은 그림 4.35(a)와 같다.

다. 분해능

분해능(*resolution*)은 탐상면 표면으로부터 근접한 결함을 식별할 수 있는 탐촉자로부터의 거리 또는 방향이 서로 근접한 2개의 반사원을 화면상에 2개의 에코로 식별할 수 있는 성능을 말한다. 분해능에는 원거리분해능 및 근거리분해능 이외에 방위분해능이 있다. 원거리분해능은 탐상면으로부터 떨어진 위치에 있는 2개의 반사원으로부터 에코를 식별할 수 있는 능력이다.

근거리 분해능은 수직탐상에서 탐상면에 근접한 반사원으로부터의 에코를 식별할 수 있는 능력이다. 또, 방위분해능은 탐상면으로부터 동일거리에 있는 2개의 반사원을 2개 에코로 식별할 수 있는 능력이다. 분해능은 사용하는 탐촉자의 주파수가 높을수록 또 댐핑이 양호할수록 좋지만 그 성능을 발휘하기 위해서는 탐상기의 수신부가 증폭하는 주파수대역이 넓을수록 좋다.

방위분해능(*spatial resolution*)은 탐촉자의 폭 방향(좌우방향)에 근접한 결함에 대해 어느 정도 떨어져있으면 2개의 결함으로 식별할 수 있는가를 나타내는 말로 사용되는 것으로 방위분해능은 탐상면으로부터 동일거리에 있는 2개의 반사원을 2개 에코로 식별할 수 있는 능력이다.

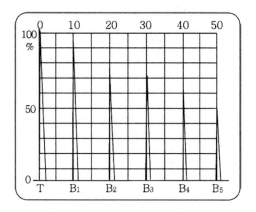

(a) B_1과 B_5로 교정하고, 시간축 직진성이 양호한 탐상지시의 예

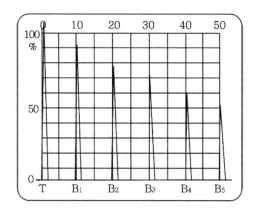

(b) 시간축 직진성이 양호한 탐상지시의 예

[그림 4.34] 증폭직선성의 간이적 확인방법

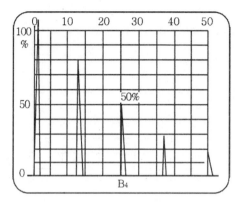

(a) 기준 감도

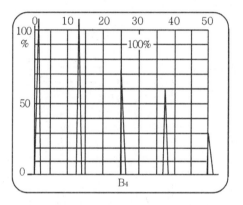

(b) 기준 감도 + 6 dB (100%)

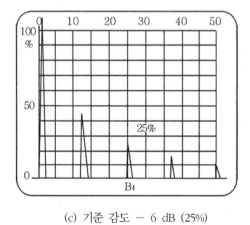

(c) 기준 감도 − 6 dB (25%)

〔그림 4.35〕 시간축직선성의 간이적 확인방법

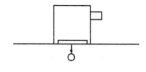

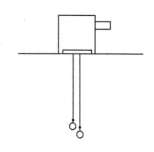

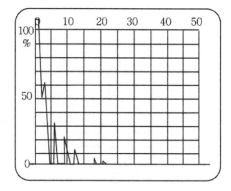

(a) 근거리 분해능이 나쁜
탐상지시의 예

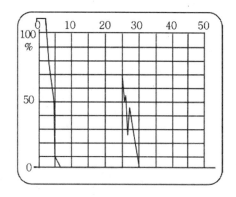

(b) 원거리 분해능이 나쁜
탐상지시의 예

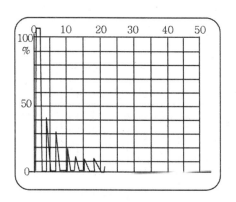

(c) 근거리 분해능이 좋은
탐상지시의 예

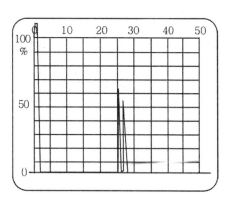

(d) 원거리 분해능이 좋은
탐상지시의 예

〔그림 4.36〕 근거리분해능

〔그림 4.37〕 원거리분해능

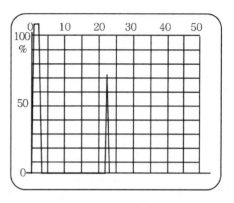

(a) 탐촉자 위치 a

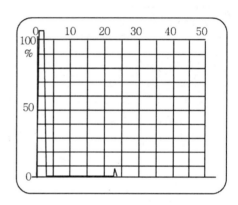

(b) 탐촉자 위치 b

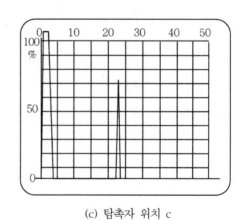

(c) 탐촉자 위치 c

주사방향 →

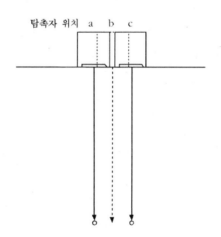

〔그림 4.38〕 방위분해능

〔그림 4.39〕 방위분해능 특성 탐상지시 예

라. 탐촉자의 성능

탐촉자의 성능을 표시하는 항목은 여러 가지가 있으나 이들은 서로 상반되는 성능을 갖기 때문에 한 가지 성능이 다른 것보다 우수하다 해서 반드시 좋은 탐촉자라고 말할 수 없다. 따라서 탐상의 목적에 적합한 특성이나 성능을 갖춘 탐촉자를 선택하는 것이 바람직하다.

(1) 접근 한계 길이

입사점에서 탐촉자 선단까지의 길이를 말하며, 사용 전에는 반드시 측정할 필요가 있다. 이는 덧살이 있는 용접부를 탐상할 때 탐촉자가 근접하는 것이 불가능한 한계를 의미하고 짧을수록 좋다.

(2) STB 굴절각

표준시험편 STB A1 또는 A3형 시험편을 이용하여 측정하는 초음파의 굴절각도이다. 사각탐상에서는 접근 한계 길이와 함께 사용 전에는 반드시 측정할 필요가 있다.

(3) 불감대

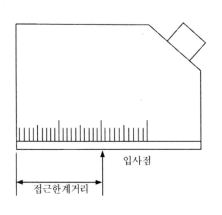

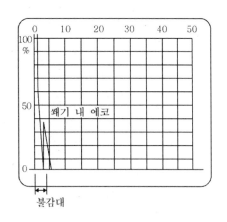

〔그림 4.40〕 접근 한계 길이 　　　　　　　〔그림 4.41〕 불감대

송신펄스의 폭이나 쐐기내 에코(사각탐촉자의 경우)로 인해 탐상이 불가능하게 되는 영역을 의미한다. 따라서 불감대(*dead zone*)는 짧을수록 좋다.

(4) 주파수

탐촉자에 표시되는 주파수를 공칭주파수, 탐상에 적용되는 주파수를 검사주파수라 부른다. 검사주파수는 탐상기의 성능, 시험체의 음향특성 등의 영향을 받기 때문에 반드시 공칭주파수와 일치하는 것은 아니다.

(5) 빔 폭

구(球) 또는 원주형의 반사원에 초음파 빔이 수직방향으로(지름방향) 겨냥하였을 때 얻어지는 반사원 위치와 에코높이와의 관계를 빔폭특성이라 한다. 이 특성은 시험체를 검사할 때 탐촉자의 주사 폭을 결정하는 중요한 요소 중의 하나이다.

(6) 집속 범위

초음파 빔을 접속시켜 미세한 결함을 검출할 목적으로 제작된 집속탐촉자의 특성으로 거리진폭특성을 측정하고, 최대에코를 나타내는 거리를 집속거리라 부른다.

(7) 치우침각(편각)

초음파 빔이 본래 송신되어야 하는 방향과 실제로 송신된 초음파 빔 중심축과의 『각도 차』를 말한다. 이 각도의 차가 크면 실제 검사의 판정에 오류가 생기고 가능한 한 작을수록 좋다.

『 익 힘 문 제 』

1. 초음파탐상 장치의 교정(*calibration*)을 하는 목적 중 틀린 것은?
   1) 탐상기와 탐촉자의 특성 검증
   2) 측정범위 등 탐상조건의 설정
   3) 시험편의 인공결함과 피검체의 결함으로부터 반사된 에코높이와 위치의 비교 · 평가
   4) 사각탐상의 감도교정 및 결함형상의 추정

2. 초음파탐상의 표준시험편에 대한 설명 중 올바른 것은?
   1) 수직탐상용 A2형 표준시험편(STB-A2)은 탐상기의 감도교정과 분해능 검정에 사용된다.
   2) 사각탐상용 A3형 표준시험편(STB-A3)은 장치의 교정용으로 측정범위와 탐상감도의 교정, 입사점, 굴절각의 측정에 사용된다.
   3) 초음파탐상용 G 형 표준시험편(STB--G)은 사각탐상용의 감도교정 외에 탐상기의 특성검사나 탐촉자의 성능검사에 사용된다.
   4) 강판 초음판탐상용 N1형 표준시험편(STB-N1)은 두께 13 mm 부터 40 mm 의 얇은 강판의 수직탐상의 경우에 탐상감도의 교정용에 이용된다.

3. 초음파탐상의 표준시험편에 대한 설명 중 올바른 것은?
   1) 수직탐상용 A3형 표준시험편(STB-A3)은 장치의 교정용으로 측정범위와 탐상감도의 교정, 입사점, 굴절각의 측정에 사용된다.
   2) 초음파탐상용 G 형 표준시험편(STB-G)은 사각탐상용의 감도교정 외에 탐상기의 특성검사나 탐촉자의 성능검사에 사용된다.
   3) STB-G는 수직탐상익 간도교정에 이용된다.
   4) STB-N1은 사각탐상의 감도교정에 이용된다.

4. 초음파탐상장치의 성능측정방법 중 초음파탐상기와 탐촉자를 조합하여 성능을 측정하는 방법이 아닌 것은?
   1) 증폭직선성　　　　　 2) 수신기의 주파수특성
   3) 분해능　　　　　　　 4) 시간축 직선성

5. 현재 주요 각국의 규격에서 초음파탐상검사에 사용되고 있는 표준시험편(STB)과 대비시험편(RB)의 종류와 각 시험편의 사용목적에 대해 기술하시오.

6. 대비시험편을 제작할 때 주의할 점을 기술하시오.

7. 초음파탐상검사에 사용되는 STB-A2와 RB-4 시험편의 장단점을 비교 설명하시오.

제 5 장 초음파탐상검사의 기본

초음파탐상검사는 주로 강판, 단강품 및 이들 용접부 등의 검사에 적용되고 있다. 이 때 대상이 되는 시험체의 재질, 형상·크기 및 검출해야 할 결함에 대하여 충분히 파악하는 것을 시작으로 초음파탐상검사의 가능여부를 검토해야 탐상방법과 탐상조건의 선정이 가능하게 된다. 이 장에서는 이들 초음파탐상검사의 적용에 앞서 시험체에 대해 조사해 놓아야 할 항목과 탐상방법의 선정과 동시에 초음파탐상검사의 적용방법에 대해 기술한다.

5.1 시험체의 조사와 초음파특성

5.1.1 시험체의 재질 및 형상·치수

강판, 단강품 및 용접부의 초음파탐상검사를 하기 전에 기본적으로 도면에 의한 검사체의 재질 및 형상 등에 대해 조사하여 활용할 필요가 있다. 시험체의 형상·치수에 대해서는 설계 도면에 의해 어느 정도 조사가 되지만 구조물은 항상 도면대로 제작되어 있다고 보증할 수 없기 때문에 검사원이 측정하고 확인하는 것이 중요하다. 특히, 용접부에서는 용접에 수반하는 변형이나 비드 폭 등의 형상에 대해서도 충분히 조사하여 탐상조건을 결정하고 검사 결과의 해석에 반영해야 한다. 그리고 시험체 중의 형상·치수를 외측으로부터 실측할 수 없는 부분에 대해서는 초음파 두께측정기 등을 이용하여 이 부분을 측정해 놓을 필요가 있다.

5.1.2 시험체 중의 음속

가. 음속 측정

시험체 중의 음속은 파동의 양식(모드)이나 음파가 전파하는 시험체의 종류에 의해 정해진다. 예를 들면 강중에서의 종파음속은 약 5,900 m/s, 횡파음속은 약 3,230 m/s 이다. 시험체의 음속은 초음파탐상장비를 이용하여 측정할 수 있다. 예를 들면 어떤 재료의 종파음속을 측정하는 경우 그 재료의 두께를 알고 있는 개소와 STB-A1과 같이 두께와 음속을 알고 있는 시험편이 있으면 가능하다. 초음파탐상기 화면의 가로축은 초음파의 전파시간을 나타내기 때문에 예를 들면 STB-A1을 이용하여 측정범위를 조정했을 때 음속을 측정하고자하는 재료의 알고 있는 두께 t(mm)의 저면에코가 화면표시기기상 가로축의 x(mm)위치에 나타났다고 하면 시험체의 음속 C_2는 다음 식으로 표시된다.

$$C_2 = \frac{t}{x} \cdot C_1 \quad\text{...(5.1)}$$

단, C_1은 STB-A1 중의 종파음속이다.

횡파수직탐촉자를 이용하면 동일방법으로 횡파음속의 측정이 가능하다. 또 보통의 사각탐촉자를 이용하여 횡파음속을 측정하는 경우는 STB-A1 등으로부터 측정범위를 조정해 놓으면 그림 5.1과 같이 가로구멍을 가공한 시험체나 시험체 코너 등의 반사원으로부터 에코를 이용하는 것이 가능하다. 예를 들면 그림 5.1과 같이 초음파의 전파거리 $W_F(W)$를 반사원의 깊이 d_F(판두께 t) 및 탐촉자의 위치 y로부터 구해놓고 화면상에서 읽은 빔진행거리 x와의 비를 이용하여 식 5.2로부터 시험체 중의 음속 C_{S2}를 구하는 것이 가능하다.

$$C_{S2} = \frac{W_F}{x} \cdot C_{S1} \quad\text{...(5.2)}$$

단, C_{S1}은 STB-A1의 횡파 음속

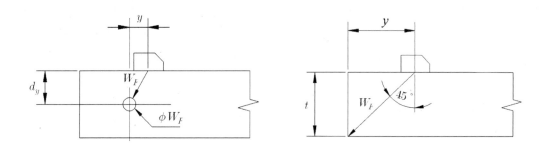

〔그림 5.1〕 횡파 음속의 측정

나. 음속 차의 보정

측정범위의 조정에 이용하는 시험편과 시험체와의 음속이 다른 경우에는 보정이 필요하다. 보정 방법으로는 미리 음속이 다르다는 것을 고려하여 초음파탐상기의 시간축을 조정해 놓는 방법과 나중에 음속의 차를 환산하는 방법 2가지가 있다. 여기서 측정범위의 조정에 이용하는 시험체의 음속을 C_1, 검사체의 음속을 C_2라 하면 각각 다음과 같이 보정하는 것이 된다.

전자의 방법을 적용하는 경우 측정범위의 조정에 이용한 시험편의 치수를 t_1이라 할 때 화면상에서 이 치수와 등가한 검사체의 치수 t_2는 다음과 같이 구한다.

$$t_2 = \frac{C_2}{C_1} \cdot t_1 \quad\cdots\cdots\cdots\cdots\cdots\cdots\cdots\cdots\cdots\cdots\cdots\cdots\cdots(5.3)$$

여기서 시험편의 치수 t_1으로부터의 에코를 시험체의 치수 t_2라 간주하고 측정범위를 조정한다. 물론 시험체에 대하여 알고 있는 치수가 있으면 그 부분을 사용하여 측정범위 조정이 가능하다. 위의 방법은 빔진행거리의 읽음이 직접 가능한 장점이 있으나 측정범위 조정에 이용하는 에코가 화면상의 눈금과 눈금 사이에 나타나는 경우가 있어 조정이 어려운 경우가 있다.

후자의 방법을 이용하는 경우에는 표준시험편 등을 이용하여 측정범위를 조정해 놓고 시험체를 탐상하였을 때 나타나는 에코의 위치 x_1을 그대로 읽고 후에 다음 식에 의해 음속비 C_2/C_1을 곱하여 빔진행거리를 구한다.

$$x_2 = \frac{C_2}{C_1} \cdot x_1 \quad\cdots\cdots\cdots\cdots\cdots\cdots\cdots\cdots\cdots\cdots\cdots\cdots(5.4)$$

이 방법은 화면상에서 읽은 에코의 위치를 그 때 마다 환산하여 빔진행거리를 구할 필요가 있고 사각탐상에서는 화면상의 빔진행거리의 읽음 외에 굴절각의 보정이 필요하게 된다. 예를 들면, STB-A1을 이용하여 굴절각을 측정하는 경우는 시험체와의 음속의 차를 스넬의 법칙으로부터 보정해 놓을 필요가 있다. 표준시험편 및 시험체의 음속을 각각 C_1 및 C_2라 놓고 STB 굴절각을 θ_1이라 하면 시험체 중의 굴절각 θ_2는 다음 식으로 표시된다.

$$\theta_2 = \sin^{-1}\left[\frac{C_2}{C_1} \cdot \sin\theta_1\right] \quad\cdots\cdots\cdots\cdots\cdots\cdots\cdots\cdots\cdots(5.5)$$

5.1.3 전달손실 및 감쇠계수

초음파의 손실과 감쇠에 대해서는 2장에서 기술한 바가 있고 여기서는 탐상면의 표면상태가 검사범위 전체에 걸쳐 일정하며, 탐상면이나 저면에서의 반사손실은 무시할 수 있을 정도로 적다고 가정하고, 전달손실과 산란에 의한 감쇠의 보정방법을 고려한다. 탐상기의 감도조정에 시험편방식을 이용하는 경우 감도조정용시험편과 시험체와의 전달손실과 감쇠계수가 양쪽이 다르게 되고(대비시험편을 이용하는 경우도 다른 것으로 취급한다) 보정에는 이들 차를 측정해 놓을 필요가 있다. 또 저면에코방식의 경우 보정이 필요 없다고 생각할지 모르나 결함에코와 저면에코와는 시험체 중을 전파하는 거리가 다르기 때문에 산란에 의한 감쇠의 보정만이 필요하게 된다.

가. 저면에코방식에 의한 감도조정의 경우

탐상기의 감도조정을 저면에코의 크기를 기준으로 하는 경우 탐상면의 표면상태가 일정하다고 하면 결함에코도 동일하게 전달손실의 영향을 받은 것이기 때문에 보정의 대상이 되는 것은 산란감쇠이다. 초음파가 단위길이(보통 1 mm)를 전파하는 사이에 산란에 의해 감쇠하는 값을 감쇠계수라 하고 α로 나타낸다.(단위는 dB/cm, dB/m)

저면에코 B_1과 B_2로부터 구한 (B_1/B_2) (dB)는 산란감쇠량, 확산손실량 및 탐상면과 저면에서의 반사손실량의 합으로 나타내진다. 반사손실을 무시할 수 있으면 산란에 의한 감쇠계수 α는 확산 만에 의한 저면에코의 손실량 $[B_1/B_2]$ (dB)을 DGS 선도로 읽고 식 (5.6)으로 구한다.

$$\alpha = \frac{(B_1/B_2) - [B_1/B_2]}{2t} (dB/mm) \quad \cdots\cdots\cdots\cdots\cdots\cdots\cdots (5.6)$$

여기서
(B_1/B_2) (dB) : B_1과 B_2의 에코높이가 화면상에서 50%가 되도록 탐상기의 감도를 조정하였을 때 감도조정노브의 읽음 차
$[B_1/B_2]$ (dB) : B_1과 B_2 사이에 확산 만에 의한 손실량(DGS 선도로부터 읽는다.
$\qquad [B_1/B_2] \leq 6\ dB$)
$t(\text{mm})$: 시험체의 두께

나. 시험편방식에 의한 감도조정의 경우

감도조정용시험편과 시험체와의 전달손실량의 차 $\triangle L_T$ (dB) 및 감쇠계수의 차 $\triangle \alpha$ (dB/mm)의 측정방법을 그림 5.2와 그림 5.3에 나타내었고, 각각 수직탐상법 및 사각탐상법의 경우이다.

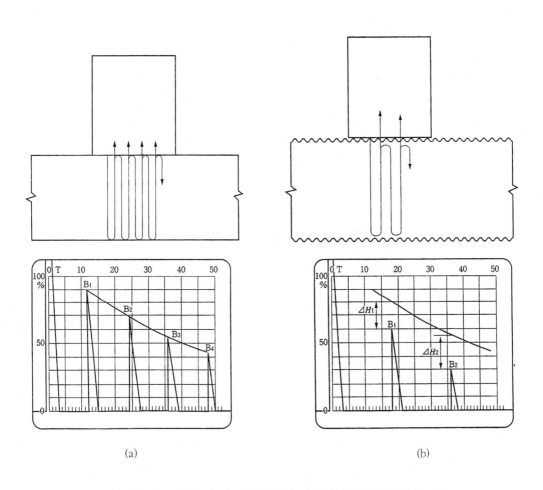

(a)   (b)

〔그림 5.2〕 전달손실 및 산란감쇠 차의 측정방법(수직탐상의 경우)

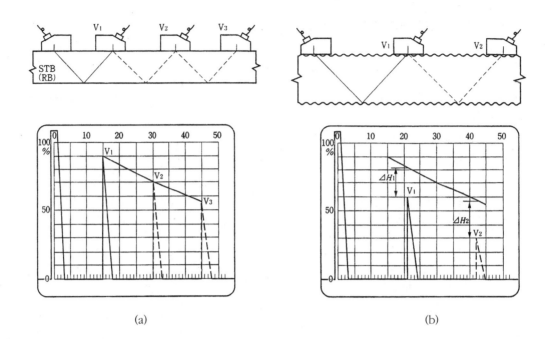

〔그림 5.3〕 전달손실 및 산란감쇠 차의 측정방법(사각탐상의 경우)

우선 감도조정용시험편에 탐촉자를 놓고 저면의 다중반사지시를 나타내고 그림 5.2와 같이 B_1, B_2, …의 에코높이를 화면상에 점을 찍어 거리진폭특성곡선으로 잇는다. 이 때 감도조정노브의 값을 H_S(dB)로 한다.

시험체의 저면에코 B_1의 크기와 감도조정용시험편의 저면에 의한 거리진폭특성곡선의 높이의 차 $\triangle H_1(dB)$는 양자의 전달손실의 차 및 산란감쇠량의 차에 의한 것이므로 다음과 같이 나타낼 수 있다.

$$\triangle H_1 = H_1 - H_S = \triangle L_t + 2 \cdot \triangle \alpha \cdot x_1 \quad\cdots\cdots\cdots\cdots\cdots\cdots\cdots\cdots\cdots(5.7)$$

여기서, $\triangle L_t$: 시험체와 감도조정용시험편의 전달손실의 차

$\triangle \alpha$: 시험체와 감도조정용시험편의 감쇠계수의 차

x_1 : 시험체의 저면에코 B_1의 빔진행거리, 다시 말해 시험체의 두께

(사각탐상에 적용하는 경우는 투과펄스 V_1의 빔진행거리)

같은 방법으로 시험체의 저면에코 B_2에 대해서는 다음과 같다.

$$\triangle H_2 = H_2 - H_S = \triangle L_t + 2 \cdot \triangle \alpha \cdot x_2$$
$$= \triangle L_t + 4 \cdot \triangle \alpha \cdot x_1 \quad \text{……………………………(5.8)}$$

여기서 x_2 : 시험체의 저면에코 B_2의 빔진행거리, 다시 말해 시험체의 두께

(사각탐상에 적용하는 경우는 투과펄스 V_2의 빔진행거리)

따라서 $\triangle L_t$, $\triangle \alpha$는 다음과 같이 구하는 것이 가능하다.

$$\triangle L_t = 2 \cdot \triangle H_1 - \triangle H_2 (dB) \quad \text{……………………………(5.9)}$$
$$\triangle \alpha = \frac{\triangle H_2 - \triangle H_1}{2 x_1} (dB/mm) \quad \text{……………………(5.10)}$$

이상과 같이하여 감도조정용시험편에 대한 시험체의 전달손실의 차 $\triangle L_t$ 및 감쇠계수의 차 $\triangle \alpha$를 알면 이들을 보정하여 검사할 필요가 있다. 탐상에 사용하는 최대 빔진행거리를 x_{max}이라 했을 때 탐상에서 감도보정량 $\triangle H_C$는 다음 식으로 표시된다.

$\triangle \alpha \geqq 0$인 경우
$$\triangle H_C = \triangle L_t + 2 \cdot \triangle \alpha \cdot x_{max} \quad \text{……………………(5.11)}$$

$\triangle \alpha < 0$인 경우는
$$\triangle H_C = \triangle L_t \quad \text{……………………………………(5.12)}$$

결국 위의 값만큼 초음파탐상기의 감도를 높여(이 값이 − 인 경우는 초음파탐상기의 감도를 낮추어) 탐상을 하면 좋다. 이렇게 하면 x_{max}이내의 빔진행거리에 나타나는 에코를 과소평가할 우려가 없다. 한편 에코높이를 측정하는 경우는 다음 값만을 보정하는 것이 좋다.

$$\triangle H_C = \triangle L_t + 2 \cdot \triangle \alpha \cdot x \quad \text{……………………(5.13)}$$

여기서 x : 대상으로 하는 에코의 빔진행거리

5.1.4 시험체의 음향이방성

강재 중에서 초음파의 음속이나 감쇠 등의 초음파 전파특성이 탐상방향에 따라 다른 재료를 음향이방성(*acoustical anisotropy*)이 있는 재료라 부른다. 예를 들면 압연 강판에서는 주압연방향(L방향)과 이에 직각인 방향(C방향)에서 초음파의 전파특성이 다를 경우가 있기 때문에 탐상에 앞서 이들을 측정할 필요가 있다. 음향이방성은 특히 사각탐상에 미치는 영향이 커서 KS B 0896에서는 다음과 같이 STB 음속을 측정하고 이 값의 어느 것도 규정값을 넘는 경우에는 음향이방성이 있는 재료로 간주하여 STB와의 음속비에 따라 사용하는 굴절각을 규정하고 있다.

가. STB 음속비의 측정

STB 음속비라 하는 것은 STB A1 시험편 등의 표준시험편과 탐상하고자 하는 재료의 탐상방향에 따른 횡파의 음속비가 어느 정도 다른가를 말하며, 그 음속비에 따라 탐상 시에 사용하는 굴절각을 선정한다.

STB 음속비의 측정은 횡파수직탐촉자(*shear wave normal probe*)를 사용할 수 있는 초음파 두께측정기 또는 초음파탐상기 및 시험체 중에 횡파를 수직 입사시킬 수 있는 횡파수직탐촉자를 이용한다. 횡파수직탐촉자의 사용에는 횡파 전용의 접촉매질을 쓴다.

초음파두께기를 이용하여 STB 음속비를 측정하는 경우는 종파탐촉자를 사용하는 초음파두께기로부터 측정한 시험체 및 STB의 두께를 각각 T_M, T_{SM}라 하고 초음파두께기로 횡파수직탐촉자의 진동방향이 시험체의 탐상방향과 일치하도록 측정한 판두께 및 STB의 판두께를 각각 식 5.14의 t_S (mm), t_{STB} (mm)의 부분에 대입하여 계산한다.

$$\frac{V}{V_{STB}} = \frac{(t_M \cdot t_{STB})}{(t_{SM} \cdot t_S)} \quad \cdots\cdots\cdots\cdots\cdots\cdots\cdots\cdots\cdots\cdots\cdots\cdots(5.14)$$

초음파탐상기를 이용하여 STB 음속비를 측정하는 경우에는 초음파탐상기와 횡파수직탐촉자를 사용하여 구한 시험체의 제 1회 저면에코의 빔진행거리 및 STB로 얻어진 제 1회 저면에코의 빔진행거리를 각각 W_S (mm), W_{STB} (mm)를 식 5.14의 t_S (mm), t_{STB} (mm)의 부분에 대입하고 동일한 방법으로 산출하고 소수점 이하 2자리까지 구하여 음속비로 한다.

나. 탐상 굴절각의 측정

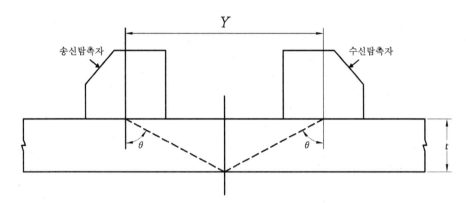

〔그림 5.4〕 V투과 펄스를 이용한 탐상굴절각의 측정

탐상굴절각은 STB 음속비를 이용하는 경우와 실제 탐촉자를 이용하여 V투과법으로 측정하는 방법이 있다. STB 음속비로부터 구한 방법은 앞에 기술한 음속비를 식 5.15를 이용하여 탐상굴절각을 0.5° 단위로 산출한다. V투과법에 의한 경우는 그림 5.4와 같은 탐상 방향으로 V주사를 하고 최대 투과펄스가 얻어지는 탐촉자 위치에서 탐촉자의 입사점간 거리 Y를 측정하고 식 5.16으로부터 구한다.

$$\theta = \sin^{-1}\left(\frac{V}{V_{STB}}\right)\sin\theta_{STB} \quad\cdots\cdots\cdots\cdots\cdots\cdots\cdots\cdots\cdots\cdots\cdots\cdots(5.15)$$

$$\theta = \tan^{-1}\left(\frac{Y}{2t_M}\right) \quad\cdots\cdots\cdots\cdots\cdots\cdots\cdots\cdots\cdots\cdots\cdots\cdots\cdots\cdots\cdots(5.16)$$

다. 음향이방성이 있는 재료의 탐상방법

시험체가 음향이방성이 있는 경우 또는 유사한 경우에는 앞에 기술한 탐상굴절각을 이용하여 탐상한다. KS B 0896의 경우에는 판두께가 6 ~ 25 ㎜ 의 경우 STB와의 음속비가 0.990로부터 1.020사이인 경우에는 STB로 측정한 굴절각을 이용하여 탐상을 하나 STB 음속비가 그 범위를 벗어나는 경우에는 탐상굴절각을 이용하여 탐상하도록 규정되어 있다. 판두께 범위가 25 ㎜ 를 넘는 것에 대해서는 각각의 판두께 범위에서 STB 음속비에 의해 사용하는 굴절각이 규정되어 있다.

5.2 탐상방법 및 탐상조건의 선정

초음파탐상검사에는 여러 방법이 있으나 검사대상물이나 검사의 목적에 따라 탐상방법을 선정한다. 우선 각종 탐상방법의 종류에 대해 설명하고 다음에 기본적인 탐상방법 및 탐상조건을 선정하는 경우 고려해야 할 사항에 대해 설명한다.

5.2.1 탐상방법의 종류와 특징

초음파탐상법은 표 5.1에서와 같이 여러 방법들이 있으나 현재 가장 널리 이용되고 있는 초음파탐상검사법은 펄스반사법이다. 연속적으로 탐상하는 자동탐상의 경우에는 펄스투과법이나 연속파를 이용한 장치가 있으나 거의 대부분은 펄스반사법(*pulse echo method*)이 사용되고 있다.

가. 원리에 의한 분류

초음파탐상법을 원리에 의해 분류하면 펄스반사법, 투과법, 공진법으로 분류할 수 있다.

(1) 펄스반사법

초음파탐상검사에 이용되고 있는 초음파는 그림 5.5와 같이 펄스파(*pulse wave*)와 연속파(*continuous wave*)가 있는데, 현재에는 펄스파가 널리 이용되고 있으며 이 방법은 수μ초(1μ초=1×10^{-6}초)정도의 짧은 시간내의 진동을 시험체에 전달시킨다.

표 5.1 초음파탐상법의 종류

초음파형태	송·수신 방식	탐촉자수	접촉방식	표시방식	진동양식·전파방향
펄스파법 연속파법	반사법 투과법 공진법	1탐촉자법 2탐촉자법	직접접촉법 국부수침법 전몰수침법	A-scan법 B-scan법 C-scan법 D(T)-scope F-scan법 P-scan법	수직법(종파·횡파) 사각법(종파·횡파) 표면파법 판파법 크리핑파법 누설표면파법

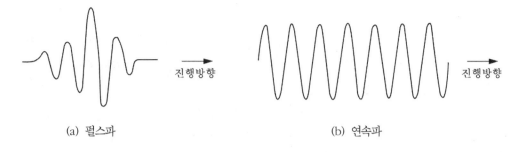

(a) 펄스파   (b) 연속파

〔그림 5.5〕 펄스파와 연속파

즉, 그림 5.6과 같이 초음파펄스를 보낸 시간부터 초음파펄스를 수신한 순간까지의 경과시간(***TOF: time of flight***)을 측정함으로써 결함이나 저면 등의 반사원까지의 거리를 알 수 있다.

펄스반사법은 초음파의 진동지속시간이 수 μ초 이하의 매우 짧은 초음파펄스를 시험체에 입사시켜 시험체 저면이나 결함 등의 반사면으로부터 반사신호를 수신함으로써 반사면의 위치나 크기를 알아내는 방법이다. 이것은 초음파탐상의 가장 일반적인 방법으로 협의의 초음파탐상은 이 방법을 가리킨다.

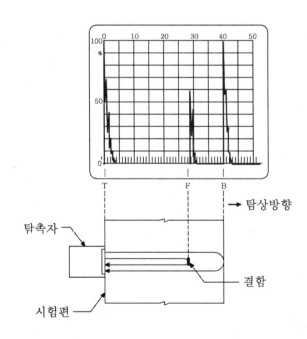

〔그림 5.6〕 펄스반사법에 의한 거리의 측정

(2) 투과법

투과법은 2개의 송수신 탐촉자를 사용하여 송신탐촉자에서 송신된 초음파가 시험체중을 투과하여 수신되는 과정에서 시험체내의 결함에 의한 산란 등의 원인에 의해 초음파가 감쇠하는 정도로부터 그 시험체내부의 결함크기를 아는 방법이다. 이 방법은 결함이나 시험체의 조직에 의한 초음파의 감쇠로부터 판단하는 것으로, 시험체의 다른 표면에서 초음파를 송수신하는 경우가 많다. 투과법에는 연속파 및 펄스파가 사용 가능하나 대부분 펄스파를 사용 하며, 탐촉자와 시험체 사이에서의 초음파의 안정적인 전달이 중요하므로 시험체 표면이 특별히 양호한 경우를 제외하고 수침법이 이용되는 경우가 많다.

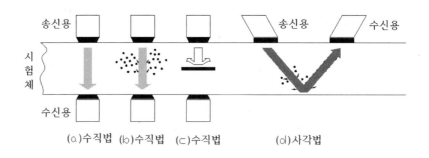

〔그림 5.7〕 투과법의 원리

(3) 공진법

시편의 두께가 초음파의 반파장 또는 반파장의 정수배에서 공진이 일어나게 되는 원리를 이용한 초음파탐상법이다. 초음파의 파장은 주파수를 이용하여 조종한다. 즉 초음파를 송신할 때 주파수를 변화시켜 검사하고자 하는 시험편의 두께에 맞춰 공진이 일어나도록 한다. 공진의 확인은 수신된 펄스의 크기가 증가하므로 쉽게 알 수 있다. 시험편 두께(t)는 기본주파수 또는 공진주파수(f)와 매질에서의 초음파 속도(v)를 이용하여 다음 식으로 계산하여 알 수 있다.

$$t = \frac{v}{2f} \quad \cdots\cdots\cdots\cdots\cdots\cdots\cdots\cdots\cdots\cdots\cdots\cdots\cdots\cdots\cdots\cdots\cdots(5.17)$$

기본공진주파수는 진동의 기본주파수를 알아내기 어렵기 때문에 두 개의 이웃한 조화음(*harmonic*)간의 차이를 계산하여 얻는다.

$$t = \frac{v}{2(f_{n} - f_{n-1})} \quad \cdots\cdots\cdots\cdots\cdots\cdots\cdots\cdots\cdots\cdots\cdots\cdots\cdots(5.18)$$

단, f_n, $f_{n}-1$: n번째와 (n-1)번째의 조화주파수

공진법은 핵연료봉관과 같은 얇은 시험편의 두께 측정에 사용되고 있으나 근래에는 탐촉자 성능이 좋아져 펄스에코법이 더 한층 많이 사용되고 있다.

나. 표시방법에 의한 분류

초음파탐상 결과의 표시 또는 기록방식으로는 수신신호(에코) 등의 정보를 화면상에 어떠한 지시로 표시하는 가에 따라 분류된다.

(1) 기본표시(A-Scope표시)

기본표시에서 가로축은 초음파의 전파시간을 거리로 나타내고 세로축은 수신신호(에코)의 크기를 나타내기 때문에 탐촉자를 댄 위치에서 에코높이, 에코위치, 에코파형의 3가지 정보가 탐상기의 화면에 탐상지시로 직접 표시된다. 이 방법은 전체적인 파악에 어려움이 있으나 장치의 사용이 간편하고 저가이기 때문에 현재 가장 널리 사용되고 있다. 에코파형의 표시방법으로 RF(*Radio Frequency*)파형 및 DC(*Direct Current*)파형이 있으나 현재 초음파탐상기의 대다수가 DC파형이 표시되기 때문에 이 책에 도시되는 탐상지시의 대부분은 DC파형의 기본표시를 나타내고 있다.

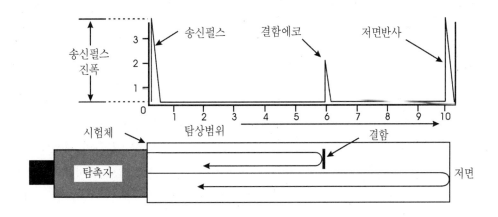

〔그림 5.8〕 A-Scan 표시

(2) 단면표시(B-Scope표시)

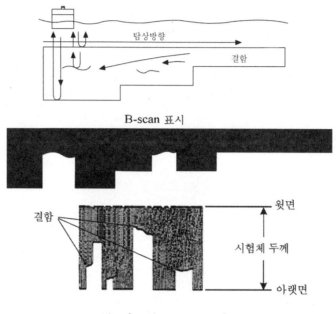

[그림 5.9] B-Scan 표시

　　단면표시는 그림 5.9와 같이 A-Scope의 에코높이의 신호에 휘도변조를 하여 탐촉자의 위치 또는 이동거리와 탐촉자의 전파시간 또는 반사원의 깊이위치를 표시하는 방법이다. 얻어진 지시는 시험체를 탐촉자의 주사선으로 절단하였을 때의 단면상(斷面像)이고, 주사선 아래 이상부의 깊이위치와 그 분포 또는 저면까지의 거리변화에 의한 판두께의 측정 등이 가능하다.

(3) 평면표시(C-Scope표시)

평면표시는 그림 5.10과 같이 탐상면 전체에 걸쳐 탐촉자를 주사시키고 결함에코가 나타난 탐촉자 위치, 또는 결함위치를 평면도처럼 표시하는 것이다. 탐상면과 저면 사이에 결함이 있는 경우 그 결함에코높이에 대응하여 표시점의 휘도를 높인다. 컬러표시의 경우에는 색을 변화시킨다. 결함에코를 채취하기 위한 감시범위(탐상면으로부터의 거리)를 게이트에 의해 이동시키든가 또는 에코높이 대신에 결함에코까지의 시간변화를 색별로 표시하면 탐상면으로부터 어느 일정깊이마다 표시한 결함의 평면도가 얻어진다.

(a)

탐촉자   스캔 패턴

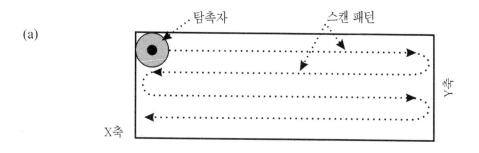

X축   Y축

(b)

결함

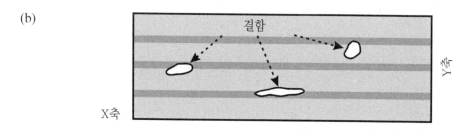

X축   Y축

〔그림 5.10〕 C-Scan 표시

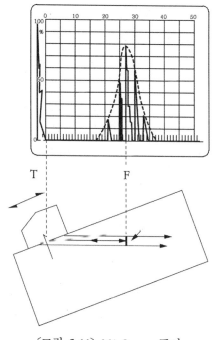

〔그림 5.11〕 MA-Scope 표시

(4) 그 외의 표시방법

최근에는 컴퓨터기술의 발달과 함께 탐촉자 위치 및 그곳에서 채취한 초음파신호를 저장하고 해석 소프트웨어 등을 이용하여 단면표시, 평면표시, 이들의 조합표시, 확대표시 등이 가능해지고 있다. 예를 들어 D(T)-Scope 및 P-Scope는 단면표시(종단면 및 횡단면)와 평면표시를 조합시킨 표시방법으로, D(T)-Scope는 시험체 저면의 부식 등에 의한 두께감소상태를 corrosion map으로 나타내고 P-Scan은 주로 용접부결함의 위치, 크기, 형상 표시를 목적으로 하고 있다. 또한 얻어진 결함에코 등의 반사파를 파형 분석하여 그 에코 파형의 특징을 추출하고 그 특징을 이용하여 여러 종류의 표시를 하는 Feature-Scan 표시가 있다. 그림 5.11은 사각탐촉자를 전후 주사시켰을 때의 기본표시를 충첩하여 하나의 도형으로 표시한 것이다. 이것을 MA표시라 하고 결함의 형상을 추정하는 경우 등에 이용된다.

다. 접촉방법에 의한 분류

탐촉자를 시험체에 접촉시키는 접촉방법을 분류하면 그림 5.12와 같다. 직접접촉법은 시험체 표면에 기계유나 글리세린 등의 접촉매질을 도포하고 탐촉자를 직접 접촉시켜 가면서 탐상하는 방법이다. 탐촉자와 시험체표면(탐상면) 사이의 공극(空隙)을 없애기 위해 접촉매질(*couplant*)을 사용한다. 접촉매질로는 탐상면이 평면으로 평활한 경우에는 주로 기계유나 물을 이용하고, 표면이 거칠 경우나 곡면이 있는 경우에는 주로 글리세린이나 페이스트 등을 이용한다.

수침법은 탐촉자와 시험체 사이에 물을 넣고 탐상하는 방법으로, 에코높이가 시험체 표면상태의 영향을 거의 받지 않고 안정된 탐상이 가능하다. 수침법에는 갭(*gap*)법, 국부수침법 및 전몰수침법이 있다. 국부수침법은 탐촉자 주위에 케이스 또는 박막을 만들고 국부적으로 물기둥을 형성시켜 탐상하는 방법이다.

물거리는 시험체 두께의 C_W/C_I (C_W는 물의 음속, C_I는 시험체의 종파음속)배 이상이다. 시험체가 강의 경우 물거리(x_W)는 통상 두께의 1/4 이상으로 설정할 필요가 있다.

$$x_W \geq \frac{C_W}{C_I} \cdot t \quad \text{..}(5.17)$$

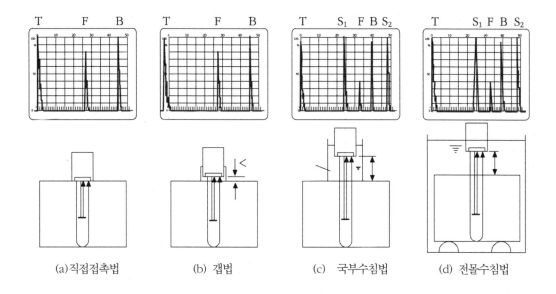

(a)직접접촉법   (b) 갭법   (c)   국부수침법   (d) 전몰수침법

〔그림 5.12〕 접촉방법에 의한 분류

국부수침법의 응용으로 분류탐상법이 있다. 이 방법은 시험체의 상하에 탐촉자를 대향시켜 탐촉자와 시험체의 사이를 제트물유동층으로 음향적으로 결합시켜 투과법으로 탐상하는 방법이다. 강판의 연속자동탐상에 이용되고 있다.

전몰수침법은 시험체 전체를 수조에 침몰하여 탐상하는 방법이다. 이 경우의 물거리도 국부수침법과 동일하게 두께의 C_W/C_I 배 이상으로 설정할 필요가 있다. 전몰수침법에는 음향렌즈를 사용하며 빔을 집속하여 탐상하는 것이 많다. 집속빔을 이용하면 에너지가 집중하여 결함으로부터의 에코높이가 커질 뿐만 아니라 방위분해능이 향상되어 미세한 결함의 검출성 향상에 도움이 된다.

갭법은 탐촉자와 시험체 표면사이에 수 파장 정도 이하의 갭을 설정하고 그 사이에 물을 채워 탐상하는 방법이다. 탐촉자의 주사는 직접접촉법과 거의 동일하고 수침법과 같이 안정된 에코를 얻을 수 있다.

비접촉법은 탐촉자와 시험체 사이에 접촉매질을 사용하지 않고 탐상을 하는 방법으로 전자기음향탐상(*electromagnetic magnetic acoustic transducer; EMAT*), 공기결합탐상(*air coupled transducer; ACT*)법, 레이저 초음파(*laser based ultrasonic; LBU*)법, Dry couplant 탐촉자에 의한 방법 등이 있으며 이들 방법에 대해서는 제 7장에서 자세히 소개한다.

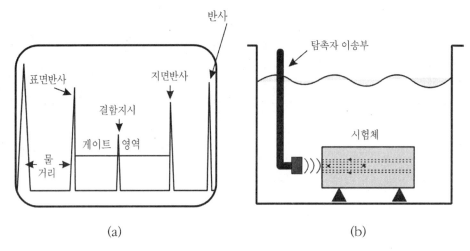

〔그림 5.13〕 종파 수침탐상법

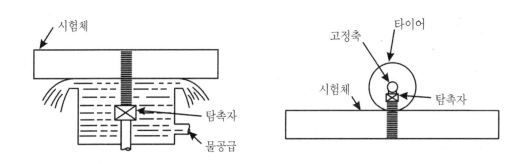

〔그림 5.14〕 타이어(*wheel*) 탐촉자 기법

라. 초음파의 전파방향과 파동양식에 의한 분류

초음파탐상검사에 이용되고 있는 초음파의 종류(파동양식)는 전술한 바와 같이 종파, 횡파, 표면파와 판파가 있고, 종파와 횡파는 시험체 내부에, 표면파는 탐상면을 따라 전파한다. 초음파의 전파방향과 파동양식에 따라 탐상방법을 분류하면 그림 5.15와 같다. 수직법은 시험체 표면에 대해 수직방향으로 초음파를 전파시키는 방법으로 보통 종파가 사용된다. 주로 단강품, 압연강재, 클래드 등의 검사에 적용된다. 수직법에서는 수직탐촉자가 이용되며, 시험체의 표면부근의 탐상에는 2진동자 수직탐촉자에 의한 방법이 이용되고 있다.

사각법은 초음파를 탐상면에 대해 경사방향으로 전파시키는 방법이다. 통상의 사각탐촉자에는 쐐기각을 굴절종파의 임계각 이상으로 설정하여 횡파만 전파하도록 만들어져 있다. 사각법은 용접부의 탐상법으로 많이 사용되는데, 1탐촉자법 외에 탠덤주사법, V 주사법, K 주사법 및 두갈래주사법과 같은 2탐촉자법이 평면결함의 검출용으로 채용되고 있다. 사각법의 특수한 응용으로 크리핑파를 이용하는 방법이 있다.

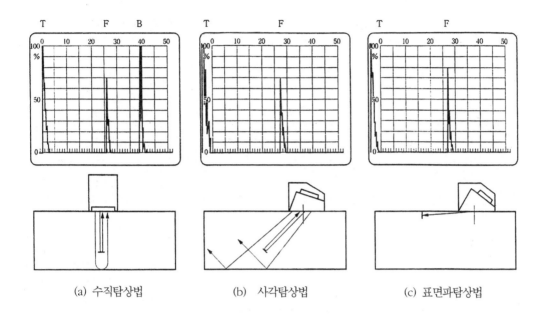

(a) 수직탐상법   (b) 사각탐상법   (c) 표면파탐상법

〔그림 5.15〕 전파방향에 의한 분류

표면파법은 표면파(**Rayleigh wave**)를 사용하여 시험체 표층부의 결함을 검출하는 방법이다. 표면파탐촉자는 굴절횡파에 대한 임계각에 가까운 각도로 쐐기로부터 시험체에 입사하도록 만들어져 있다. 표면파는 그 음압이 거리의 평방근에 역비례하는 원통파형으로 전파하기 때문에 확산에 의한 감쇠가 적어 먼 곳에까지 전파한다. 또 곡면에서도 잘 전파하기 때문에 압연롤, 터빈블레이드 및 하니컴 구조부재 등의 표층결함 검사에 적용되고 있다. 표면파법은 결함검출과 함께 결함깊이 측정에도 이용되고 있다.

판파법은 시험체에 판파(**Lamb wave**)를 전파시켜 탐상하는 방법이다. 판파는 가변각탐촉자를 사용하여 입사각 θ_i 가 $\theta_i = \sin^{-1}(C_i/C_p)$ 의 조건을 만족하도록 설정하여 발생시킨다. 여기서, C_i 는 쐐기의 음속, C_p 는 판파의 위상속도이다. 위상속도는 사용주파수와 판두께의 곱 및 판파의 모드에 의해 결정된다. 입사각을 바꾸면 여러 모드의 판파가 발생한다.

판파법은 표면결함과 내부결함을 동시에 검사하는 것이 가능하고 전파시 확산손실이 적기 때문에 검사가능거리는 $1m$ 이상에까지 미친다. 단, 수침법을 적용하는 경우 파동의 에너지가 수중에서 방사되기 때문에 전파손실이 크고 검사가능거리는 수 ㎝ 이하로 된다.

마. 탐촉자 수에 의한 분류

사용하는 탐촉자의 수에 따라 분류하면 1탐촉자법과 2탐촉자법으로 나눌 수 있다. 1탐촉자법은 초음파의 송신과 수신을 1개의 탐촉자로 병용하는 방법이고 2탐촉자법은 그림 5.16과 같이 2개의 탐촉자를 사용하여 초음파의 송신과 수신을 2개의 탐촉자로 별개로 하는 방법이다. 입사각을 바꾸면 여러 모드의 파가 발생한다.

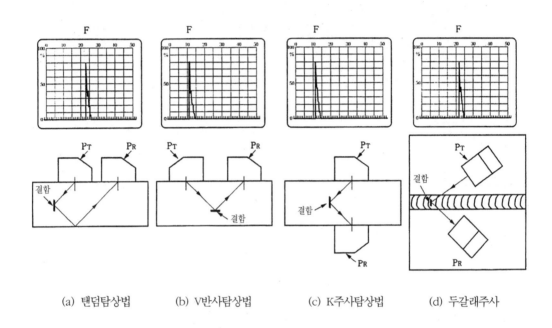

| (a) 탠덤탐상법 | (b) V반사탐상법 | (c) K주사탐상법 | (d) 두갈래주사 |

〔그림 5.16〕 2탐촉자법의 예 (P_T : 송신용탐촉자, P_R : 수신용탐촉자)

5.2.2 탐상방법의 선정

실제로 초음파탐상검사를 적용 시에 고려해야 할 사항으로는 시험체의 형상·치수, 재질과 함께 발생하기 쉬운(검출해야 하는) 결함의 위치, 형상·치수, 방향성 등의 정보이다.

가. 탐상방향의 선정

초음파탐상검사에서는 결함이 초음파의 진행방향에 수직으로 존재할 때 결함으로부터의 반사에코는 크게 나타나 검출이 용이하게 된다. 따라서 수직탐상을 적용하는 경우 시험체

전체가 초음파 빔이 미치지 못하므로 검출해야 할 결함의 발생위치, 방향에 대응한 탐상방향을 선정하지 않으면 안된다. 다시 말해, 결함을 가장 잘 검출할 수 있는 방향은 일반적으로 결함의 투영 면적이 최대가 되는 방향, 다시 말해 결함을 가장 크게 볼 수 있는 방향이다. 예를 들면 압연재에서는 내부결함이 압연방향으로 길게 펴져 있기 때문에 판두께 방향에서의 투영 면적이 최대가 된다.

탐상방향을 선정하는 경우 기본적으로 고려해야할 사항은 다음과 같다.

① 발생이 우려되는 결함의 위치 및 방향을 예측한다.
② 결함에 초음파가 반사되는 면이 수직이 되는 면을 탐상면으로 한다.
③ 시험체의 구조상 ②와 같은 표면이 탐상면이 아닌 경우는 저면으로부터의 탐상이나 반사회수의 변경 등을 고려하여 탐상면을 결정한다.
④ 횡파사각탐촉자를 사용하는 경우 굴절각 $40°$ 이상 $70°$ 이하의 범위에서 결함을 수직에 가까운 방향으로부터 겨냥할 수 있는 굴절각을 선정한다.
⑤ 결함의 발생 위치(검사 대상 부위) 전체가 포함되도록 주사범위를 결정한다.

사각탐상검사의 경우에는 시험체표면 (탐상면)에 대해 경사로 초음파를 투입하여 탐상하는 방법으로 표면에 대해 경사를 갖는 결함(표면에 평행하지 않는 결함)의 검출과 평가에 적합하여 용접부나 단조품에 적용된다. 탐상방향을 선정하는 경우에는 수직탐상과 같이 검사부 전체를 초음파 빔이 미치게 하여야 하며, 또한 검출해야 할 결함의 발생위치, 방향을 고려하여야 한다.

나. 탐촉자의 선정

(1) 주파수

검사주파수를 선정할 때에는 검출한계가 되는 결함크기(파장의 1/10 정도), 탐촉자 및 결함의 지향특성, 산란에 의한 감쇠나 SN비, 탐상면의 거칠기 및 곡률에 의한 전달손실 등을 고려해야 한다. 일반적으로 보통의 사각탐상에는 횡파초음파가 사용되고 있고 용접부의 탐상에는 2 ~ 5 MHz 의 주파수가 많이 사용되고 있다. 초음파의 파장이 짧을수록 결함에 의한 초음파가 반사되기 쉽기 때문에 주파수가 높을수록 미소결함 검출능은 높아진다. 검출한계가 되는 결함크기는 보통강에서 파장의 1/2 ~ 1/10 정도이다. 주파수가 높을수록 탐촉자의 지향성은 예리하기 때문에 결함위치의 측정정밀도를 높이기 위해서는 높은 주파수가 좋다. 그러나 초음파 빔은 가늘기 때문에 탐촉자의 주사 피치는 작게 할 필요가 있다.

초음파의 파장이 금속의 결정립의 크기와 같지 않거나 그 이하일 때 다시 말해 주파수가 너무 높은 경우 또는 결정립이 조대한 경우에는 산란감쇠가 크고 또 결정립계에서 산란 등에 의한 임상에코가 나타나게 되어 결함검출이 곤란해진다. 이와 같은 경우에는 저 주파수를 사용한다.

(2) 진동자 치수

진동자 크기의 선정시 고려해야 하는 것은 수직탐상의 경우와 같이 근거리 음장한계 거리와 지향성을 고려해야 한다. 진동자 크기가 크게 되면 근거리 음장 한계가 길어지 므로 근거리 결함의 검출에는 적합하지 않다. 따라서 검사대상 부위까지의 최단거리가 적어도 근거리 음장 한계거리 이상이 되도록 진동자 크기를 선택하면 최대 에코높이를 나타내는 탐촉자 위치로부터 결함크기를 정밀하게 측정할 수 있다. 진동자의 지향성은 결함위치를 정확히 측정할 수 있으므로 지향성이 예리하도록 진동자 치수는 큰 것을 선택하면 좋다.

(3) 굴절각

굴절각의 선정시 먼저 고려되어야 하는 것은 시험체의 형상과 치수, 예상되는 결함 의 방향, 초음파가 결함에 수직에 가까운 방향으로 부딪히게, 가능한 한 짧은 빔진행거 리로 탐상할 수 있는 굴절각을 선정할 필요가 있다. 용접부의 사각탐상에서는 접근한계 길이로 인해 그림 5.17과 같이 탐상불능영역이 존재하기 때문에 주의해야한다. 그리고 그림 5.18과 같이 용접부의 용입부족(루트용입부족)이나 루트균열 등의 저면에 열려 있 는 결함을 사각탐상할 경우 사용하는 탐촉자의 굴절각에 따라 횡파로부터 종파로의 모 드변환이 발생하는 경우도 있으므로 주의해야 한다.

(4) 불감대

불감대(*dead zone*)는 빔진행거리상에서 얼마만큼 가까운 거리에 있는 결함을 검출할 수 있는 가를 나타내는 것으로 불감대가 길면 표면근방의 탐상이 곤란하게 된다.

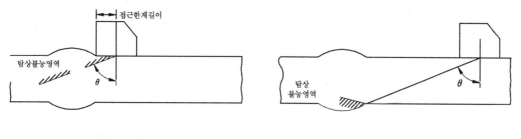

| (a) 직사법의 경우 | (b) 1회반사법의 경우 |

〔그림 5.17〕 사각탐상에서 탐상불능영역

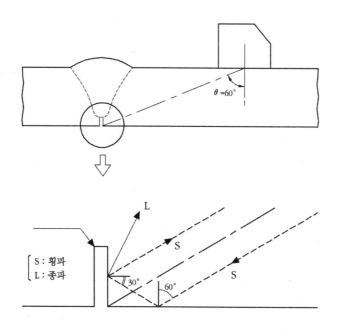

〔그림 5.18〕 용입 부족에서 모드 변환($\theta = 60°$의 경우)

다. 탐상조건의 선정

(1) 검출레벨

검출레벨은 평가대상으로 하는 결함의 하한의 에코높이 레벨로서 초음파탐상검사를 실시하고 이 레벨을 넘는 에코가 나타났을 때 그 반사원의 위치나 크기 등을 측정하고 그것들에 의해 시험체를 평가 또는 시험체 그 후의 처치를 결정하게 된다.

따라서 검출레벨은 초음파탐상검사에 의해 검출해야 할 결함을 빠뜨리지 않는 최저레벨로 결정할 필요가 있고 검출해야 할 결함의 최소크기와 그 에코높이를 참고로 하여 설정한다.

(2) 탐상감도와 감도표준시험편

초음파탐상검사를 하는 경우 시간축과 함께 반드시 세로축의 탐상감도도 조정해야 한다. 탐상감도라는 것은 결함에코(또는 관찰, 감시하려는 에코)를 화면상에 어느 정도의 크기로 표시하는가를 말하며 결함검출을 목적으로 하는 초음파탐상검사에는 검출레벨이 브라운관상에서 관찰하기 쉬운 적절한 높이가 되도록 설정한다. 감도조정 방법은 시험체의 저면에코를 이용하는 저면에코방식과 표준시험편이나 대비시험편에 정해진 크기의 인공결함으로부터의 에코높이를 기준으로 하는 시험편방식이 있다.

저면에코방식에 의한 감도조정은 시험체의 건전부에서 저면에코높이를 미리 정해진 값이 되도록 게인조정노브를 조작(경우에 따라서는 펄스에너지도 조작)한다. 이 방식에서는 시험체의 표면상태에 의한 결함에코 높이의 변화(다시 말해 탐상면에서 전달효율의 변화)가 보정되는 것 외에 두꺼운 판재에서는 산란감쇠에 의한 에코높이의 저하를 보정하는 효과가 있다. 단 탐상면에 가까운 결함일수록 결함에코를 과대평가할 가능성이 있기 때문에 주의해야 한다.

시험편방식에 의한 감도조정은 적당한 표준시험편(**STB**) 또는 대비시험편(**RB**)의 표준결함으로부터의 에코높이를 미리 정해져있는 값이 되도록 게인조정노브를 조작한다. 표준시험편을 사용하는 경우 시험체와의 초음파 특성 다시 말해 탐상면의 거칠기와 재료(산란감쇠)의 차에 의한 전달효율과 감쇠계수의 차가 큰 경우 감도보정이 필요하게 된다. 대비시험편을 사용하는 경우는 시험체와 동일한 초음파 특성을 갖는다는 것을 확인할 수 있으면 감도조정을 할 필요 없다.

5.3 수직탐상법의 기본

수직탐상법이란 시험체 표면에 수직으로 초음파가 진행하도록 탐촉자를 배치하고 접촉매질를 통해 시험체 내에 초음파를 전파시켜 결함이나 저면으로부터의 에코높이나 위치를 구하고 시험체의 건전성을 조사하는 방법이다.

5.3.1 결함의 검출방법

그림 5.19는 수직탐상법의 개요를 나타내고 있다. 결함이 존재하지 않는 건전부에서는 (a)에서와 같이 화면에는 저면에코만이 나타나고 결함부에서는 (b)와 같이 저면에코 앞에 결함에코가 나타난다. 따라서 결함을 검출하기 위해서는 그림 5.19(a)와 같이 탐상면에서 탐촉자를 이동(주사)시키면서 화면을 관찰하고 저면에코 앞에 나타나는 에코(결함에코)를 찾아 결함의 유무를 조사한다.

5.3.2 결함위치의 측정방법

탐상에 앞서 화면 가로축의 각 눈금이 몇 ㎜ 에 상당하는가를 표준시험편(STB-A1,STB-N1) 또는 대비시험편을 이용하여 조정한다. 이것을 측정범위의 조정 또는 시간축의 조정이라 부른다.

조정된 시간축에 있어서 건전부에서는 화면에 나타나는 저면에코의 빔진행거리 W_B 가 시험체의 두께 t에 해당하고 t 는 다음 식으로 구할 수 있다.

$$t = W_B \quad \cdots\cdots\cdots\cdots\cdots\cdots\cdots\cdots\cdots\cdots\cdots\cdots\cdots\cdots\cdots\cdots\cdots\cdots\cdots\cdots(5.20)$$

한편, 결함부에서는 결함이 탐촉자의 직하에 있는 것으로 화면에 검출된 결함에코의 최대높이를 나타내는 에코의 빔진행거리 W_F와 그 때의 탐촉자 위치 $(X_P,\ Y_P)$, 결함위치 $(X_F,\ Y_F,\ Z_F)$는 각각 다음 식으로 구하는 것이 가능하다.

탐상의 기점에서부터 결함까지의 X 방향거리 $X_F = X_P$

탐상의 기점에서부터 결함까지의 Y 방향거리 $Y_F = Y_P$

탐상면에서부터 결함까지의 Z 방향(두께방향)거리 Z_F

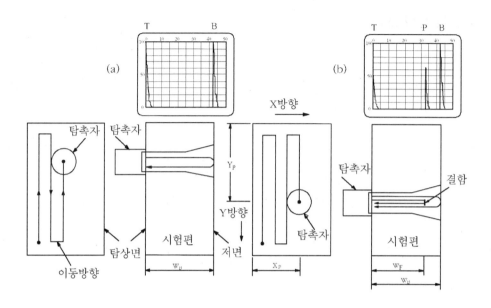

〔그림 5.19〕 수직탐상법의 개요

5.3.3 결함에코 높이의 측정과 표시방법

탐상에 앞서 검출해야할 결함에코높이(검출레벨)를 화면상에서 보기 쉬운 높이(미리 세로축의 몇 눈금으로 할 건지 정해 놓는다)가 되도록 게인을 조정하여 놓고 이것을 탐상감도의 조정이라 한다. 탐상감도를 조정한 후 검출한 결함의 최대 에코높이는 다음의 방법 중 하나로 측정 또는 표시한다.

(1) % 표시 h_F (%), dB 표시 H_F (%)

결함의 최대에코높이 h_F (%)를 그림 5.20과 같이 45%로 읽는다. 결함에코높이를 측정 또는 표시한다. h_F (%) = 45%로 표시한다. 그리고 탐상감도를 조정했을 때의 에코높이를 h_S (%), 그 때의 게인조정노브의 값을 H_{S-G} (dB)로 한다.

결함의 최대에코높이 h_F (%)를 게인조정노브를 사용하여 h_S (%)에 맞추고 그 때의 게인조정노브의 값 H_{F-G} (dB)을 읽는다. 기준에 대한 결함에코높이 H_F(dB)는 H_{F-G} (dB)과 H_{S-G} (dB)로부터 식 5.21로 구하는 것이 가능하다.

$$H_F = -\left(H_{F-G} - H_{S-G}\right) \quad \cdots\cdots\cdots\cdots\cdots\cdots\cdots\cdots\cdots\cdots\cdots\cdots\cdots\cdots(5.21)$$

H_F(dB)은 h_F(%)와 h_S(%)로부터 식 5.22으로 구하는 것이 가능하다.

$$H_F = 20 \cdot \log\left(\frac{h_F}{h_S}\right) \cdots\cdots\cdots\cdots\cdots\cdots\cdots\cdots\cdots\cdots\cdots\cdots\cdots\cdots\cdots (5.22)$$

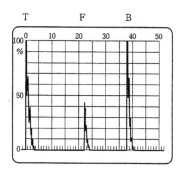

$$h_F = 45\%$$

〔그림 5.20〕 % 표시의 예

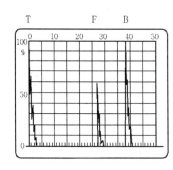
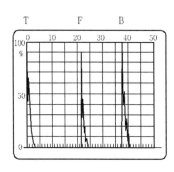
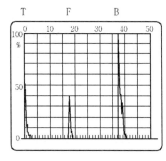

$h_S = 60\%$	$h_F = 90\%$	$h_F = 40\%$
	h_F 를 h_S에 맞추었을 때	h_F 를 h_S에 맞추었을 때
$H_{S-C} = 53.0 \, \text{dB}$	$H_{F-G} = 49.5 \, \text{dB}$	$H_{F-G} = 56.5 \, \text{dB}$
	$H_F = -(49.5-53.0) = +3.5 \, \text{dB}$	$H_S = -(56.5-53.0) = -35 \, \text{dB}$
(a) 탐상감도의 조정	(b) $h_F \geq h_S$ 의 경우	(c) $h_F < h_S$ 의 경우

〔그림 5.21〕 dB 표시의 예

(2) F/B_G 표시

시험체의 건전부에서 저면에코높이를 화면의 어떤 높이 $h_S\,(\%)$에 맞추고 그 때의 게인조정노브의 값 $H_{BG}\,(dB)$를 읽는다. 검출한 결함에코높이의 최대에코높이 $h_F\,(\%)$을 게인조정노브를 이용하여 $h_S\,(\%)$로 맞추고 그 때의 게인조정노브의 값 $H_F\,(dB)$를 읽는다.

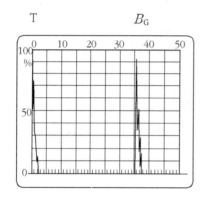 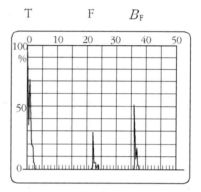

$$h_S = h_{BG} = 90\%$$
$$H_{BG} \equiv 47.0\,\text{dB}$$

h_F 를 h_S 에 맞추었을 때 $H_F \equiv 56.5\,\text{dB}$
$$F/B_G = -(56.5 - 47.0) = -9.5\,\text{dB}$$

(a) 탐상감도의 조정   (b) 결함 에코높이의 조정

〔그림 5.22〕 F/B_G 표시의 예

F/B_G 는 $H_F\,(dB)$와 $H_{BG}\,(dB)$로부터 식 5.23로 구하는 것이 가능하다.

$$F/B_G = -(H_F - H_{BG}) \quad \cdots\cdots\cdots\cdots\cdots\cdots\cdots\cdots\cdots(5.23)$$

$F/B_G(dB)$ 은 $h_S\,(\%)$ 와 $h_F\,(\%)$로부터 식 5.24로 구하는 것이 가능하다.

$$F/B_G = 20 \cdot \log\!\left(\frac{h_F}{h_S}\right) \quad \cdots\cdots\cdots\cdots\cdots\cdots\cdots(5.24)$$

(3) F/B_F 표시

검출한 결함에코높이의 최대에코높이 h_F (%)와 그 때의 저면에코높이 h_{BF} (%)을 순차적으로 게인조정노브를 이용하여 화면의 어떤 높이 h_S (%)로 맞추고 그 때의 각각의 게인조정노브의 값 H_F (dB)와 H_{BF} (dB)로부터 식 5.25로부터 구하는 것이 가능하다.

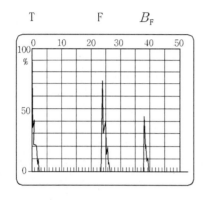 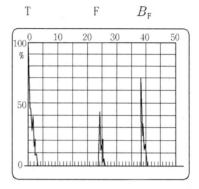

(a) $h_F \geq h_{BF}$ (b) $h_F < h_{BF}$

h_F를 h_S에 맞추었을 때 H_F(dB)
h_{BF}를 h_S에 맞추었을 때 H_{BF}(dB)
$$F/B_F = -(H_F - H_{BF})$$

〔그림 5.23〕 F/B_F 표시의 예

$$F/B_F = -(H_F - H_{BF}) \quad\cdots\cdots\cdots\cdots\cdots\cdots\cdots\cdots\cdots\cdots\cdots(5.25)$$

F/B_G (dB)은 h_F (%)와 h_{BF} (%)로부터 식 5.26로 구하는 것이 가능하다.

$$F/B_F = 20 \cdot \log\left(\frac{h_F}{h_{BF}}\right) \quad\cdots\cdots\cdots\cdots\cdots\cdots\cdots\cdots\cdots(5.26)$$

(4) 거리진폭특성곡선의 높이를 기준으로 한 결함에코높이의 표시

큰 시험체를 탐상하는 경우 STB 또는 RB를 이용하여 거리진폭특성곡선을 그려 놓는다. 이 곡선을 기준으로 하여 탐상감도를 조정하고 그 때의 게인노브의 값 H_{S-G} (dB)을 읽어 놓는다. 검출한 결함의 최대에코높이 h_F (%)를 게인조정노브를 이용하여 결함에코와 동일 빔진행거리의 거리진폭특성곡선 높이 h_{DAC} (%)에 맞추고 그 때의 게인노브의 값 H_{F-G} (dB)을 읽어 놓는다. 결함에코높이 H_F (dB)는 H_{F-G} (dB)와 H_{S-G} (dB)로부터 식 5.27로 구하는 것이 가능하다.

$$H_F = - (H_{F-G} - H_{S-G}) \quad \cdots\cdots\cdots\cdots\cdots\cdots\cdots\cdots\cdots\cdots (5.27)$$

H_F(dB)은 h_F (%)와 h_{DAC} (%)로부터 식 5.28으로 구하는 것이 가능하다.

$$H_F = 20 \cdot \log\left(\frac{h_F}{h_{DAC}}\right) \quad \cdots\cdots\cdots\cdots\cdots\cdots\cdots\cdots\cdots (5.28)$$

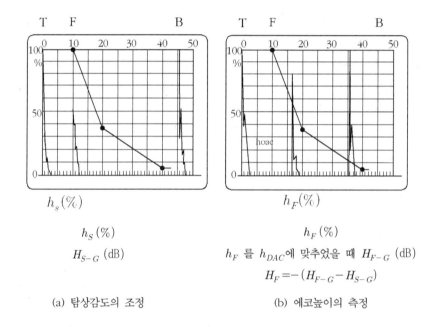

(a) 탐상감도의 조정	(b) 에코높이의 측정
h_S (%)	h_F (%)
H_{S-G} (dB)	h_F 를 h_{DAC}에 맞추었을 때 H_{F-G} (dB)
	$H_F = - (H_{F-G} - H_{S-G})$

〔그림 5.24〕 거리진폭특성곡선의 높이를 기준으로 한
결함에코높이의 표시 예($h_F \geqq h_{DAC}$의 경우)

(5) B_F / B_G 표시

결함에코높이가 낮은 미소 결함이 다수 존재하고 있는 경우에나 결함 면에 초음파 빔이 경사로 입사하는 경우 결함에코는 검출되지 않아도 그 부분의 저면에코는 낮아진다. 이 특징을 이용하여 결함에코를 검출하는 대신에 저면에코의 저하의 정도를 조사하여 결함을 평가하는 방법이다.

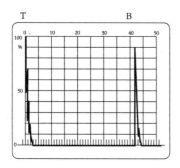

$h_{SG} = 90\%$

$H_{BG} \equiv 63.0\,\text{dB}$

(a) 탐상감도의 조정

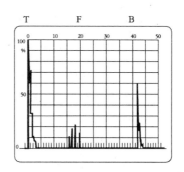

$h_{BF} = 60\%$

h_{BF}를 h_{BG}에 맞추었을 때 $H_{BF} = 66.5\,\text{dB}$

$B_F/B_G = -(66.5 - 63.0) = -3.5\,\text{dB}$

(b) 결함 에코높이의 조정

〔그림 5.25〕 B_F/B_G 표시의 예

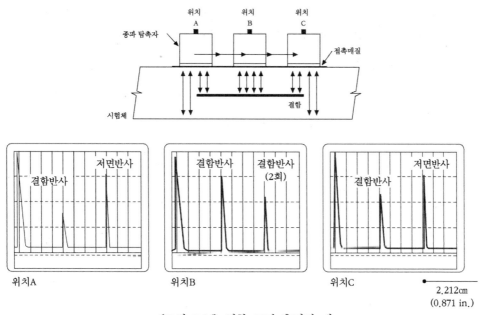

〔그림 5.26〕 결함 크기 측정의 예

건전부에서 저면에코높이 $h_{BG}(\%)$를 화면상에 일정 높이 $h_S(\%)$에 맞추고, 그 때의 게인조정노브의 값을 $H_{BG}(dB)$를 읽는다. 결함에코높이가 가장 높게 될 때의 저면

에코높이 h_{BF}(%)을 게인조정노브를 이용하여 h_S(%)에 맞추고 그 때의 게인조정노브의 값 H_{BF}(dB)를 읽는다.

B_F/B_G는 H_{BF}(dB)와 H_{BG}(dB)으로부터 식 5.29로 구하는 것이 가능하다.

$$B_F/B_G = -(H_{BF} - H_{BG}) \quad \cdots\cdots\cdots\cdots\cdots\cdots\cdots\cdots\cdots\cdots\cdots\cdots(5.29)$$

B_F/B_G는 h_{BF}(%)와 h_{BG}(%)으로부터 식 5.30로 구하는 것이 가능하다.

$$B_F/B_G = 20 \cdot \log\left(\frac{h_{BF}}{h_{BG}}\right) \quad \cdots\cdots\cdots\cdots\cdots\cdots\cdots\cdots\cdots\cdots(5.30)$$

5.3.4 결함크기의 측정

탐촉자가 결함의 바로 위에 위치하는 경우 결함에코높이는 최대가 된다. 이 위치로부터 탐촉자를 이동시키면 결함에코 높이는 낮아져 간다. 우선 결함의 끝을 겨냥했을 때의 에코높이를 예를 들면 결함의 최대에코높이의 1/2이라고 정해 놓는다. 그림 5.26은 MIL-STD 2154에서 근거한 이 높이를 넘는 에코가 나타내는 범위의 탐촉자의 이동거리를 측정하고 이것을 결함의 크기로 한다.

5.4 사각탐상법의 기본

사각탐상법은 초음파를 탐상면에 대해 경사방향으로 전파하는 초음파 빔을 이용하여 탐상하는 방법이고, 용접부 등의 검사에 많이 이용되고 있다. 일반적으로 사용되고 있는 사각탐촉자에서는 진동자로부터 발생한 종파가 쐐기 속을 경사로 전파하고 탐상면에서의 굴절에 의해 종파가 횡파로 모드변환하고 횡파만이 시험체 속을 어떤 각도로 전파해 간다. 따라서 결함을 검출하였을 때의 탐상지시는 송신 펄스 T 및 결함 에코 F가 나타나고 수직 탐상에서와 같이 저면에코 B는 나타나지 않는다. 또 초음파 빔의 중심이 결함의 중심에 수직으로 부딪칠 때 결함 에코 F의 에코높이는 최대가 된다.

이 장에서는 사각탐상을 할 경우에 반드시 알아야 할 결함의 검출방법, 탐상방향의 선정, 검출레벨과 탐상감도의 설정, 결함지시길이의 측정방법, 탐상시 주의점, 탐상결과에 대한 평가방법 등을 설명한다.

5.4.1 결함의 검출 방법

그림 5.27은 사각탐상법의 개요를 나타낸다. 건전부에서는 결함에코는 물론 수직탐상 시에 나타나는 저면에코도 나타나지 않는다. 한편 결함이 있는 부분에서는 초음파가 결함 면에 수직 또는 수직에 가까운 각도로 입사하면 결함에코가 나타난다.

직사법 및 1회반사법에서 탐촉자를 전후로 주사하는 범위(전후주사범위)와 결함에코를 감시하는 범위는 각각 다음 식으로 표시된다.

① 직사법의 경우

전후주사범위 $\leq Y_{0.5S} = t \cdot \tan\theta$ ·······································(5.31)

감시범위 $\leq W_{0.5S} = t/\cos\theta$ ·····································(5.32)

② 1회반사법의 경우

$Y_{0.5S} <$ 전후수사범위 $\leq Y_{1.0S} = 2t \cdot \tan\theta$ ····························(5.33)

$W_{0.5S} <$ 감시범위 $\leq W_{1.0S} = 2t/\cos\theta$ ·····························(5.34)

다시 말해 직사법, 1회반사법도 탐촉자를 전후주사범위로 그림 5.28과 같이 지그재그주사하여 결함이 존재할 경우 결함에코는 감시범위 내에 나타난다. 감시범위 내에 나타나는 결함에코는 그림 5.29와 같이 기본주사를 하여 최대에코높이를 검출한다.

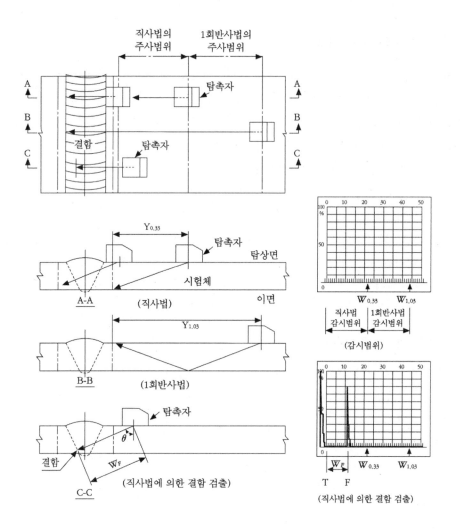

〔그림 5.27〕 사각탐상법의 개요

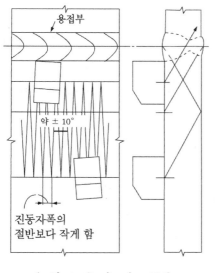

〔그림 5.28〕 지그재그 주사

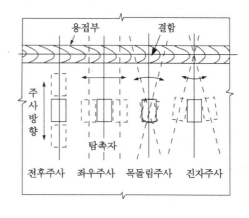

〔그림 5.29〕 사각탐촉자의 기본주사

5.4.2 결함 위치의 측정방법

탐상에 앞서 탐상기의 측정범위의 조정 및 사각탐상의 탐촉자의 입사점과 굴절각을 측정하여 놓는다. 결함위치는 탐상방법(직사법인지 1회반사법인지)에 따라 결함의 최대 에코 높이를 검출했을 때의 탐촉자 위치(X_F, Y_F) 및 결함에코의 빔진행거리 W_F로부터 다음 식에 의해 구하는 것이 가능하다.

이와 같이 사각탐상에서는 초음파 빔이 경사 방향으로 전파하기 때문에 수직 탐상에서와 같이 빔진행거리 W_F만으로는 결함의 위치를 구할 수가 없다. 따라서 먼저 사각탐촉자의 입사점과 굴절각을 측정하고 측정범위를 조정한 후 결함에코가 최대가 되는 위치에서의 빔진행거리 W_F로부터 결함의 위치를 기하학적으로 추정한다.

① 직사법의 경우

X방향 결함 위치 : $X_F = X_P$ ·······································(5.35)

Y방향 결함 위치 : $Y_F = Y_P = W_P \cdot \sin\theta$ ························(5.36)

Z방향 결함 위치 : $d_F = W_F \cdot \cos\theta$ ·····························(5.37)

② 1 회반사법의 경우

X방향 결함 위치 : $X_F = X_P$ ·······································(5.38)

Y방향 결함 위치 : $Y_F = Y_P = W_F \cdot \sin\theta$ ························(5.39)

Z방향 결함 위치 : $d_F = 2t - W_F \cdot \cos\theta$ ·······················(5.40)

여기서

X_F : X 방향(용접선 방향)의 탐촉자 위치에서 탐상의 기점으로부터 탐촉자 중심까지의 거리

Y_F : Y 방향(용접선에 수직 방향)의 탐촉자 위치에서 탐상 기준선으로부터 입사점까지의 거리

t : 시험체의 두께

5.4.3 결함에코 높이의 측정과 표시방법

탐상감도의 조정은 STB-A2 또는 RB-41 등의 감도조정용시험편의 표준 구멍을 탐상하고 그 에코높이를 정해진 높이에 맞춘다.

가. 감도의 조정방법

① STB A2 ϕ 4×4 표준구멍을 1.0 스킵(**skip**)으로 탐상하고 그 에코높이를 80%에 조정한다.
② RB-41 No. 2의 표준구멍을 탐상하고 그 에코높이를 100%에 조정한다.
③ RB-41 No. 3의 표준 구멍을 이용하여 거리진폭특성곡선을 작성하여 놓고 표준 구멍으로부터의 에코 높이를 이 곡선(H선)에 맞춘다.

이와 같이 하여 탐상감도를 조정한 후 시험체를 탐상하여 결함에코를 검출하고 그 최대 에코 높이는 다음 중 한가지 방법으로 측정, 표시한다.

나. 에코높이 표시

(1) % 표시 h_F (%), dB 표시 H_F (%)

수직탐상의 경우와 동일하게 결함의 최대에코높이 h_F (%)을 측정 또는 표시한다. h_F (%) = 45% 등으로 표시한다. 그리고 결함의 최대에코높이 h_F (%)를 게인조정노브를 사용하여 h_S (%)로 맞추고 그 때의 게인조정노브의 값 H_{F-G} (dB)을 읽는다. 감도 조정시의 게인조정노브의 값을 H_{S-G} (dB)라 하면 H_F (dB)는 식 5.41에 의해 구하는 것이 가능하다.

$$H_F = - (H_{F-G} - H_{S-G}) \quad \cdots\cdots\cdots\cdots\cdots\cdots\cdots\cdots\cdots (5.41)$$

(2) 거리진폭특성곡선을 기준으로 한 결함에코높이의 측정과 표시방법

탐상에 앞서 거리진폭특성곡선을 작성한다. 이 곡선을 기준으로 하여 탐상감도를 조정하고 그 때의 게인노브의 값 $H_{S-G}(dB)$을 읽는다. 검출한 결함의 최대에코높이 $h_F(\%)$을 게인조정노브를 이용하여 결함에코와 동일 빔진행거리의 거리진폭특성곡선 높이 $h_S(\%)$에 맞추고 그 때의 게인조정노브의 값 $H_{F-G}(dB)$을 읽어 놓는다. 결함에코높이 $H_F(dB)$는 $H_{F-G}(dB)$와 $H_{S-G}(dB)$로부터 식 5.42으로 구하는 것이 가능하다.

$$H_F = -(H_{F-G} - H_{S-G}) \cdots\cdots\cdots\cdots\cdots\cdots\cdots\cdots\cdots\cdots\cdots\cdots(5.42)$$

(3) 에코높이의 영역에 의한 측정과 표시방법

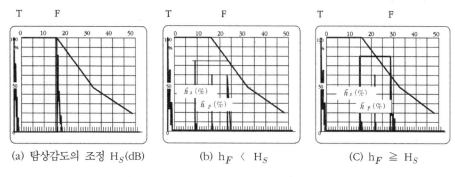

(a) 탐상감도의 조정 H_S(dB) (b) $h_F < H_S$ (C) $h_F \geqq H_S$

h_F를 h_S에 맞추었을 때 H_{FG}

〔그림 5.30〕 거리진폭특성곡선을 기준으로 한 결함에코높이의 측정 예

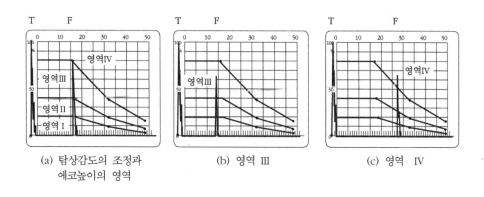

(a) 탐상감도의 조정과   (b) 영역 Ⅲ   (c) 영역 Ⅳ
　　에코높이의 영역

〔그림 5.31〕 에코높이의 영역에 의한 측정 예

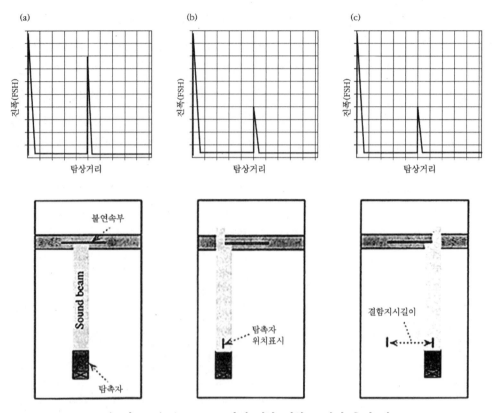

〔그림 5.32〕 6 dB drop법에 의한 결함 크기의 측정 예

　　탐상에 앞서 에코높이구분선을 예를 들면 6 dB씩 높이를 바꾼 거리진폭특성곡선에
작성해놓는다. 감도조정에 이용한 곡선을 기준으로 하여 각각의 곡선에 의해 구분된 범
위를 아래에서부터 영역 Ⅰ,Ⅱ,Ⅲ 및 Ⅳ로 한다. 검출한 결함의 최대에코높이가 어느 영
역에 있는가를 읽고 영역에 표시를 한다.

5.4.4 결함 크기의 측정

　　우선 결함 끝에 상당하는 결함에코높이 h_{se} (%)를 정해 놓는다. 최대에코높이를 나타내는
탐촉자 위치로부터 결함의 크기 방향을 따라 탐촉자를 주사한다. 그림 5.32와 같이 결함에코
높이가 h_{se} (%)와 일치할 때 탐촉자 위치를 결함의 끝으로 하고 결함의 양 끝단을 구한다.
다음에 양단의 간격을 측정하여 결함의 크기(결함지시길이)로 한다. 결함 끝에 상당하는 결함
에코높이는 규격이나 기술 기준에 정해져 있는 6 dB drop법이나 L선 Cut법이 있고 자세한
사항은 6장 결함의 평가를 참조하기 바란다.

『 익 힘 문 제 』

1. 다음은 초음파탐상검사방법에 대해 기술한 것이다. 올바른 것은 ?
   1) 초음파탐상기 눈금판의 가로축은 초음파 빔의 전파거리, 세로축은 에코높이를 표시하고 있다.
   2) 초음파탐상지시에서 결함에코의 발생위치로 부터 결함크기를 안다.
   3) 결함위치는 결함을 겨냥하는 방향을 바꾸어 에코높이의 변화 모양으로부터 추정할 수 있다.
   4) 재료 중에 있어서 초음파 음속은 다중반사에 의한 저면에코높이의 저하 비율로부터 조사한다.

2. 초음파탐상검사에 있어서 기본표시의 탐상지시에 대한 설명 중 올바른 것은 ?
   1) 결함에코의 상승위치로 부터 결함의 크기 정도를 알 수 있다.
   2) 결함에코의 높이로 부터 결함의 위치를 알 수 있다.
   3) 수직탐상에서는 저면에 의한 다중반사지시로 부터 시험체 중의 초음파 감쇠정도를 알 수 있다.
   4) 사각탐상에서는 결함이 없는 경우에는 저면에코만이 나타난다.

3. 다음은 초음파탐상검사의 검사방법에 대해 기술한 것이다. 올바른 것은 ?
   1) 화면상의 에코높이는 에코의 최고값, 위치는 에코가 하강하는 점의 시간축 눈금을 읽는다.
   2) 사각탐상에서의 송신펄스의 상승위치는 가로축의 영(*Zero*)눈금보다 항상 우측에 있다.
   3) 단강품의 탐상에서 임상에코(*noise*)가 높고 저면에코가 충분히 나타나지 않는 경우에는 주파수를 더 높게하는 것이 좋다.
   4) 작은 결함까지 검출하려 할 때는 높은 주파수가 좋다.

4. 초음파탐상법을 원리에 의해 분류할 때 이에 해당되지 않는 것은 ?
   1) 펄스 반사법
   2) 투과법
   3) A 주사법
   4) 공진법

5. 수직탐상에서 탐상목적과 탐상방향에 관한 설명 중 올바른 것은 ?

1) 초음파의 전파방향에 평행하게 넓게 퍼져 있는 결함으로 부터의 에코높이는 높게 검출이 용이하다.

2) 결함을 가장 잘 검출되는 방향은 일반적으로 결함의 투영면적이 최대로 되는 방향이다.

3) 단조재에서는 결함이 단조에 의한 소성변형에 따라서 변형하게 되므로 결함의 방향성은 추정할 수 없다.

4) 단강품에 발생하는 결함은 탐상이 가장 용이한 방향에서 수직탐상 만에 의해 모두 검출 할 수 있다.

6. 감도조정에 관한 다음 설명 중 올바른 것은 ?

1) 저면에코방식에 의한 감도조정은 감쇠가 적은 시험체에만 적용할 수 있다.

2) 저면에코방식에 의한 감도조정은 시험체의 탐상면과 저면이 평행하지 않으면 적용할 수 없다.

3) 저면에코방식에 의한 감도조정은 감쇠가 현저한 시험체일때 결함을 과소평가할 우려가 있다.

4) 저면에코방식에 의한 감도조정은 감도조정용의 STB 또는 RB가 반드시 필요하다.

7. 수직탐상에서 탐상방향의 선정 시 고려해야 할 사항을 서술하시오.

8. 수직탐상에서 최적검사조건의 선정을 위한 탐촉자 선정 시 고려해야 할 사항을 기술하시오

9. 수직탐촉자 5Q20N을 사용하여 STB G V8 의 인공결함을 측정할 때 결함에 높이가 최대가 되는 탐촉자 위치에서 저면에코높이를 50%에 조정하였을 때는 25 dB이였으며, 결함에코 높이가 50%일 때에는 40 dB 였다면 결함에코높이 $[F/B_F]$ 는 ?

10. 결함이 시험체 두께의 1/2위치에 있고 결함의 에코가 50[%], B_F에코는 90[%], B_G에코는 100[%]일 때 다음을 구하여라.

가. F/B_G(dB)

나. F/B_F(dB)

11. 검출레벨과 탐상감도에 대해 기술하시오.

12. 수직탐상에서 시험편방식과 저면에코방식에 의한 탐상감도조정의 방법을 비교 설명하시오.

13. 임상 에코(*grass*)의 발생요인과 대책에 대해 기술하시오.

14. 초음파탐상검사시 나타나는 적산효과에 대해 간단히 설명하시오.

15. 음향이방성의 정의와 음향이방성이 있는 시험체의 탐상방법을 기술하시오.

16. 2Q20N의 탐촉자를 사용하여 측정범위를 400 mm 로 조정하고, 두께 100 mm 의 대비시험편의 B_1에코높이 H_{B1}을 80%로 조정하였더니, B_2 및 B_3 에코높이 H_{B2}는 각각 50% 및 30%였다. 이 감도에서 두께 140 mm 의 시험체의 건전부의 저면에코를 측정하였더니 B_1에코 및 B_2에코높이가 각각 50%(H_1)와 20%(H_2)였다. 시험체와 대비시험편의 전달손실차 ($\triangle L_T$)와 감쇠계수차 ($\triangle \alpha$)를 구하라. 단 반사손실은 무시한다.

17. 5Q20N의 탐촉자를 이용하여, 두께 100 mm 의 시험체의 저면에코의 크기를 측정했을 때 B_1 및 B_2의 크기는 각각 H_{B1}=25 dB, H_{B2}=10.0 dB 였다. AVG선도를 이용하여 감쇠계수 α를 구하라. 단 반사손실은 2 dB/회이다.

18. 사각탐상에서 거리진폭특성곡선에 의한 에코높이구분선을 작성할 때 감도조정기준선이 되는 것은?

19. 강의 종파음속은 5,920 m/sec, 횡파음속 3,255 m/sec, 알루미늄의 종파음속 6,260 m/sec, 횡파음속을 3,080 m/sec라 할 때 5Z10×10A70(실측굴절각 70°) 탐촉자로 알루미늄을 초음파탐상할 때 굴절각은 몇 도인가 ? 또, 5Z10×10A45(실측굴절각 45°)의 경우는 몇 도 인가?

20. 50 mm 두께의 맞대기 용접부를 굴절각 70°의 탐촉자로 탐상하였을 때 빔 진행거리가 87 mm 거리에서 결함지시가 나타났다. 결함의 깊이는 ?

21. 모재 두께 20 mm 강판의 V개선 맞대기 용접부를 5Z10×10A70(실측굴절각 70.5°)를 탐상하였을 때 아래 그림의 탐촉자 위치에서 결함에코(측정범위 125 mm)가 검출되었다. 탐상면으로부터 결함깊이 및 용접부 중심으로부터 결함까지의 거리는 몇 mm 인가 ?

　　1) 결함깊이 :

　　2) 결함·용접부 중심거리 :

22. 사각탐상에 의해 탐상면에 수직인 평면상의 결함을 검출하려 할 때 2개의 탐촉자를 전후로 배치하여 한쪽은 송신, 다른 쪽은 수신하도록 하는 탐상방법은?

제 6 장 결함의 평가

초음파탐상검사는 시험체 중에 존재하는 결함을 검출하고 또한 성질과 상태를 조사하는 비파괴검사이다. 초음파탐상검사의 주목적은 결함 검출, 결함위치의 측정 및 결함의 성질과 상태 (종류, 형상, 크기, 기울기 등)의 측정이다. 결함의 위치 및 결함의 성질과 상태가 명확하게 되고 동시에 시험체의 파괴인성치나 균열진전의 양식 및 가동 중의 하중의 종류, 크기, 환경 등을 알면 파괴역학을 이용하여 파괴될 때의 결함의 한계치수를 구하는 것이 가능하다. 또 가동기간 중에 검출된 결함의 형상 및 크기를 구하고 균열진전속도를 측정함으로써 시험체의 잔존수명의 추정이 가능하다.

결함의 허용한계치수나 잔존수명을 보다 정확히 추정하기 위해서는 초음파탐상검사에서 결함의 검출률을 향상시키는 것과 함께 신뢰성이 높은 결함의 성질과 상태의 측정법을 적용해야 한다.

이 장에서는 초음파탐상검사에서 결함의 검출률 및 현재 적용되고 있는 결함의 성질과 상태 (크기, 길이, 높이 및 형상 등)의 측정법과 이들을 측정할 때 유의해야 할 사항에 대하여 기술한다. 여기에서 기술하는 결함의 크기라는 것은 결함을 둘러싸고 있는 직육면체의 3방향의 크기를 나타내고, 또 용접부에서는 그림 6.1과 같이 나타낸다.

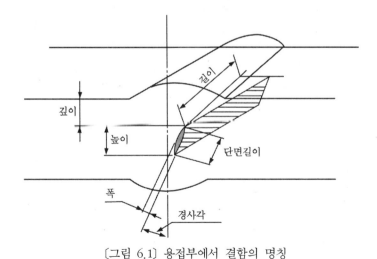

〔그림 6.1〕 용접부에서 결함의 명칭

6.1 결함 검출률

초음파탐상검사에서 가장 중요한 것은 불합격이어야 할 결함을 놓치지 않고 확실하게 검출하는 것이다. 그러기 위해서는 결함 검출률(*detectability*)을 정확하게 아는 것이 매우 중요하다.

일반적으로 결함의 검출률은 그림 6.2와 같이 결함 크기의 함수이다. 이상적인 탐상의 수행이 가능하려면 불합격인 허용할 수 없는 결함은 반드시 검출이 되어야하나 실제로는 매우 어려워 결함 검출률은 결함 크기가 커짐에 따라 서서히 증가하여 100%에 무한히 근접한다. 그림 6.2의 영역 A는 허용가능한 안전한 결함을 검출하고 때로는 불합격이라 판정하는 영역이다. 영역 B는 허용할 수 없는 결함을 놓칠 위험이 있는 영역으로 허용결함크기를 초과하는 결함이 잔존할 위험을 나타내고 있다. 시험체의 불필요한 보수를 적게 하기 위해서는 영역 A를, 또 안전성, 건전성 및 신뢰성을 향상시키기 위해서는 영역 B를 각각 영에 가깝게 되도록 최적의 탐상조건을 선정하여 검사를 할 필요가 있다.

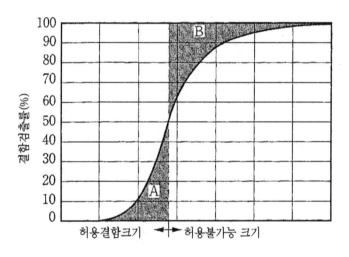

〔그림 6.2〕 결함의 크기와 결함 검출률의 관계

6.2 결함 에코의 식별

초음파탐상검사에서 결함의 검출능(***detectability***)은 결함에코높이(S)와 임상에코높이(N)의 비, 즉 S/N비에 의해 판단되며 보통 S/N비가 약 3이상의 경우 결함에코의 식별이 가능해진다고 일컬어지고 있다. S/N비는 사용하는 탐상기나 탐촉자 외에 시험체의 재료 특성(조직, 결정립의 크기 등)에 영향을 받는다.

초음파탐상검사에서 평가 대상으로 하는 결함에코 높이의 최저한계레벨을 검출 레벨이라 하고, 검출 레벨은 검출 대상으로 하는 결함의 크기나 시험체에서의 S/N비 등을 고려하여 결정 된다. KS B 0896(강용접부의 초음파 탐상 검사 방법)에서는 이하에 나타내는 거리진폭특성 곡 선(에코높이구분선)의 M선을 검출 레벨로 하는 M 검출 레벨 및 L선을 검출레벨로 하는 L 검출 레벨을 검출레벨로 규정하고 있다.

6.2.1 거리진폭특성곡선

시험체 중을 전파하는 초음파의 빔진행거리가 길어지면 확산 손실이나 산란 감쇠가 발생하여 초음파의 음압은 점차 약해진다. 따라서 같은 형상, 크기의 반사원이라 하더라도 빔진행거리가 길어질수록 에코높이는 낮아진다. 이것을 거리진폭특성(***distance amplitude characteristic; DAC***) 이라 하며 빔 진행거리에 의한 에코 높이의 변화를 나타내는 곡선을 거리진폭특성곡선(***DAC Curve***)이라 한다. 초음파탐상검사에서 결함을 평가하는 경우에는 반드시 이 거리진폭특성을 고려 하지 않으면 안 된다.

거리진폭특성곡선은 표준 결함을 여러 거리에서 탐상하여 각각의 에코 높이를 그려서 그들을 연결하여 작성한다. 이들 거리진폭특성곡선을 6 dB 단계로 그린 선을 에코높이구분선이라 하며 결함 에코 높이를 영역으로 구분하여 평가할 때에 사용된다.

거리진폭특성곡선은 결함의 종류, 크기, 형상이나 시험체의 재질 외에 탐상기의 특성, 탐촉자 의 주파수 및 굴절각 등에 의해서도 달라진다. 따라서 실제로 검사에 사용하는 탐촉자로 작성하 는 것이 필요하다. 또한 어떠한 표준 결함을 사용하여 그릴 지는 각 규격에 규정되어 있다. KS B 0896에 규정되어 있는 거리진폭특성곡선에 의한 에코높이구분선의 작성 요령, 영역 구분의 결 정 방법 및 탐상 감도의 조정 방법의 예를 이하에 나타낸다.

가. 수직 탐상

① 에코높이구분선의 작성에서 그림 6.3에 나타내는 위치에서 탐촉자를 주사(走査)하고 각각의 최대 에코 높이의 최대 위치를 눈금판에 점으로 표시한다. 그리고 이들 4점을 직선으로 연결하여 하나의 에코높이구분선으로 한다.

② 에코높이구분선의 개수는 1개 또는 복수로 하고 복수인 경우에는 6 dB씩 다른 에코
높이 구분선을 3개 이상 작성한다.
③ 영역 구분은 표 6.1에 따라 결정한다.

표 6.1 에코 높이의 영역 구분(KS B 0896)

에코 높이의 범위	에코 높이의 영역
L선 이하	I
L선을 넘고 M선 이하	II
M선을 넘고 H선 이하	III
H선을 넘는 것	IV

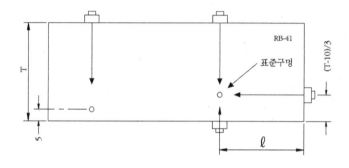

〔그림 6.3〕 에코 높이 구분선 작성을 위한 탐촉자 위치(수직 탐상)

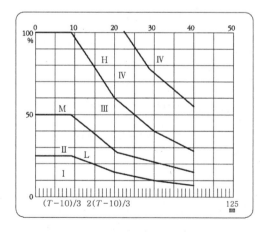

〔그림 6.4〕 에코높이구분선의 작성, H선의 선택 및 영역구분의 결정 예 (RB-41, 수직 탐상)

④ 이와 같이 하여 에코높이구분선을 작성하여 H선의 선택과 영역 구분을 결정한 예를 그림 6.4에 나타낸다. 5Z20N을 사용하여 빔진행거리 75 ㎜ 부근을 주된 탐상범위로 하는 경우의 예이다.

⑤ 탐상감도의 조정은 RB-41의 표준구멍의 에코높이가 H선에 일치하도록 조정하여 실시한다.

나. 사각 탐상

① 에코높이구분선은 원칙적으로는 탐상검사에 실제로 사용하는 탐촉자를 사용하여 작성한다. 작성되는 에코높이구분선은 보조 눈금판에 기입한다.

② KS B 0831에 규정하는 A2형계 표준시험편을 사용하여 에코높이구분선을 작성하는 경우에는 $\phi 4 \times 4$ ㎜ 의 표준구멍을 사용한다. KS B 0896에서 규정하는 RB-41을 사용하는 경우에는 RB-41의 표준구멍을 사용한다.

③ 에코높이구분선의 작성은 그림 6.5에 나타내는 위치에서 주사(*scanning*)하여 각각의 최대 에코 높이의 최대 위치를 눈금판에 그려 넣는다. 그들의 각 점을 연결하여 하나의 에코높이구분선으로 한다.

④ A2형계 표준시험편을 사용하는 경우 0.5스킵(*skip*) 거리 이내의 범위는 0.5스킵의 에코 높이로 한다. RB-41의 No.2 및 No.3을 사용하는 경우에는 $(T-10)/2$ 및 $(T-10)/3$ 의 구멍에서의 빔진행거리 이내의 범위는 그 에코높이로 한다.

⑤ 에코높이구분선의 개수는 복수 또는 1개로 하여 복수의 경우에는 $6\ dB$ 씩 다른 에코 높이 구분선을 3개 이상 작성한다.

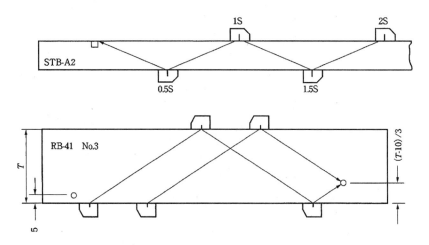

〔그림 6.5〕 에코높이구분선 작성을 위한 탐촉자 위치(사각 탐상)

⑥ 이들 에코높이구분선 중 적어도 하위에서 3번째 이상의 선을 선택하여 H선으로 하고, 이것을 탐상감도를 조정하기 위한 기준선으로 한다. H선은 원칙적으로 결함 에코의 평가에 사용되는 빔진행거리의 범위에서 그 높이가 40% 이하가 되지 않는 선으로 한다. H선보다 6 *dB* 낮은 에코높이구분선을 M선으로 하고, 12 *dB* 낮은 에코높이구분선을 L선으로 한다.

⑦ H선, M선 및 L선으로 구분된 각각의 영역을 표 6.1처럼 구분한다.

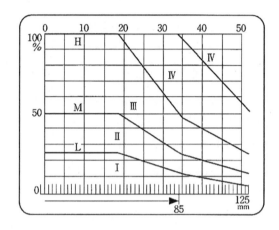

〔그림 6.6〕 에코높이구분선의 작성, H선의 선택 및 영역 구분의 결정 예 (STB-A2)

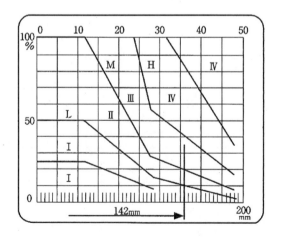

〔그림 6.7〕 에코높이구분선의 작성, H선의 선택 및 영역 구분의 결정 예 (RB-41)

⑧ 이와 같이 하여 H선의 선택과 영역 구분을 결정한 예를 그림 6.6 및 그림 6.7에 나타 낸다. 그림 6.6은 STB-A2를 사용하여 측정범위 125 ㎜ , 평가하는 빔진행거리 85㎜까 지의 경우 하위로부터 3번째의 구분선을 H선으로 한 예이다. 그림 6.7은 RB-41(T=75 ㎜)을 사용하여 측정범위가 200 ㎜ 로 평가하는 빔진행거리가 142 ㎜ 까지의 경우에 아래부터 4번째의 구분선을 H선으로 한 예이다.

⑨ 탐상감도의 조정 방법은 다음에 의한다. A2형계 표준시험편에 의한 경우에서 공칭 굴절각 70° 를 사용하는 경우는 $\phi 4 \times 4$ ㎜의 표준구멍의 에코 높이가 H선에 일치하 도록 게인 조정 손잡이를 조정하여 필요에 따라 감도보정량을 더하여 이것을 탐상감 도로 한다. 공칭 굴절각 65° 를 사용하는 경우에는 $\phi 4 \times 4$ ㎜ 의 표준구멍의 에코 높 이가 M선에 일치하도록 게인 손잡이를 조정하여 필요에 따라 감도보정을 하여 이것 을 탐상감도로 한다. RB-41에 의한 경우에는 표준구멍의 에코 높이가 H선에 일치하 도록 조정하여 이것을 탐상감도로 한다.

다. 각종 규격에 의한 방법

거리진폭특성곡선을 고려하여 검출(평가) 레벨을 규정하고 있는 탐상규격은 강용접부가 대상인 KS B 0896, 알루미늄 용접부가 대상인 KS B 0644, 강철 구조 건축 용접부가 대상인 일본 건축 학회 규준 및 보일러-압력 용기를 대상으로 하는 ASME(미국 기계 학회) Sec. V 등이 있다.

표 6.2 각종 규격에서 거리진폭특성 곡선 작성 시의 시험편 및 검출 레벨

	강 용접부 (KS B 0896)	알루미늄 용접부 (KS B 0544)	건축 학회 규격 (KS D 0040)	ASME Sec.V
시험편	STB-A2형계 표준 시험편 또는 RB-41 대비 시험편	RB-A4AL 가로 구멍 대비 시험편	STB-A2형계 표준 시험편 및 RB-ARB의 가로 구멍 대비 시험편	RB-41과 같은 가로 구멍 대비 시험편
검출 레벨 (평가 레벨)	L검출 레벨 또는 M검출 레벨	A평가 레벨, B 평가 레벨 및 C평가 레벨	L검출 레벨 및 RB-ARB($\varnothing$ 3.2 ㎜ 가로 구멍)의 거리 진 폭 특성 곡선의 에코 높이(시험체의 판 두 께가 75 ㎜이상)	표준 구멍(가로 구 멍)의 거리 진폭 특 성 곡선의 에코 높이 (100% DAC), 단 기 록 레벨은 50% DAC 및 25% DAC

이들 규격에서 거리진폭특성 곡선을 작성할 때에 사용되는 시험편의 표준 구멍의 형상은 ASME Sec.V 및 KS B 0897에서는 가로 구멍 형태(SDH)이며 JIS Z 3060에서는 세로 구멍 형태(FBH) 및 가로 구멍 형태(SDH)이다.

6.3 결함 위치의 측정

6.3.1 수직 탐상

그림 6.8과 같이 초음파 빔을 탐상면에 대하여 수직으로 전파시켜 결함에 닿게 하여 탐촉자를 탐상면 상에서 2차원적으로 주사하여 결함 에코 높이가 최대가 되는 탐촉자의 위치 및 빔진행거리를 구한다. 이때의 기준점에서의 탐촉자의 위치(X, Y)가 결함의 위치이며, 빔진행거리(W_F)가 결함의 깊이 위치(d)이다.

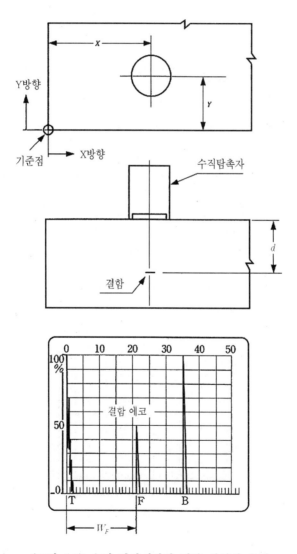

〔그림 6.8〕 수직 탐상에서의 결함 위치의 측정

6.3.2 사각 탐상

그림 6.9와 같이 탐상면에서 초음파 빔을 경사로 전파하여 결함에 닿게 하고 탐촉자를 전후, 좌우 및 목돌림 주사하여 결함 에코 높이가 최대가 될 때의 탐촉자 위치 및 빔진행거리를 구한다. 이때 기준점에서 탐촉자까지의 거리 X_P가 결함의 길이 방향의 위치이며, 또한 빔진행거리와 탐촉자의 굴절각으로부터 결함의 깊이(d), 탐촉자 − 결함 거리(y) 및 기준점에서 결함까지의 거리(k)를 다음과 같이 구할 수 있다.

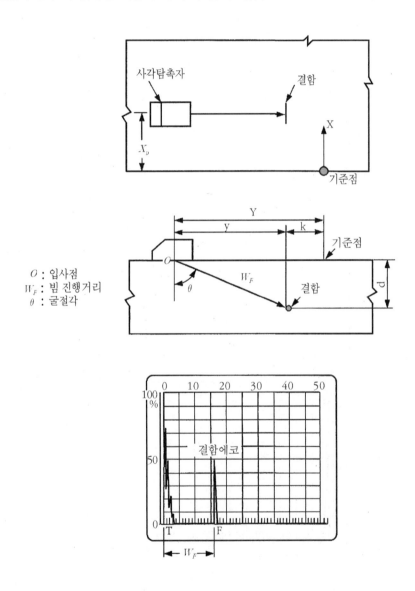

〔그림 6.9〕 사각 탐상에서의 결함 위치의 측정(직사법)

가. 직사법의 경우

결함의 깊이 위치: $d = W_F \cdot \cos\theta$ ·······································(6.1)

탐촉자—결함 거리: $y = W_F \cdot \sin\theta$ ·······································(6.2)

기준점에서 결함까지의 수평 거리: $k = Y - y = Y - W_F \cdot \sin\theta$ ·············(6.3)

나. 1회 반사법의 경우

결함의 깊이 위치 d는 그림 6.10에서와 같이 구한다. 우선 직사법과 동일하게 하여 겉보기의 결함 깊이 위치 d'를 계산하면 식 6.4 을 얻을 수 있다.

$$d' = W_F \cdot \cos\theta$$ ···(6.4)

시험체 중의 실제의 결함 깊이 d는 시험체의 판 두께 t의 2배($2t$)에서 d'을 뺀 값과 같기 때문에 식 6.5로 나타난다.

결함의 깊이 위치: $d = 2t - W_F \cdot \cos\theta$ ································(6.5)

또한 1회 반사법에서 탐촉자-결함 거리 y 및 기준점에서 결함까지의 거리 k는 직사법의 경우와 같으며 식 6.2 및 식 6.3으로 구해진다.

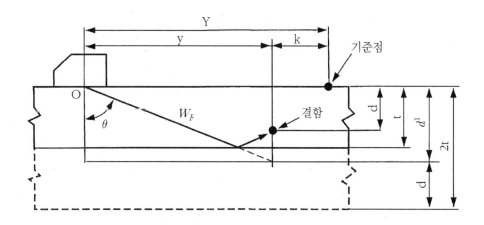

〔그림 6.10〕 1회 반사법에서의 결함 위치의 측정 방법

6.3.3 결함 위치 측정 시 유의할 점

이상에서 설명한 결함 위치의 측정방법은 결함의 최대에코높이가 얻어지는 것은 빔의 중심이 결함 중심부에 입사하여 반사 후에는 다시 같은 경로로 탐촉자에 되돌아온다고 가정한 것이다. 또 시험체의 음향특성은 일정하다고 가정한다. 그러나 시험체의 형상이나 재료특성 및 결함의 발생위치 그 형상 등에 따라서는 다음에 제시하는 것과 같이 이들의 가정이 성립하지 않는 경우가 있고 결함 위치를 측정하는 경우 주의해야 할 필요가 있다.

① 시험체와 표준시험편의 음속에 차가 있는 경우
② 시험체에 음향이방성이 있는 경우
③ 탐상면의 거칠기가 불균일한 경우
④ 탐상면에 곡률이 있는 경우
⑤ 시험체가 변형해 있는 경우
⑥ 시험체가 근거리음장 내에 있는 경우
⑦ 결함이 표면에 있는 경우
⑧ 초음파 빔이 결함 면에 대해 경사로 입사하는 경우

6.4 결함 크기의 측정

원형평면 결함을 원거리 음장에서 탐상하면 결함의 에코 높이는 결함의 면적(또는 결함지름의 제곱)에 비례하기 때문에 에코높이로부터 결함의 크기를 측정할 수 있다. 그러나 결함의 크기가 식 6.6으로 나타나는 한계 치수 D_{FCR}보다 큰 경우에는 에코 높이는 일정해지므로 에코 높이로부터는 결함의 크기를 측정할 수 없다.

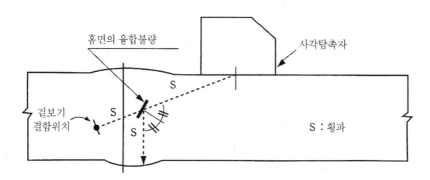

(a) 홈면에서 반사하는 경우

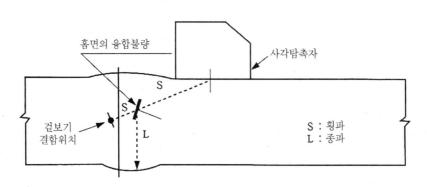

(b) 홈면에서 횡파 → 종파로 모드 변환을 하는 경우

〔그림 6.11〕 홈면에서 반사 및 모드 변환이 생기는 경우의 결함 위치의 어긋남

$$D_{FCR} = \sqrt{\frac{2\lambda x}{\pi}} \quad \cdots\cdots\cdots\cdots\cdots\cdots\cdots\cdots\cdots\cdots\cdots\cdots (6.6)$$

여기에서 λ는 파장, x는 빔진행거리이다.

한계 치수보다 큰 결함에 대해서는 탐촉자를 이동시킬 때의 에코 높이의 변화로부터 결함의 크기를 측정할 필요가 있다. 결함 치수를 측정할 때 측정한 결함의 크기가 한계 치수 이하의 경우에는 작은 결함으로 하며, 이것을 넘는 경우에는 큰 결함으로 취급한다. 이하에 각각의 결함 크기의 측정 방법을 나타낸다.

6.4.1 결함의 크기가 빔 폭 보다 작은 경우

가. DGS 선도(AVG 선도)법

DGS 선도는 원형평면결함 및 저면으로부터 에코높이의 크기와 거리, 결함크기와의 관계를 정리한 선도이다. DGS 선도라는 명칭은 영어로 거리(*Distance*), 진폭(*Gain*) 및 크기(*Size*)의 의미를 나타내며, DGS 선도는 검출해야할 결함의 위치와 크기(원형등가치수)를 알고 있을 때 탐상감도 검출레벨을 정하고 또 검출한 결함의 크기를 원형등가크기로 추정하는 데 사용된다.

이 선도는 1959년 독일의 KRAUTKRAMER에 의해 발표되었기 때문에 독일어 단어의 두 문자를 취하여 AVG 선도로 불리고 있었지만, 현재에는 영어명의 DGS 선도라는 명칭이 사용되고 있다. DGS 선도는 검출해야 할 결함의 위치와 치수(원형 등가 치수)를 알고 있을 때의 탐상 감도와 검출 레벨을 결정하기도 하고 또한 검출한 결함의 치수를 원형 등가 치수로서 추정하는 데에 사용되고 있다. DGS 선도의 가로 축, 세로 축 및 각 곡선에 붙인 변수는 각각 다음과 같다.

- ○ 가로축 $n(=\dfrac{x}{x_0})$: 반사원(결함)까지의 기준화 거리

    $n_B(=\dfrac{T}{x_0})$: 저면까지의 기준화 거리

- ○ 세로 축 $[F/B_0](=20\log_{10}\dfrac{P_F}{P_0})$: 기준화된 결함 에코의 높이 ($dB$ 표시)

    $[B/B_0](=20\log_{10}\dfrac{P_B}{P_0})$: 기준화된 저면 에코의 높이 ($dB$ 표시)

- ○ 변수 $S(=\dfrac{d}{D})$: F/B_0으로 나타내는 곡선군 S는 결함의 기준화 지름을 나타낸다. 또한 B/B_0는 저면에 상당한다. 이처럼 기준화된 값을 사용하면 결함 에코 및 저면 에코의 크기는 다음과 같다.

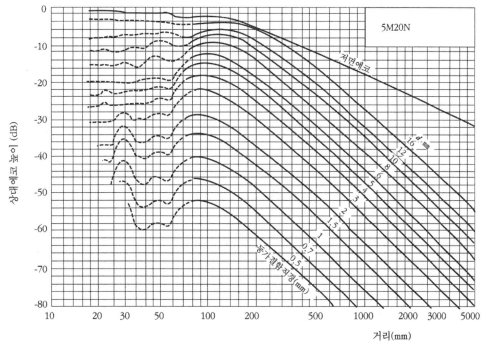

［그림 6.12］ DGS 선도의 예

$$\frac{P_F}{P_0} = \frac{\pi D^2}{4\lambda x} \cdot \frac{\pi d^2}{4\lambda x} = \left(\frac{d}{D}\right)^2 \cdot \left(\frac{\pi}{n}\right)^2 = \left(\frac{\pi S}{n}\right)^2 \quad \cdots\cdots\cdots\cdots\cdots\cdots(6.7)$$

$$\frac{P_B}{P_0} = \frac{\pi x_0}{2T} = \frac{\pi}{2n_B} \quad \cdots\cdots\cdots\cdots\cdots\cdots\cdots\cdots\cdots\cdots\cdots\cdots\cdots(6.8)$$

DGS 선도의 각 곡선의 직선 부분($n \geqq 4$의 범위)은 6.7 식 및 6.8 식을 dB로 표시한 결과이다. 곡선 부분($n < 4$의 범위)은 상세한 계산을 한 결과이다. 또한 실제로는 그림 6.12에 나타내는 것과 같이 기준화하지 않고 실제로 사용하는 탐촉자에 따라 실 치수, 실 거리로 작성한 DGS 선도를 사용하는 경우가 많다.

나. 결함 크기 측정

작은 결함의 경우 결함 에코 높이와 결함 면적의 사이에 비례 관계가 있다는 것을 이용하여 결함 위치가 원거리 음장이 되도록 탐촉자를 선택하여 결함으로부터 최대 에코 높이를 검출하여 그것들의 에코 높이로부터 결함의 크기를 측정할 수 있다.

결함의 최대 에코 높이는 초음파가 결함 면에 수직으로 입사했을 때 얻을 수 있기 때문에 여러 방향에서 초음파를 입사시켜 각각의 방향에서 얻어지는 최대 에코 높이 중, 가장 높은 에코를 결함 에코 높이로 하고, 이 결함 에코 높이로부터 결함의 크기를 측정한다. 측정한 결함의 크기가 한계치수 미만인 경우에는 이것을 결함 크기로 하며, 같은 경우에는 큰 결함으로 다음 항에 나타내는 큰 결함의 크기 측정 방법에 따라 측정한다. 작은 결함 크기의 대표적 측정법인 DGS 선도를 사용하는 방법에 대하여 아래에 설명한다.

DGS 선도는 가로축에 빔 진행거리, 세로축에 에코 높이, 그리고 변수를 결함 지름으로 나타낸 것으로서 결함의 크기(지름)를 측정하는 방법으로서 자주 사용되고 있다. DGS 선도를 사용하는 방법은 초음파 빔의 중심축에 대하여 원형 평면 결함이 수직으로 존재한다는 가정 하에 등가결함 지름을 측정하는 방법이다. 따라서 이와 같은 조건을 만족하는 두꺼운 강판이나 단강품(鍛鋼品)의 미압착 균열 등에서는 상당히 높은 정확도로 결함 치수를 측정할 수 있지만, 용접부의 사각 탐상에서는 결함 면에 대하여 초음파 빔이 수직으로 입사한다고는 할 수 없으며 또한 용접부에 발생하는 결함은 긴 방향으로 연속하고 있는 등 DGS 선도를 적용할 수 있는 조건과 실제의 조건이 달라 과소평가하는 경우가 많다.

DGS 선도를 정확하게 사용하기 위해서는 다음 사항에 유의할 필요가 있다.

① 에코의 파형이 4사이클 이상의 협대역 탐촉자를 사용한다. 따라서 고분해능 탐촉자(광대역 탐촉자)는 적용할 수 없다.
② 에코의 주파수가 공칭주파수와 오차 10% 이내로 되어 있을 것. 또한 보호막 부착 탐촉자를 사용하는 경우에는 보호막의 두께가 적절하지 않으면 에코의 파형이 흐트러져 주파수의 충실성을 잃게 되는 경우가 있으므로 적절한 두께인 것을 사용해야 한다.
③ 시험체의 재질은 저탄소강 내지 저합금강(종파 음속 5,900 m/s 정도, 횡파 음속 3,230 m/s)일 것, 시험체의 감쇠나 음속이 이것들과 현저하게 다른 경우에는 보정이 필요하다.
④ STB-G 등을 사용하여 탐촉자의 거리진폭특성을 측정하여 사전에 DGS 선도의 곡선과 같은 특성을 나타내는 것을 확인해 두는 것이 바람직하다.

이어 DGS 선도를 사용하여 시험편방식 및 저면에코방식에 의해 결함 크기를 추정하는 방법에 대하여 예제로 나타낸다.

(1) 시험편방식의 경우
　　주파수 2 MHz, 진동자 지름 20 ㎜ 의 탐촉자를 사용하여 저탄소강을 수직 탐상했더니

탐상면에서 120 mm 의 위치에 STB-G V8의 에코높이 보다 10 *dB* 낮은 결함 에코가 검출되었다. 이 결함을 초음파 빔에 수직한 원형평면 결함으로 가정하고 그 지름(결함의 크기)을 그림 6.13의 DGS 선도를 사용하여 구하여 보면 다음과 같다. 단 STB와 시험체에서 접촉 상태, 감쇠 및 음속의 차이는 없는 것으로 한다.

STB-G V8의 표준 구멍은 탐상면에서 80 mm 의 거리에 있으며 그 지름은 2 mm 이다. 따라서 지름 2 mm 의 원형 평면 결함의 곡선상의 점 P가 이 표준 구멍에서의 에코 높이를 나타내고 있다. 이보다 10 *dB* 낮은 에코가 거리 140 mm 의 위치에서 검출되었기 때문에 거리 140 mm 의 위치에서 점 P보다 10 *dB* 낮은 에코 높이를 나타내는 점 Q를 얻을 수 있다. 점 Q에 대응하는 결함의 크기는 1.5 mm 와 2 mm 의 사이에 있으며 눈대중으로 읽어 1.9 mm 가 된다.

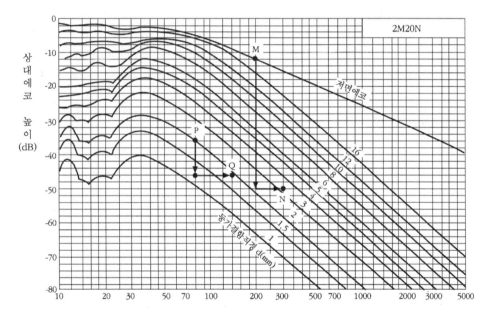

〔그림 6.13〕 DGS 선도(2M20N)

(2) 저면에코방식의 경우

2Z20N의 탐촉자를 사용하여 두께 200 mm 의 양면이 평행한 단강품을 수직탐상한다. 건전부의 저면에코높이를 80%로 했을 때의 게인의 값은 30 *dB* 이었다. 그리고 결함 에코가 탐상면에서 깊이 300 mm 의 곳에서 검출되어 그 에코 높이를 80%로 했을 때의 게인값은 68 *dB* 이었다. 그림 6.13 을 사용하여 결함의 크기를 구하여 보면 다음과 같다.

두께 200 mm 의 저면에코 높이는 저면에코 높이의 선과 가로축 200 mm 와의 교점 M의 세로축의 값이 -12 dB 가 된다. 결함의 에코 높이는 이것에서(68 dB $-$ 30 dB) = 38 dB 에코가 낮기 때문에 세로축의 값은 -12 $-$ 38 = -50 dB 가 된다. 결함의 깊이 위치는 300 mm 이기 때문에 이 300 mm 의 세로선과 $-50dB$ 의 가로선과의 교점(N점)을 구한다. 이 점의 결함 지름은 3 mm 와 4 mm 의 사이가 되기 때문에 눈대중으로 읽어 결함의 지름은 3.2 mm 가 된다. 또한 선을 긋는 방법이나 읽는 방법에 따라서는 결함 지름을 구할 때 0.1 mm 정도의 오차가 발생하지만 이것은 수 %정도로써 허용 범위 내로 생각해도 좋다.

6.4.2 결함의 크기가 빔 폭 보다 큰 경우

결함의 크기가 초음과 빔 폭 보다 큰 경우 즉, 결함의 크기가 한계 치수보다 크다고 판단되는 경우 결함지시길이는 탐촉자를 좌우 주사하였을 때의 결함에코의 출현 범위(탐촉자의 이동거리)를 구함으로서 결함 치수를 측정하는 것이 가능하다. 결함지시길이 측정방법은 규격에 따라 다르고, 측정된 지시길이는 결함의 위치, 종류, 형상, 크기, 기울기에 따라서도 다르고 또 탐촉자의 종류에 따라서도 다르기 때문에 규격에서는 최대 공약수적인 방법이 사용되고 있다. 또 경제성을 고려하여 검사 비용이 너무 높아지지 않도록 간편한 측정 방법이 사용되고 있다.

규격은 반드시 최신의 기술이 사용되는 것은 아니라 필요로 하는 최소한의 요구를 만족시키는 규정이라는 것을 알 필요가 있다. KS 등 대표적인 규격에서 채용하고 있는 결함지시길이 측정 방법은 표 6.3과 같으며 그 중 다음과 같은 2가지 방법에 대해 소개한다.

표 6.3 규격에서 규정하고 있는 결함지시길이의 측정 방법

규격	데시벨 드롭법	문턱값법
KS B 0896 (JIS Z 3060)	6 dB drop	L선컷
AWS D 1.1	6 dB drop	
ASME Sec. V		50%DAC컷
BS 3923	20 dB drop	
EN 583.5	6, 12, 20 dB drop	6, 12, 20 dB DAC컷

가. 데시벨 드롭법

데시벨(D_e) 드롭(**Decibel drop**)법은 그림 6.14(a)와 같이 "최대 에코높이로부터 에코높이가 일정한 데시벨로 저하할 때까지의 탐촉자의 이동거리"를 결함지시길이로 하는 방법이다. 이 데시벨 값은 탐촉자의 지향성, 빔진행거리, 결함의 형상 등으로부터 영향을 받으나 일반적으로는 6 dB, 10 dB 및 20 dB 등이 사용되고 있다. 전달손실, 감쇠, 에코높이의 영향을 잘 받지 않는다는 장점이 있으나, 한편 짧은 결함을 길게 과대평가할 수 있고, 측정값에 주관이 들어가게 되고 빔프로파일의 영향을 받아 자동탐상의 사용에 어렵다는 점 등의 단점이 있다.

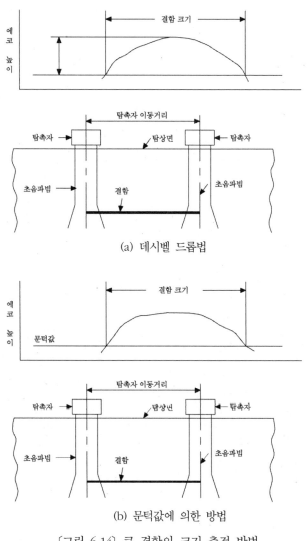

(a) 데시벨 드롭법

(b) 문턱값에 의한 방법

〔그림 6.14〕 큰 결함의 크기 측정 방법

이 방법은 빔의 폭보다도 큰 평면형 결함에 측정 정확도가 좋으나 빔 폭보다도 결함이 작은 경우에는 과대평가되기 때문에 주의해야 한다. 이 방법을 사용하고 있는 규격에는 알루미늄 용접부의 결함지시길이 측정방법(KS B 0897)의 10 dB 드롭법, AWS Structural Welding Code 규정의 6 dB 드롭법 등이 있다.

6 dB 드롭법은 빔 폭보다 큰 결함의 측정에 유효하다. 탐촉자를 주사하였을 때 탐촉자 위치와 에코높이를 그래프화한 것을 「주사그래프(*Scanning graph*)」라 부른다. 또, 추정한 결함넓이의 한 방향 길이를 「결함 지시 길이」라고 부른다. 그림 6.15와 같이 「주사그래프」로부터 「결함의 지시 길이」를 아는 것이 가능하다. 또, 탐촉자 중심 위치를 강철자로 측정하는 경우, 탐촉자의 끝까지를 측정하고 나중에 탐촉자의 반지름을 더하면 정확한 측정이 가능하다.

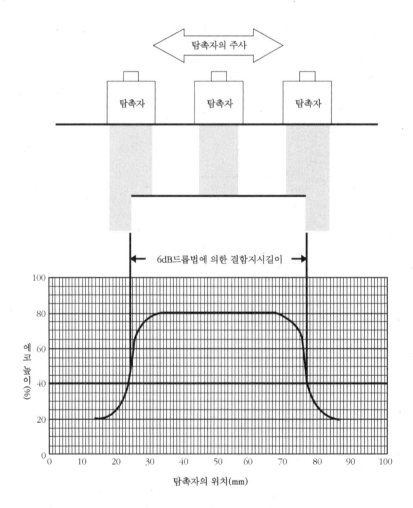

〔그림 6.15〕 주사그래프와 결함지시길이

영국의 BS 3923에서 규정하고 있는 20 dB 유효빔폭법은 빔 폭을 보정하는 데시벨 드롭법의 일종이다. 이 방법은 같이 $\phi 1.5$ ㎜ 관통되지 않은 가로구멍을 겨냥하여 좌우주사하고 에코높이가 최대값보다 20 dB 작아질 때의 탐촉자와 시험체의 끝단까지의 거리(B)를 측정하고 이로부터 가로구멍의 길이(A)를 빼어 유효빔폭을 구한다. 이들 유효빔폭을 여러 종류의 가로구멍 깊이(빔진행거리)에서 구해 놓는다. 그리고 탐상하여 결함에코가 얻어졌을 때 좌우주사하여 최대에코높이에서 20 dB 작아질 때의 탐촉자 이동량을 구하고 이 값으로부터 동일 빔진행거리에서의 유효빔폭을 빼어 결함지시길이로 하는 방법이다. 이 방법은 실제로 사용하는 탐촉자의 빔 폭을 결함 끝부분으로 교정한다는 의미로 정확한 측정이 기대되나 결함 형상이 불규칙하여 다수의 에코가 얻어지는 경우에는 적용성이나 측정정확도가 나빠질 수 있기 때문에 주의를 요한다.

나. 문턱값에 의한 방법

최대에코높이와는 관계없이 에코 높이가 어느 일정한 높이(문턱값, *threshold level*) 이상에서 얻을 수 있는 탐촉자의 이동 거리를 결함 크기로 하는 방법이다. 문턱값은 대비시험편 등을 이용하여 결정되지만 탐촉자의 지향성, 빔진행거리, 결함의 형상, 탐상면의 거칠기, 결함의 기울기 등으로부터 영향을 받는다. 이 방법을 채용하고 있는 규격에는 KS B 0896의 L선컷 (*cut*)법, ASME Sec. V의 50% DAC컷(6 dB 드롭)법 등이 있다. 이 방법은 주관이 개입되기 어렵고 자동탐상에 이용하기 쉬운 점 등의 특징이 있다. 한편 전달손실이나 결함에코높이의 영향을 받기 쉽다는 점 등의 결점이 있다.

데시벨 드롭법에서는 최대에코높이에서 어느 정도 낮은 에코 높이를 결함의 끝의 에코 높이와 일치하게 하는지가 중요해진다. 이때의 에코 높이($D_e = A - C$)는 결함의 형상이나 기울기 등에 의해 영향을 받기 때문에 대상이 되는 결함의 형상이나 기울기를 미리 조사해 두고 적절한 데시벨 값을 정하는 것이 필요하다. 일반적으로는 데시벨의 값으로서 6 dB, 10 dB, 20 dB 등이 사용되고 있다.

결함의 형상에 따른 데시벨 값에 관해서는 그림 6.16의 모식도에 나타내듯이 결함의 끝단부의 형상이 예리할수록 결함 끝에서의 에코 높이가 낮아지기 때문에 데시벨 값을 크게 할 필요가 있다. 기울기가 있는 결함으로 초음파 빔이 결함 면에 비스듬하게 입사하는 경우에는 수직 입사로 가정한 데시벨 값으로 측정하면 오차가 발생하는 경우가 있기 때문에 가능한 한 수직 입사하도록 고려할 필요가 있다.

또한 한계 치수보다 작은 결함에 대하여 데시벨 드롭법을 적용하면 결함의 반사 지향성 때문에 작은 결함일수록 과대평가하기 때문에 주의가 필요하다. 반드시 결함 치수가 한계 치수보다 큰 것을 예측 또는 확인한 후 측정하지 않으면 안된다. 또한 집속 수직(또는 사각) 탐촉자 혹은 2진동자 수직(사각) 탐촉자를 사용하여 측정하면 결함 끝에서의 에코가 민감하게 반응하기 쉬워 져 측정 정확도가 향상되므로 정확한 측정이 가능하다.

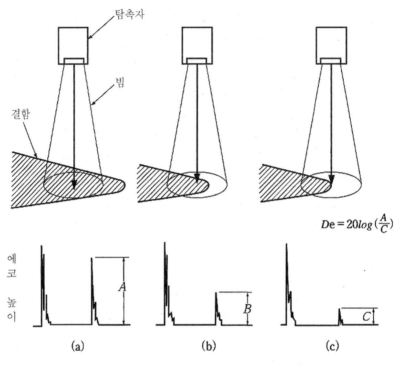

$$De = 20log\left(\frac{A}{C}\right)$$

〔그림 6.16〕 결함의 단부와 에코높이

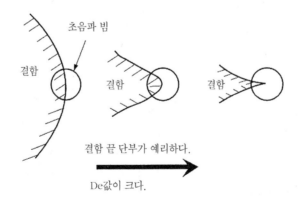

〔그림 6.17〕 결함 단부의 예리함과 데시벨 값의 관계

문턱값에 의한 방법으로 측정하는 경우의 유의사항은 이상에서 기술한 데시벨 드롭법의 경우와 대략 같다. 문턱값에 의한 방법은 보통 검사의 대상이 되는 결함의 종류나 형상에 대하여 축적된 초음파 탐상 데이터를 바탕으로 결정되지만, 많은 경우 여러 규격에 규정되어 있다. 표 6.4는 데시벨 드롭법과 문턱값에 의한 방법의 장단점을 정리한 것이다.

표 6.4 데시벨 드롭법 및 문턱값에 의한 방법의 장단점

	장점	단점
데시벨 드롭법	① 전달 효율이나 감쇠의 영향을 받기 어려움 ② 결함 에코 높이의 영향을 받기 어려움	① 측정값에 주관이 들어가기 쉽다. ② 기술자의 피로에 의한 실수가 들어가기 쉽다. ③ 과대평가하기 쉽다. ④ 자동 탐상에 적용하기 어렵다.
문턱값에 의한 방법	① 단순하고 기계적인 측정법이기 때문에 측정치에 주관이 들어가지 않고 기술자의 정신적 부담이 적으며 또한 피로 등에 의한 실수가 적다. ② 자동 탐상에 쉽게 응용 가능하다.	① 결함 에코 높이의 영향을 받기 쉬우며 블로홀 등의 짧은 결함을 과소평가하고, 루트, 용입 불량 등의 긴 결함을 과대평가하는 경우가 있다. ② 기술자의 피로에 의한 실수가 들어가기 쉽다.

6.4.3 수직탐상

수직 탐상에서 결함지시길이의 측정 방법으로는 그림 6.18에 나타내듯이 탐촉자를 이동시켰을 때의 결함에코 높이(F_1)나 저면에코 높이(B_1) 또는 (F_1/B_1)의 변화를 이용하는 방법이 사용되고 있다. 예를 들면 KS D 0233에서 수직탐촉자에 의해 강판의 결함을 측정하는 경우 「탐촉자를 이동하여 결함 에코 높이(F_1), 저면에코 높이(B_1) 또는 F_1/B_1이 표 6.5에 나타내는 값(측정 한계)까지 저하할 때의 탐촉자의 중심간 거리를 측정하여 결함의 지시 길이로 한다」고 규정되어 있다.

강판의 두께가 60 ㎜ 이하의 경우에는 2진동자 수직탐촉자도 사용되며, 결함의 지시 길이를 측정할 때의 주사 방법으로서는 그림 6.19에 나타내는 것처럼 탐촉자의 음향 격리면을 주 압연 방향에 평행하게 배치하여 압연 방향과 직각으로 주사하는 X주사와 탐촉자의 음향 격리면을 주 압연 방향으로 직각이 되게 배치하여 압연 방향으로 주사하는 Y주사에 의해 주사하도록 정해져 있다.

표 6.5 결함지시길이 측정 시의 측정 한계(KS D 0233)

결함의 종류	에코 높이 또는 F_1/B_1
가벼운 결함(○결함)	F_1=25% 또는 F_1/B_1=25%
중간 결함(△결함)	F_1=50% 또는 F_1/B_1=50%
큰 결함(X결함)	F_1=50% 또는 F_1/B_1=50% 또는 B_1=50%

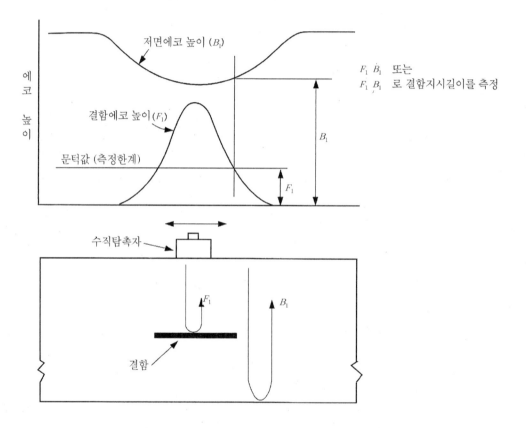

〔그림 6.18〕 수직 탐상에서 결함지시길이를 측정한 예

수직 탐상에서의 6 dB 드롭법은 결함 크기의 측정 이외에 그림 6.20에 나타내듯이 칸막
이판(***Diaphram***)과 외판(***Skin Plate***)를 접합하는 일렉트로슬래그(***slag***) 용접부의 용입 폭의
측정에 적용되고 있다. 스킨 플레이트 측에서 수직 탐상을 하여 저면에코 높이가 6 dB 저
하하는 위치를 용입 경계로 하는 방법이다. 또한 6 dB 드롭법은 그림 6.21에 나타내듯이 필
릿 용접부의 용입 치수의 측정에도 이용되고 있다.

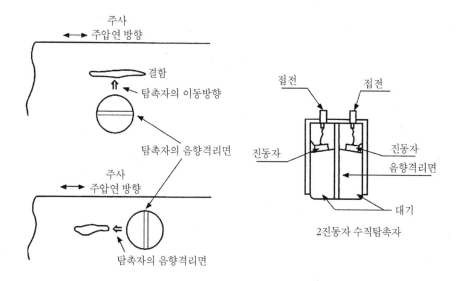

〔그림 6.19〕 2진동자 수직탐촉자의 주사 방법

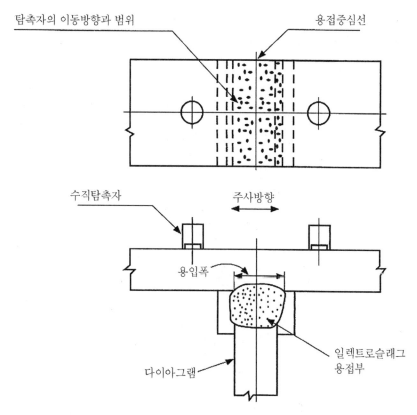

〔그림 6.20〕 6dB 드롭법에 의한 일렉트로슬래그 용접부의 용입 폭의 측정

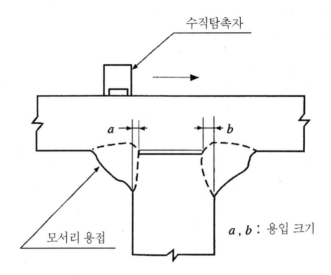

〔그림 6.21〕 필릿 용접부의 용입 치수의 측정(6dB 드롭법)

또한 그림 6.22에 나타내듯이 샤프트를 원주면에서 탐상했을 때의 이동 거리 L을 측정하고, L과 빔 진행거리 W_1과 W_2로부터 작도에 의해 결함 크기 L'를 구하는 방법이 사용되고 있다.

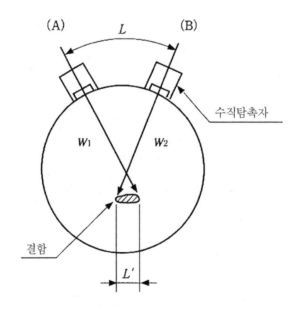

〔그림 6.22〕 탐촉자의 경사에 의한 빔 중심축의 어긋남

6.4.4 사각탐상

사각탐상에서 가장 많이 사용되고 있는 용접부에서의 결함의 길이 측정 방법을 아래에 나타낸다. 용접부에서의 결함길이란 그림 6.23과 같이 용접선 방향의 결함길이를 말한다. 초음파 탐상에서 측정되는 결함의 길이는 탐촉자의 이동 거리에 의해 측정한 결함의 겉보기 길이를 말하며 이것을 결함지시길이라 한다.

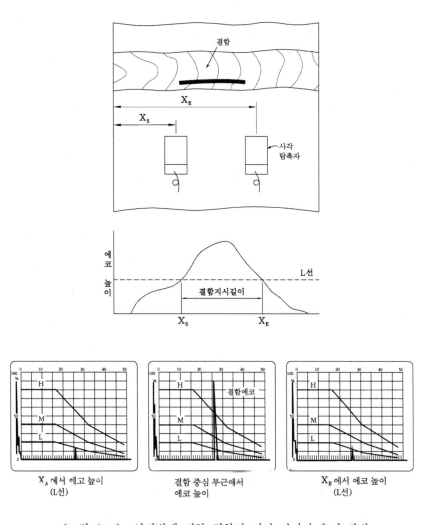

〔그림 6.23〕 L선컷법에 의한 결함의 지시 길이의 측정 방법

결함지시길이의 측정 방법은 여러 가지가 있다. 예를 들면 KS B 0896에서는 「최대 에코 높이를 나타내는 탐촉자 – 용접부 거리에서 좌우 주사를 하여 주사 그래프를 구하고 그림

6.24에 나타내듯이 에코 높이가 L선을 초과하는 탐촉자의 이동 거리를 1 ㎜ 의 단위로 측정하여 이것을 결함지시길이로 한다. 이때 약간의 전후 주사는 괜찮지만, 목돌림 주사를 해서는 안된다」 라고 규정되어 있다. 이 측정 방법은 보통 L선컷법으로 불리고 있다. KS B 0896에서는 M검출 레벨, L검출 레벨 어느 경우도 L선컷법으로 결함지시길이를 측정하도록 규정하고 있다. 단 주파수 2 MHz의 탐촉자를 사용하는 경우에는 최대 에코 높이의 $1/2(-6dB)$ 를 초과하는 탐촉자의 이동 거리를 측정하는 6 dB 드롭법으로 결함지시길이를 측정하도록 규정하고 있다.

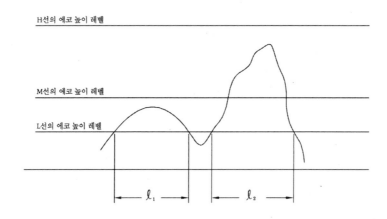

〔그림 6.24〕 결함이 근접하는 경우의 결함의 지시 길이 측정법

결함길이방향에 근접하여 결함이 검출된 경우에는 지정된 검출레벨을 넘는 에코높이를 나타내는 결함에 대해서만 결함지시길이를 측정한다. 그림 6.24에 나타내는 L선컷법으로 결함지시길이를 측정하는 경우, M검출 레벨이라면 결함은 하나로 결함의 지시길이는 l_2가 되고, L검출 레벨이면 결함과 결함의 간격이 l_1 또는 l_2 중 긴 것보다 긴 경우에는 결함은 각각 단독으로 두개의 결함지시길이 l_1 및 l_2가 되지만, 간격이 짧은 경우에는 이들은 묶어 하나의 결함으로서 결함과 결함의 간격 및 l_1, l_2를 더한 것이 결함지시길이가 된다. 2 MHz 탐촉자로 측정하는 경우에도 마찬가지이다.

L선컷법은 KSB 0896 이외에 「강구조 건축 용접부의 초음파 탐상 검사 기준」에도 결함지시길이의 측정 방법으로 채용되어 있다. 또한 10 dB 드롭법은 KS B 0897(알루미늄 용접부의 초음파 사각 탐상 검사 방법)에서의 결함의 지시길이 측정 방법으로 규정되어 있다.

○ M검출 레벨의 경우 : 결함은 하나로 결함 지시 길이는 l_2이다.

$$(l_1 < l_2)$$

○ L검출 레벨의 경우 : 결함과 결함의 간격이 l_2보다 긴 경우 결함은 2개로 결함의 길이는 각각 l_1, l_2가 된다. 결함과 결함의 간격이 l_2보다 짧은 경우에는 결함은 하나로 결함의 길이는 l_1, l_2 및 간격을 포함한 길이가 된다.

6.5 결함 높이의 측정

결함의 높이를 측정하는 것은 결함을 갖는 부재의 건전성 평가 및 수명 예측의 정밀도를 향상시키기 위해 매우 중요하다. 특히 파괴역학을 이용하여 결함을 평가할 경우 결함 높이를 정확하게 측정할 필요가 있다. 여기서 결함의 높이란 그림 6.25에 나타내는 것처럼 결함의 판 두께 방향의 치수를 말한다. 그림 6.25은 현재까지 개발 또는 실용화되어 있는 결함높이의 측정 방법을 정리한 것이다. 이들 결함 높이의 측정 방법 중 단부에코법, TOFD법 및 표면파법 등 중요한 몇 가지에 대해서만 소개한다.

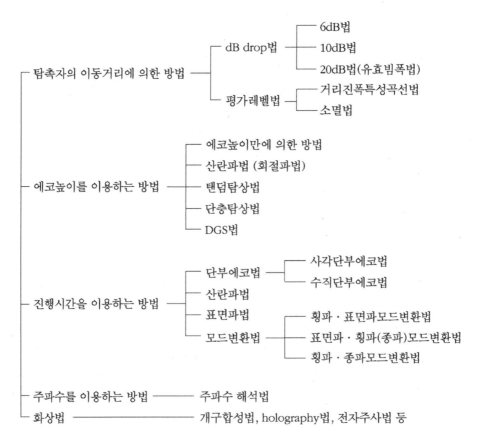

〔그림 6.25〕 결함 높이의 측정 방법

6.5.1 탐촉자의 이동거리에 의한 방법

이 방법은 초음파의 빔폭보다도 큰 평판형 결함이면서 동시에 결함 면에 수직으로 초음파빔이 입사하는 조건을 만족할 때 고정밀도 측정을 기대할 수 있다. 이 방법에는 데시벨 드롭법, 유효빔폭법 및 문턱값에 의한 방법 등이 있다.

6.5.2 에코높이를 이용하는 방법

사각탐상에서 결함의 에코높이는 결함의 높이 이외에 결함의 위치, 형상, 길이, 거칠기, 기울기 및 개구량 등에 의해 영향을 받기 때문에 에코 높이로부터 결함의 높이를 측정하는 것은 일반적으로 곤란하다. 그러나 결함의 위치나 성질과 상태를 미리 상정함과 동시에 적당한 측정 조건을 설정함으로써 어느 정도의 측정이 가능하게 된다. 이 방법에는 표면 개구 결함 측정법, 복합형 종파 사각탐촉자를 이용하는 방법, 표면 SH파에 의한 방법, 산란파법 그리고 탠덤탐상법 등이 있다.

가. 탠덤 탐상

탠덤탐상법(*Tandem method*)은 그림 6.26과 같이 X-개선용접부의 내부 용입부족이나 I개선 용접부의 융합불량 등 탐상면에 수직한 면상결함을 효과적으로 검출하는 방법이다. 그림과 같이 송신용, 수신용 2개의 사각탐촉자를 전후로 배치하고 양방의 탐촉자로부터 초음파를 송신했다고 가정했을 때 중심축의 교점(교축점)에서 결함이 잡히도록 탐촉자를 주사한다. 루트면 또는 개선면 등 검사 대상으로 하는 면을 탐상단면이라 부르고 탐상단면으로부터 탐상면을 따라 0.5 스킵 거리의 위치에 탠덤기준선을 긋고 송수신탐촉자의 입사점을 이 탠덤기준선에 대해 대칭하게 전후로 배치하면 교축점이 탐상단면 상에 일치한다.

또 탠덤탐상법에는 그림 6.27과 같이 1탐촉자법과 동일하게 탐상불능영역이 존재하기 때문에 단면도를 그려 확인할 필요가 있다. 탐촉자가 작을수록 굴절각이 클수록 탐상불능영역이 작아진다. 일반적으로는 판두께 40 ㎜ 이상의 시험체에 대해서는 45°, 이보다 두께가 얇은 시험체에 대해서는 70°의 굴절각을 선택한다.

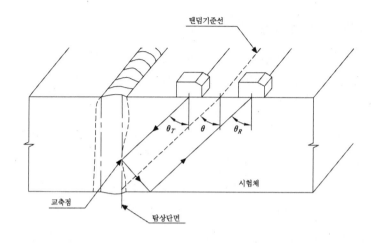

〔그림 6.26〕 탠덤사각탐상법의 원리도

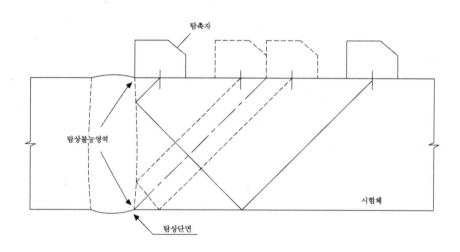

〔그림 6.27〕 탐상불능영역

탐상감도의 조정은 그림 6.28과 같이 2개의 탐촉자를 1 스킵 떨어진 위치에서 서로 대향시켜 위치하고 검출된 V투과 펄스의 크기가 화면 세로축의 40%가 되도록 게인조정노브를 조정한다. 이 40%의 높이를 M선이라 한다. 굴절각 45° 의 경우는 감도를 10dB 더 높인다. 굴절각 70° 의 경우는 결함면에 대해 모드변환손실 양을 가미하여 감도를 16dB 더 높인다. 이 결과 화면의 80% 높이가 H선이 되고 굴절각이 달라도 결함검출 정도는 같아진다.

검출레벨은 굴절각 45° 및 70° 어느 경우도 H선보다 12 dB 낮은 L선(화면 세로축의 20%)으로 하는 경우가 많다.

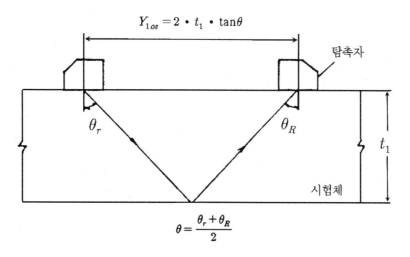

〔그림 6.28〕 V 투과 펄스의 측정

6.5.3 전파시간을 이용하는 방법

최근에 탐상기나 탐촉자의 성능이 현저히 향상되었고 특히 거리분해능이 향상되어 디지털화에 의한 전파시간(빔진행거리)의 정확한 측정이 가능해졌다. 이로 인해 전파시간을 이용한 다양한 측정법이 실용화되고 있다. 이 방법에는 단부에코법, TOFD법, 표면파법 그리고 모드변환현상을 이용하는 방법 등이 있다.

가. 단부에코법

단부에코(***Tip Echo Method***)법은 그림 6.29에 나타내듯이 결함면에 경사로 초음파를 입사시키면 결함 끝부분으로부터 에코가 얻어지며, 이 에코의 최대값이 얻어졌을 때의 빔 진행거리와 탐촉자의 굴절각으로부터 결함의 높이를 측정하는 방법이다.

에코는 탐촉자의 전후 주사에 의해 그림 6.29에 나타내는 것과 같은 패턴이 되기 때문에 결함의 높이는 결함의 위치에 따라 다음과 같이 구할 수 있다.

(a) 표면 결함이 탐상면과 반대의 면(이면)에 있는 경우

$$H = t - (W_1 \times \cos\theta) \quad \cdots\cdots\cdots\cdots\cdots\cdots\cdots\cdots(6.9)$$

(b) 표면에 열려있는 결함이 탐상면과 같은 면에 있는 경우

$$H = W_2 \times \cos\theta \quad \cdots\cdots\cdots\cdots\cdots\cdots\cdots\cdots\cdots\cdots\cdots\cdots(6.10)$$

(c) 결함이 내부에 있는 경우

$$H = (W_L - W_U) \times \cos\theta \quad \cdots\cdots\cdots\cdots\cdots\cdots\cdots\cdots(6.11)$$

여기에서 θ는 탐촉자의 굴절각, t는 시험체의 판두께, W_1, W_2는 표면 개구 결함에서의 단부에코의 빔 진행거리, W_U 및 W_L은 내부 결함에서의 상단부 에코 및 하단부 에코의 빔 진행거리이다.

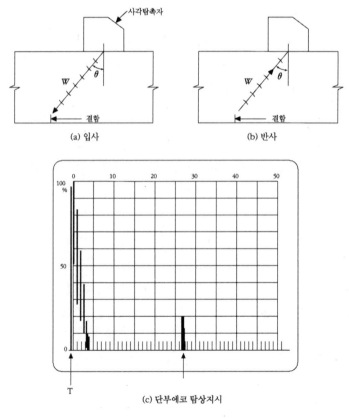

〔그림 6.29〕 단부에코법

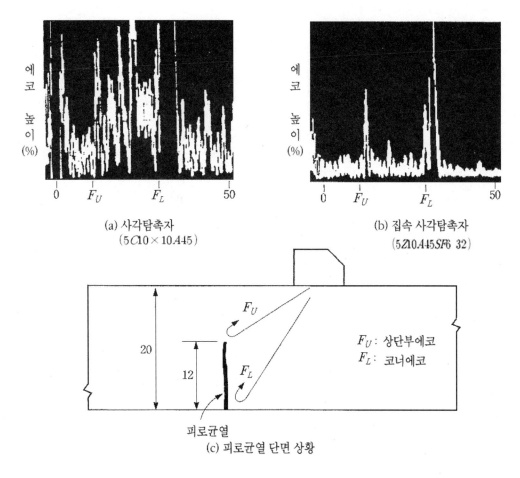

(a) 사각탐촉자
($5C10 \times 10.445$)

(b) 집속 사각탐촉자
($5Z10.445SF6\ 32$)

F_U : 상단부에코
F_L : 코너에코

피로균열
(c) 피로균열 단면 상황

〔그림 6.30〕 피로 균열의 상단부 에코가 나타나는 방식(크롬 몰리브덴 주강)

단부에코법을 적용하는 경우, 주파수 5 MHz, 굴절각 45°의 집속(集束) 사각탐촉자를 사용하여 직사법으로 측정하면 에코의 식별성 및 측정 정밀도가 향상된다. 그림 6.30은 보통 사각탐촉자와 점집속 사각탐촉자를 사용했을 때의 크롬 몰리브덴 주강에 발생한 표면 개구 피로균열의 상단부 에코가 나타나는 방식을 비교한 예이다. 점집속 사각탐촉자를 사용하면 단부 에코의 식별성이 좋아진다.

균열의 단부에코 높이는 균열면에서의 입사 방향 및 균열의 개구량에 따라 변화한다. 그림 6.31은 주파수 5 MHz, 굴절각 45°의 탐촉자를 사용하여 균열 단부의 개구량과 단부에코 높이와의 관계를 나타내는 실험 예(모식도)이다. 상단부 에코와 하단부 에코에서는 양상이 꽤 다르다. 균열 폭(개구량)이 약 $0.1\ \mu m \sim 10\ \mu m$의 범위에서는 하단부 에코쪽이 상단부 에코보다 약 $10\ dB$ 에코 높이가 높아진다.

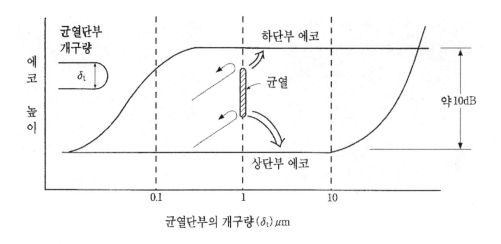

〔그림 6.31〕 균열 단부의 개구량과 단부 에코 높이의 관계(5 MHz, 45°)

(1) 상단부 에코

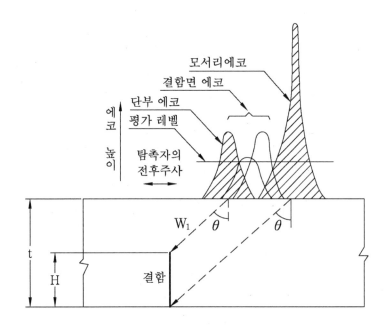

(a) 탐상면과 반대 측에 있는 표면 개구 결함

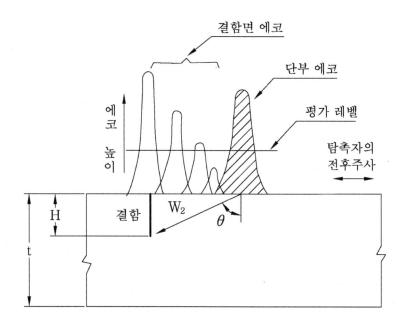

(b) 탐상면과 같은 측에 있는 표면 개구 결함

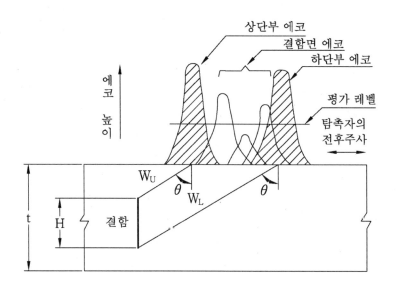

(c) 내부결합

〔그림 6.32〕 단부에코를 잡는 방법

탐촉자를 결함에 접근시켰을 때 검출 레벨을 초과하는 가장 짧은 빔 진행거리에서 나타나는 최대 에코를 포착한다. 이것이 결함의 상단부 에코이다.

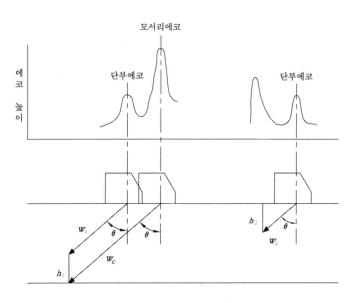

〔그림 6.33〕 표면개구 결함의 결함높이의 측정방법

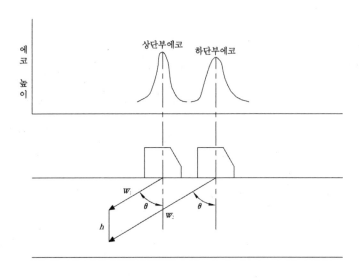

〔그림 6.34〕 내부결함높이의 측정방법

(2) 하단부 에코

탐촉자를 결함에서 멀리 했을 때에 검출 레벨을 초과하여 가장 긴 빔 진행거리에서 나타나는 최대 에코를 포착한다. 이것이 결함의 하단부 에코이다. 검출 레벨은 주파수, 굴절각, 결함 단부에의 입사 방향 및 결함 단부의 크기 등에 따라 변하지만, NDIS(일본비파괴검사협회 규격) 2418(단부 에코법에 의한 결함 높이의 측정 방법)에서는 $\phi 3$ mm 가로 구멍의 거리진폭특성 곡선보다 24 dB 또는 30 dB 낮은 에코높이 또는 노이즈 에코높이가 화면상 20%가 되는 값으로 정해져 있다.

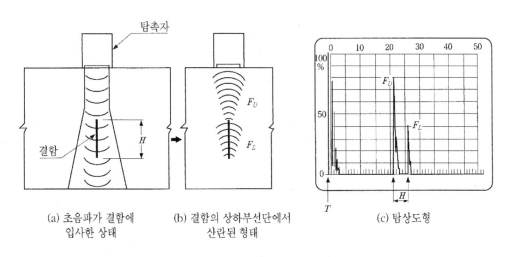

(a) 초음파가 결함에 입사한 상태
(b) 결함의 상하부선단에서 산란된 형태
(c) 탐상도형

〔그림 6.35〕 수직탐상에 의한 단부에코법

수직법에 의한 단부에코법의 예를 그림 6.35에 나타낸다. 이 방법은 탐상면에 수직으로 예상되는 평면형의 결함 높이의 측정 방법에 적합하다. 내부 결함만이 아니라 표면 개구 결함에도 적용 가능하다. 단부에코법은 균열의 치수 측정 이외에도 용접부의 용입량이나 목두께 측정에 응용되고 있다.

나. TOFD법

*TOFD(Time of Flight Diffraction)*법은 결함 단부에서의 회절 에코를 이용하는 방법이며, 다음과 같이 결함의 높이를 측정할 수 있다. 그림 6.36에 나타내듯이 결함을 사이에 두고 송신 및 수신용 종파사각탐촉자를 시험체 표면에 두고 초음파를 송신시키면 표면을 전파하는 파(A)와 저면 반사파(B) 이외에 결함이 있는 경우 결함의 상단부 및 하단부에서 회절한 에코(C 및 D)가 수신된다. 이때의 상단부 회절 에코의 도달 시간(t_C), 하단부 회절 에코

의 도달 시간(t_D) 및 탐촉자간 거리(L)로부터 식 6.12에 의해 결함의 높이(H)를 구한다.
(단 C는 종파음속)

$$H = \sqrt{\left(\frac{Ct_D}{2}\right) - \left(\frac{L}{2}\right)^2} - \sqrt{\left(\frac{Ct_C}{2}\right)^2 - \left(\frac{L}{2}\right)^2} \quad \cdots\cdots\cdots\cdots\cdots(6.12)$$

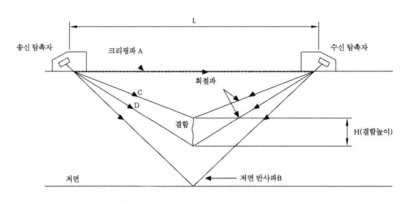

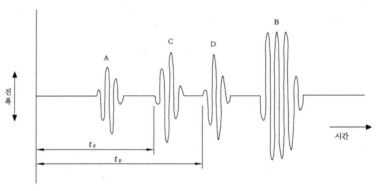

〔그림 6.36〕 회절시차법(TOFD법)

　　TOFD법을 적용하는 경우 회절 에코를 쉽게 나오도록 하기 위해 탐촉자는 진동자 지름이 작고 넓은 지향각의 고분해능 종파사각탐촉자가 사용된다. 보통 주파수 5 MHz, 진동자 지름 10 mm 전후, 굴절각 45°, 60°, 70°의 종파 사각탐촉자가 사용된다. 이 방법은 결함의 형상이나 경사에 그다지 영향을 받지 않고 측정할 수 있다는 장점이 있는 반면 시험체의 표면 근처에 있는 결함의 측정이 곤란하다는 단점도 있다. 그림 6.37은 TOFD D-scan에 의한 융합불량 결함의 검출 예이며, 그림 6.38은 용접부 결함의 TOFD 이미지를 나타내고 있다.

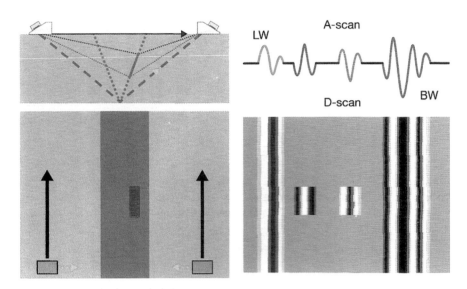

〔그림 6.37〕 회절시차법(TOFD법) D-scan에 의한 융합불량 결함의 검출 예

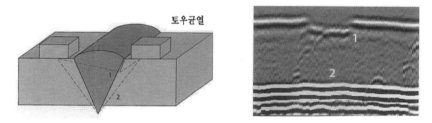

(a) 토우 균열의 경우 지연파(*laterral wave*)는 영향을 받게 되므로 균열의 하단
부를 볼 수 있게 된다. 이는 표면개구균열(*surface breaking defect*)의 특징을
나타낼 수 있으므로 깊이도 측정 가능하다.

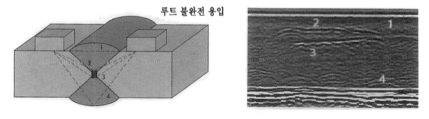

(b) 루트 불완전용입의 경우 간섭받지 않는 지연파와 저면반사파는 묻혀 있는
결함을 나타내게 되고, 결함 상하로부터의 회절된 신호들은 구분이 가능하
게 된다.

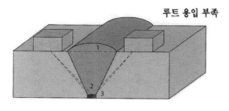

(c) 루트 용입부족의 경우 저면신호는 간섭은 받지만 끊어지지는 않는다. 반면 위쪽의 회절 신호는 구분이 가능하다. 이것이 표면개구균열을 나타낸다.

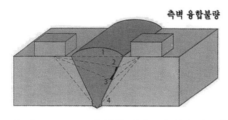

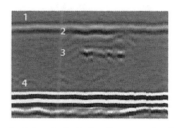

(d) 측벽(*sidewall*) 융합불량은 지연파나 저면 간섭은 나타나지 않고 묻혀 있는 결함을 나타낸다. 결함의 아래 부분에서 회절된 신호는 선명한 반면 위 부분으로부터 회절된 신호는 지연파에 부분적으로 묻혀 있게 된다.

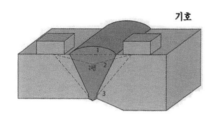

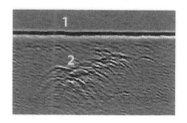

(e) 기포(*porosity*)는 쌍곡선 꼬리와 관련된 일련의 점결함(*point defect*)의 양상으로 나타난다. 다수로 존재하는 기포는 해석이 어려우나 쉽게 특징을 나타낼 수 있다. 여기서 저면신호는 TOFD 이미지에 나타나지 않는다는 것에 주의해야 한다.

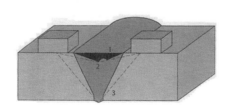

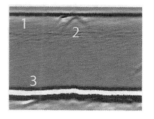

(f) 횡방향 결함은 기본적으로 기포와 유사하게 점결함으로 나타난다.

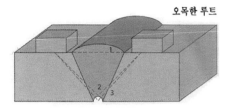
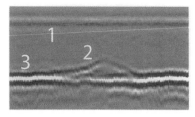

오목한 루트

(g) 오목한 루트결함은 저면신호를 교란하게 한다(그것은 표면개구임을 보여주
며). 반면 끝부분(***tip***)은 보인다.

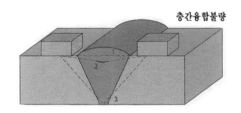
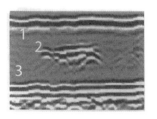

층간융합불량

(h) 층간융합불량은 큰 진폭을 갖는 단일 반사파로 나타난다. 그러나 펄스에코
채널로는 검출할 수 없다.

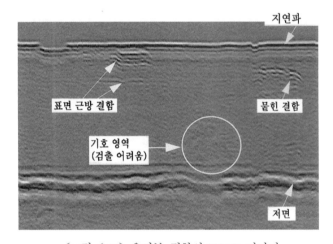

〔그림 6.38〕 용접부 결함의 TOFD 이미지

다. 표면파탐상

표면파는 시험체 표면의 1파장 정도의 깊이 이내에 에너지가 집중하여 표층부를 전파하
는 파이다. 표면파법은 이 표면파를 사용하여 결함의 높이를 측정하는 방법이다. 이 방법에
는 다음과 같이 1탐촉자법 및 2탐촉자법의 두 가지의 측정법이 있다.

(1) 1 탐촉자법

그림 6.39(a)에 나타내듯이 송 · 수신 겸용의 표면파 탐촉자에 의해 표면파를 전파시켜 결함의 모서리(A, C) 및 끝부분(B)에서 반사하는 에코를 포착, 그것들의 빔진행거리 차에서 결함의 높이(H)를 구하는 방법이다.

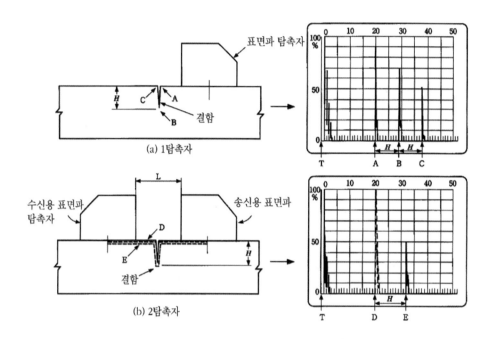

〔그림 6.39〕 표면파법

(2) 2 탐촉자법

그림 6.39(b)에 나타내듯이 결함을 사이에 두고 송신용 및 수신용 표면파 탐촉자를 일정 거리 L에서 대향 배치하고 결함이 없는 건전부의 수신 신호 D의 빔진행거리를 우선 판독하고, 다음으로 결함을 걸쳤을 때의 수신 신호 E를 판독하여, 이 빔진행거리 차에서 결함의 높이(H)를 측정하는 방법이다. 표면파법을 적용하는 경우 사전에 시간 축의 조정을 해 둘 필요가 있다. 그림 6.40은 판 두께 t의 조정용 시험편의 상하단의 모서리 A, B를 사용하여 시간축의 조정을 하는 예를 나타낸 것이다. A 및 B에서의 에코를 적당한 눈금 간격으로 맞추는 것으로 쉽게 표면파의 시간축의 조정이 가능하다.

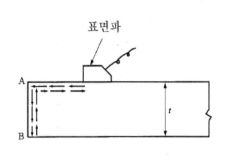
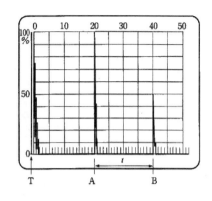

〔그림 6.40〕 시간축의 조정방법

표면파법은 측정을 간단하게 할 수 있기 때문에 현장적이기는 하지만 결함의 사이에 기름 등의 액체가 있다든가 결함이 밀착되어 있는 경우, 혹은 결함의 끝부분이 날카로운 경우 등에서는 결함 끝부분의 에코를 얻을 수 없으며 측정이 불가능하기도 하고 측정 결과에 오류를 발생시키는 경우가 있기 때문에 주의가 필요하다.

6.5.4 주파수분석법

그림 6.41(a)와 같이 탐상면에 수직한 결함 높이 d의 평면형 결함에 각도 θ로 초음파가 부딪치면 그 대부분은 반사되고 일부가 결함 상하 끝부분에서 구면파를 만들고 탐촉자에 수신되게 된다. 이들 상하 끝부분으로부터의 에코는 시간차가 있기 때문에 서로 간섭하여 이를 주파수분석하면 그림 6.41(c)와 같이 간격 Δf의 산과 골을 갖는 스펙트럼이 얻어진다. 이 때 상하 단부에코의 전파거리의 차는 $2d \cdot \sin\theta$가 된다. 결함의 상하 끝부분으로부터 발생하는 구면파는 위상이 일치하였을 때 공진하기 때문에 시험체의 음속을 C라 하면 공진하는 주파수 간격 Δf는 $\Delta f = C/2d \cdot \sin\theta$로 주어진다. 따라서 결함 높이 d는 다음 식으로 구할 수 있다.

$$d = \frac{C}{2\Delta f \cdot \sin\theta} \quad \cdots\cdots\cdots (6.13)$$

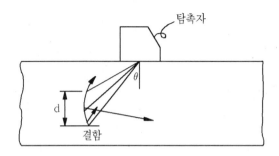

(a) 결함면 및 그 상하단으로부터의 소음파의 반사

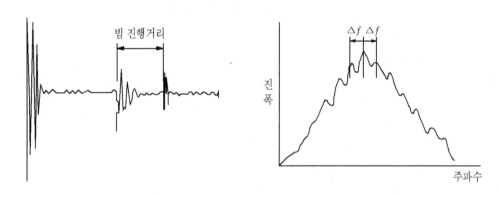

(b) 결함의 상, 하단으로부터의 에코   (c) 에코의 주파수 분석결과

〔그림 6.41〕 주파수분석법

『 익 힘 문 제 』

1. 초음파에 의한 결함크기의 측정방법에 대해 기술한 것이다. 틀린 것은 ?
   1) F/B_F의 dB 값은 그 값이 그대로 결함면적을 나타내고 있다.
   2) 사각탐상에서 L선을 넘는 범위의 탐촉자 이동거리를 결함지시길이로 하는 방법(L 선컷법)은 큰 결함의 치수측정에 적합하다.
   3) 수직탐상에서 최대에코높이의 1/2을 넘는 범위의 탐촉자 이동거리를 결함지시길이로 하는 방법(6 dB 드롭법)은 큰 결함의 치수측정에 적합하다.
   4) DGS선도는 결함을 STB-G와 같은 원형평면결함으로 환산하여 평가한다.

2. 용접부의 결함높이 측정방법 중 탐촉자의 이동거리에 의한 방법에 해당하는 것은?
   1) 6 dB 드롭법 (*6dB drop method*)
   2) 단부에코법 (*tip echo method*)
   3) 주파수 해석법 (*frequency analysis method*)
   4) 산란파법 (*scattering wave method*)

3. 결함검출능에 영향을 미치는 인자에 대해 기술하시오.

4. DGS 선도에 의한 결함크기측정 방법과 적용한계에 대해 기술하시오.

5. F/B_F, F/B_G에 의한 결함에코높이의 측정방법에 대해 기술하시오.

6. 2 MHz, $\varnothing$ 30 mm 탐촉자를 사용하여 단강품을 편평한 면으로부터 탐상할 때 탐상면으로부터 200 mm 깊이에서 결함을 발견하였다. 이 때 에코높이는 STB-G V15-2 보다 6 dB 높았다. AVG(DGS)선도를 이용하여 원형평면결함의 크기를 추정하시오.

7. 2Q20N탐촉자(실측주파수 1.8 MHz)를 사용하여 양면이 평행한 두께 150 mm 의 단강품을 탐상한 결과 탐상면으로부터 깊이 72 mm 의 위치에서 결함에코를 검출하였다. 이 결함을 초음파빔에 수직한 원형평면결함이라 가정하고 그 지름을 DGS선도를 이용하여 추정하시오.

8. 초음파탐상검사 규격 KS B 0896과 ASME 규격의 결함평가법을 검출레벨, 결함지시길이 측정 방법 및 합부 판정으로 구분하여 설명하시오.

9. 6 dB 드롭법과 KS B 0896에 근거한 결함지시길이 측정방법을 비교·설명하시오.

10. 결함높이의 측정 방법에 대해 기술하시오.

11. 단부에코법(*tip echo method*)에 의해 내부 용입 불량의 높이를 측정하는 방법에 대해 기술하시오.

12. TOFD(*time of flight diffraction*)기법의 원리와 특징을 기술하시오.

13. 탠덤(*tandem*) 사각탐상법의 원리와 특징을 기술하시오.

14. 판두께 20 mm 의 강판의 맞대기 용접부를 5Z10×10A70(실측굴절각 70.5°)를 사용하여 KS B 0896에 따라 STB-A2로 탐상감도를 조정하고, 검출레벨을 L검출레벨로 선정하여 탐상하였을 때 결함에코를 검출하였다. 최대에코높이는 80%, 빔 진행거리는 50 mm였다. 결함지시길이를 측정하기 위해 작성한 좌우주사그래프(*scanning graph*)는 아래 그림과 같다. 결함지시길이는 얼마인가? 단, 에코높이구분선은 아래 그림과 같고 측정범위는 125 mm 이다.

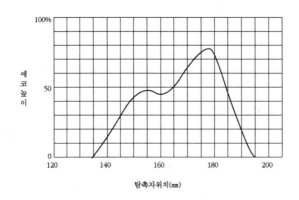

탐촉자위치(mm)

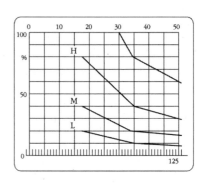

15. KS B 0896규격에 따라 판 두께 19 mm 강판의 맞대기 용접부를 탐상하였을 때 빔 진행거리 75 mm 의 위치에서 결함에코가 검출되었다. 좌우주사 그래프(*scanning graph*)와

에코높이 구분선은 아래 그림과 같을 때 이 결함은 몇 급의 결함으로 분류되는가? 단, 탐상조건은 5Z10×10A70(실측 굴절각 69.5°), 측정범위는 125 ㎜, M 검출레벨이다.

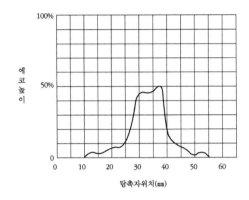

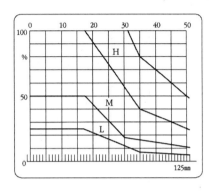

등급 판두께 t(mm) 영역	M검출레벨의 경우 Ⅲ L검출레벨의 경우는 Ⅱ와 Ⅲ			Ⅳ		
	18 이하	18 ~ 60	60 이상	18 이하	18 ~ 60	60 이상
1급	6 mm 이하	t/3 이하	20 mm 이하	4 mm 이하	t/4 이하	15 mm 이하
2급	9 mm 이하	t/2 이하	30 mm 이하	6 mm 이하	t/3 이하	20 mm 이하
3급	18 mm 이하	t 이하	60 mm 이하	9 mm 이하	t/2 이하	30 mm 이하
4급	3급을 초과하는 것					

제 7 장 초음파탐상검사의 적용과 실제

7.1 판재의 탐상

7.1.1 대상이 되는 결함의 초음파적 특징

강판에 주로 발생하는 결함은 제강 과정에서 발생한 파이프, 기포, 탈산생성물로 비금속개재물 등이 있고, 압연에 의해 늘어난 표면에 평행한 층상의 결함이 있다. 결함에는 내부 결함과 표면 결함이 있지만, 일반적인 초음파탐상검사의 대상이 되는 것은 내부 결함으로 대부분은 슬래브 제조시의 기포나 비금속개재물이 원인이다. 주로 많이 발생하고 검출 대상이 되는 결함으로는 ① 라미네이션(*lamination*), ② 비금속 개재물(*nonmetallic inclusion*),③ 표면결함(*surface defect*) 등이 있다. ① 라미네이션은 압연방향으로 얇은 층이 발생하는 내부결함으로, 강괴(鋼塊; *ingot*)내에 수축공(收縮空; *shrinkage cavity*), 기공(*blowhole*), 슬래그(*slag*) 또는 내화물이 잔류하여 미압착 부분이 생기게 되고 이것이 분리되어 빈 공간이 형성된 것이다. ② 비금속 개재물은 강괴 제조시 슬래그, 탈산생성물(Al_2O_3, MnO, SiO_2, MnS) 등의 불순물이 들어간 것으로, 미세한 크기로 존재한다. 이들 미세한 비금속 개재물은 존재위치, 크기, 밀도 등에 따라서 용접결함의 발생 원인이 되기도 하고 기계적 성질에 영향을 미치기도 하지만, 강재의 용도에 따라 유해성의 정도가 다르기 때문에 하나의 개념으로 양부를 판단하기는 어렵다. ③ 표면결함에는 부풀음(*blister*), 각종균열, 강괴 제조시의 스플래쉬(*splash*)나 기공이 존재하는 경우에 발생하는 스캡(*scab*), 큰줄무늬의 홈(*macro-streak flaw*) 등이 있다.

이들 결함의 크기는 완전히 얇게 떨어진 라미네이션이라 불리는 큰 것으로부디 현미경이 아니면 관찰 할 수 없을 정도의 미소한 비금속개재물까지 여러 종류가 있다. 강판의 결함은 압연에 의해 늘려져 판면에 평행하게 편평해져 있기 때문에 판 두께 방향의 수직 탐상을 주로 하게 된다. 검출된 결함의 종류를 추정하는 것은 각각의 결함에 의한 탐상지시의 특징도 중요하지만 결함의 분포 상태도 중요한 판단요소가 된다. 표 7.1에 강판에서 발생하는 대표적인 결함의 종류와 초음파탐상지시의 특징을 나타내고 있다.

표 7.1 두꺼운 판의 내부 결함과 그 특징

결함 명칭	대표적 탐상지시	특징
비금속 개재물	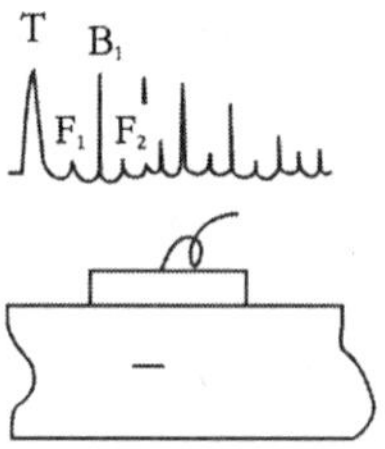 T B₁ F₁ F₂	• Al, Si, Mn 등 산화물로 Al_2O_3, SiO_2 형태로 존재 • ○ 결함이 흩어져 존재
수소성 결함 (흩어져 존재하는 미소한 결함)	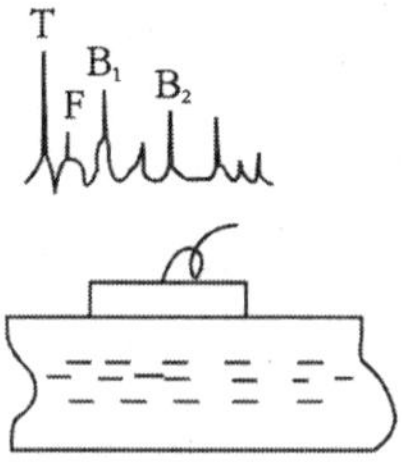 T B₁ B₂ F	• 수소가 확산하기 때문에 압연 후 1~2일 정도 후에 검출 • ○ 또는 △의 점상의 결함으로 분포 면적은 넓음
미소한 라미네이션(*lamination*)	 T B₁ B₂ F	• 얇은 두께 중앙부에 주로 발생 • 선상의 △ 결함 또는 ○ 결함
2장 균열 또는 라미네이션	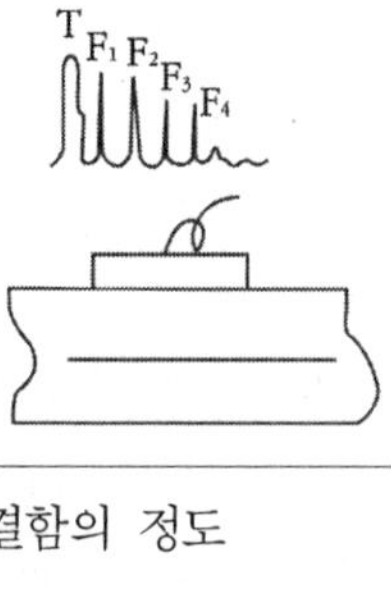 T F₁ F₂ F₃ F₄	• 면적을 갖는 X결함이 주로 발생 • 판 끝에 주로 분포

○, △, X: KS D 0233에 의한 결함의 정도

일반적으로 판재의 탐상에서는 결함 면에 대해서 수직으로 초음파를 입사시키기 때문에 수직탐상이 사용되고 있다. 판재를 수직 탐상하였을 때 탐상지시의 예를 그림 7.1에 나타내었다.

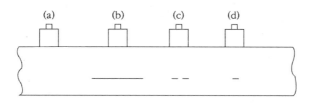

판재의 수직탐상단면도

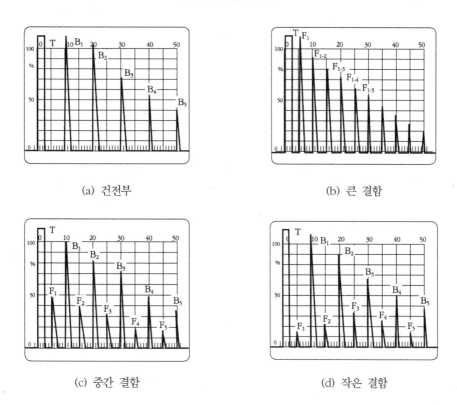

(a) 건전부

(b) 큰 결함

(c) 중간 결함

(d) 작은 결함

〔그림 7.1〕 판재 수직탐상의 탐상지시의 예

시험체 건전부를 탐상하면 (a)와 같이 저면으로부터 규칙적인 다중반사지시가 얻어진다. 라미네이션 등의 매우 큰 결함(초음파 빔 보다 큰 결함)이 있을 때는 (b)와 같이 탐상면과 결함 사이에 초음파가 왕복하여 저면에코는 얻어지지 않고, 결함에코의 다중반사가 나타난다. 중간 정도 크기의 결함(초음파 빔의 크기보다 작지만, 비교적 큰 결함)을 탐상할 때는 (c)와 같이 제1회 저면에코 B_1 앞에 제1회 결함에코 F_1이 나타난다. 결함이 판 두께 방향의 중앙에 있는 경우는 그림과 같이 제2회 저면에코 B_2의 앞에 제2회 결함에코 F_2가 나타나고, 에코높이는 점점 더 저하되어 간다. 결함이 판 두께 방향의 중앙에 있는 작은 결함(초음파

빔의 크기보다 매우 작은 결함)을 탐상하였을 때는 (d)와 같이 제1회 저면에코 B_1 앞에 제1회 결함에코 F_1이 나타나지만, 그림과 같이 F_2, F_3가 되면서 에코높이는 점점 높아진다. 이것을 적산효과(***Superimpose effect***)라고 부르고, 그림 7.2에서와 같이 F_1에서는 초음파의 진행거리가 첫 번째인데 비하여 F_2, F_3가 되면서 그 경로가 많아지고 이것들이 더해져서 화면상에 에코로 나타나기 때문이다.

그림 7.2와 같이 결함위치가 판 두께 방향의 중앙에서 벗어난 위치에 있으면 탐상방향에 따라서는 제1저면에코 B_1의 앞에 2개의 결함에코가 나타나는 것이 있다. 이것은 1개의 결함에 의한 결함인가, 2개의 결함에 의한 결함인가는 저면에서 탐상하는 것에 의해 판단하는 것이 가능하다. 또 2개의 에코가 1개의 결함에 의한 것인 경우 각 에코에 대해서는 그림 7.3 (a), (b)와 같이 기호를 붙인다.

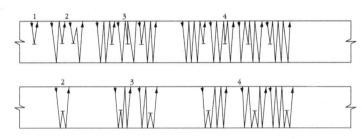

〔그림 7.2〕 작은 결함에 의해 적산효과가 나타나는 경우 초음파의 전파경로

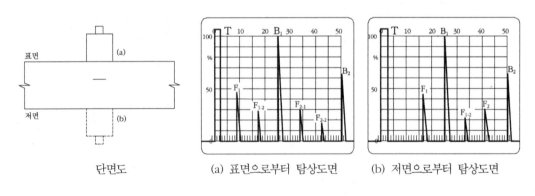

단면도   (a) 표면으로부터 탐상도면   (b) 저면으로부터 탐상도면

〔그림 7.3〕 판 두께 방향의 중앙에서 벗어난 위치에 결함이 있는 경우

7.1.2 강판의 탐상 규격

강판의 대표적인 수직탐상 규격으로는 표 7.2의 원자로, 보일러, 압력 용기 등에 사용하는 고품질 킬드강을 대상으로 한 KS D 0233과 강 구조 건축물의 구조재로 판 두께 방향에

현저하게 높은 응력이 작용하는 부재를 대상으로 한 KS D 0040이 있다. 또한 외국 규격에는 압력 용기용 강판의 초음파 탐상 검사를 대상으로 한 JIS G 0801, 건축용 강판의 초음파 탐상 검사에 의한 등급 분류와 판정 기준을 대상으로 한 JIS G 0901, 압력 용기용 강판을 대상으로 한 ASTM A 435, 특수용 용도 강판 등을 대상으로 한 ASTM A 578 등이 있다.

7.1.3 강판의 탐상 방법

가. 탐상 시기

KS D 0233 및 KS D 0040에서는 원칙적으로 강판 제조의 최종 공정에서 실시하는 것으로 규정되어 있다. 그러나 수소성 결함과 같이 지연 발생 가능성이 있는 것은 압연 종료 후, 적절한 시간 경과 후에 탐상을 해야 한다.

표 7.2 강판의 수직 탐상 규격

규격 번호	규격품
KS D 0233	압력 용기용 강판의 초음파 탐상 검사 방법
KS D 0040	건축용 강판 및 평강의 초음파 탐상 검사에 따른 등급 분류와 판정 기준
JIS G 0801	압력 용기용 강판의 초음파 탐상 검사
JIS G 0901	건축용 강판의 초음파 탐상 검사에 의한 등급 분류와 판정 기준
ASTM A 435	압력 용기용 강판의 수직 초음파 탐상 검사
ASTM A 538	특수용 용도 강판 및 클래드(*clad*) 강판 초음파 탐상 검사

나. 탐상면

KS D 0233에서는 원칙적으로 압연 상태대로 또는 열처리 상태대로 필요에 따라 연마 등에 의한 평활한 면을 만들도록 규정하고 있다. ASTM A 578에서는 탐촉자를 주사 중에 B_1 에코가 적어도 풀스케일의 50%를 유지할 수 있도록 충분히 깨끗하고 또한 평활하도록 규정하고 있다.

다. 탐촉자의 선정

강판의 판 두께, 강철 종류 및 검출해야 할 결함 등에 의해 최적의 탐촉자를 선택해야 한다. KS D 0233에서는 탐촉자의 종류 및 주파수가 결정되어 있다. 표 7.3에 사용 탐촉자의 종류를 나타낸다. 판 두께에 따른 사용 탐촉자의 종류, 탐상 감도 등에 대하여 2진동자 탐촉자는 표 7.4에, 1진동자 수직탐촉자는 표 7.5에 나타낸다.

표 7.3 사용 탐촉자

강판의 두께(mm)	사용 탐촉자
6이상 13미만	2진동자 수직 탐촉자
13이상 60이하	2진동자 수직 탐촉자 또는 수직 탐촉자
60초과	수직 탐촉자 (2진동자 수직 탐촉자는 제외한다.)

라. 탐상 감도

탐상 범위에서 거리진폭특성, 검출 대상이 되는 결함의 크기 등을 고려하여 판 두께마다에 탐상 감도를 결정할 필요가 있다. KS D 0233에서는 검사 주파수와 마찬가지로 표 7.4, 표 7.5와 같이 탐상 감도를 정하고 있다.

표 7.4 2진동자 수직탐촉자의 탐상 감도와 공칭 주파수

강판의 두께 mm	장치의 종류	탐상강도	공칭 주파수 MHz
6이상 60이하	A 스코프 표시식 탐상기	부속서 A RB-B를 사용하여, 부속서 C의 최대 에코높이를 나타내는 두께의 제1회 저면에코높이를 50%에 맞춘 뒤 부속서 C의 "공칭 N1의 검출감도 10"의 탐촉자를 사용하는 경우에는 10dB, "공칭 N1의 검출감도 14"의 탐촉자를 사용하는 경우에는 14dB인 감도를 높인다.	5
	디지털식 탐상기	부속서 B의 감도설정시험편을 사용하여 그 제1회 저면에코높이를 감도기준값이 설정한다. 다음으로 부속서 C의 "공칭 N1의 검출감도 10"의 탐촉자를 사용하는 경우에는 10dB, "공칭 N1의 검출감도 14"인 탐촉자를 사용하는 경우는 14dB만 감도를 높인다.	

표 7.5 1진동자 수직탐촉자의 탐상 감도, 공칭 주파수 및 진동자 치수(KS D 0233)

강판의 두께	탐상 감도	공칭 주파수(MHz)	진동자의 유효지름(㎜)
13이상 20이하	STB-N1 : 25%	5	20
20초과 40이하	STB-N1: 50%	5	20
40초과 60이하	STB-N1 : 70%	5 (2)	20 (30)
60초과 100이하	STB-G V15-4 : 50%	2	30
100초과 160이하	STB-G V15-4 : 80%	2	30
160초과 200이하	STB-G V15-2.8 : 50%	2	30

마. 탐상 위치 및 주사 방법

KS D 0233에서는 표 7.6과 같이 탐상 위치와 강판의 용도에 따라 특히 그루브 예정선 근방을 중점적으로 탐상하도록 규정하고 있다. 주사 속도는 탐상에 지장을 초래하지 않는 속도로 한다. 다만, 자동 경보 장치가 없는 탐상 장치를 사용하는 경우에는 200 ㎜/s 이하로 한다. 2진동자 수직 탐촉자에 의한 주사는 그림 7.4와 같이 다음의 X 또는 Y주사를 한다.

X주사: 탐촉자의 음향 격리면을 주압연 방향에 평행하게 배치하여 압연 방향과 직각으로 주사 한다.
Y주사: 탐촉자의 음향 격리면을 주압연 방향에 직각으로 배치하여 압연 방향으로 주사한다.

표 7.6 탐상위치

구분	탐상 위치	적용 예
A형	원칙적으로 세로-가로 200 ㎜ 피치(*pitch*)선상 또는 가로 혹은 세로 100 ㎜ 피치선상과 원주변 50 ㎜ 이내 또는 그루브 예정선을 중심으로 하여 양쪽 25 ㎜ 이내를 탐상한다.	보일러관 판 및 동등한 가공을 하는 한 압력 용기
B형	가로 또는 세로 200 ㎜ 피치선상과 원주변 50 ㎜ 이내 또는 그루브 예정선을 중심으로 하여 양쪽 25 ㎜ 이내를 탐상한다.	일반 압력 용기
C형	원주변 50 ㎜ 이내 또는 그루브 예정선을 중심으로 하여 양쪽 25 ㎜ 이내를 탐상한다.	저장탱크 등

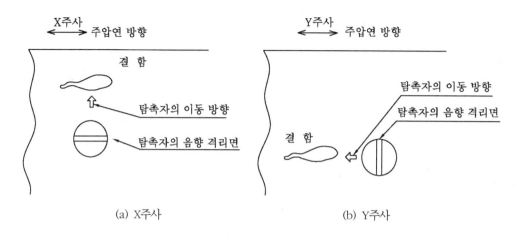

(a) X주사   (b) Y주사

〔그림 7.4〕 2진동자 수직탐촉자에 의한 주사

바. 에코 높이에 의한 결함의 분류

KS D 0233에서는 결함 에코 높이에 의해 결함의 정도를 가벼움, 중간, 큼으로 분류하고 있다. 표 7.7에 2진동자 수직탐촉자에 의한 분류, 표 7.8에 수직탐촉자에 의한 분류를 나타낸다.

표 7.7 2진동자 수직 탐상자에 의한 결함의 분류

(a) X주사의 경우

결함의 정도	결함의 분류	표시 기호
가벼움	DL선을 넘고 DM선 이하	○
중간	DM선을 넘고 DH선 이하	△
큼	DH선을 넘는 것	×

(b) Y주사의 경우

결함의 정도	결함의 분류	표시 기호
가벼움	DC선을 넘고 DL선 이하	○
중간	DL선을 넘고 DM선 이하	△
큼	DM선을 넘는 것	×

표 7.8 수직탐촉자에 의한 결함의 분류

결함의 정도	결함의 분류	표시 기호
가벼움	$25\% \langle F_1 \leqq 50\%$ 단, B_1이 100% 미만인 경우에는 $25\% \langle F_1/B_1 \leqq 50\%$	○
중간	$50\% \langle F_1 \leqq 100\%$ 단, B_1이 100% 미만인 경우에는 $50\% \langle F_1/B_1 \leqq 100\%$	△
큼	$F_1 \rangle 100\%$, $F_1/B_1 \rangle 100\%$ 또는 $B_1 \leqq 50\%$	×

사. 결함의 크기와 지시길이

KS D 0233에서 결함의 크기를 확인하는 방법이 규정되어 있다. 결함의 길이 방향의 지시 길이란 주압연 방향의 치수를 말하며 결함의 축 방향의 지시 길이란 주압연 방향에 직교하는 치수를 말한다. 2진동자 수직탐촉자에 의한 결함지시길이의 측정은 원칙적으로 결함의 길이 방향의 지시 길이를 측정하는 경우에는 Y주사로 탐촉자를 이동하여 결함 에코 높이가 표 7.9(a)에 나타내는 대비선까지 저하할 때의 탐촉자의 중심간 거리를 측정하여 결함지시길이로 한다. 단 Y주사가 곤란한 경우에는 X주사로 탐촉자를 이동하고, 결함 에코 높이가 표 7.9(b)에 나타내는 대비선까지 저하할 때의 탐촉자의 중심간 거리를 측정하여 결함지시길이로 할 수 있다. 수직탐촉자에 의한 경우에는 탐촉자를 이동하여 결함 에코 높이, 저면 에코 높이 또는 F_1/B_1이 표 7.10에 나타내는 값까지 저하할 때의 탐촉자의 중심간 거리를 측정하여 결함지시길이로 한다.

표 7.9 결함 표시 길이의 측정 한계

(a) Y주사의 경우

결함의 종류	대비선
가벼운 결함(○결함)	DC선
중간 및 큰 결함(△ 및 X결함)	DL선

(b) X주사의 경우

결함의 종류	대비선
가벼운 결함(○ 결함)	DL선
중간 및 큰 결함(△ 및 X 결함)	DM선

표 7.10 결함 지시 길이의 측정 한계(수직 탐촉자)

결함의 종류	에코 높이 또는 F_1/B_1
가벼운 결함(○)	F_1=25% 또는 F_1/B_1=25%
중간 결함(△)	F_1=50% 또는 F_1/B_1=50%
큰 결함(X)	F_1=50%, F_1/B_1=50% 또는 B_1=50%

아. 평가 방법

KS D 0233에서는 다음의 4항에 의해 평가 및 판정 기준을 정하고 있으며 상세사항은 규격을 참조한다.

① 큰 결함 개수의 평가
② 결함 1개의 최대 지시 길이의 평가
③ 밀집도의 평가
④ 점적율의 평가

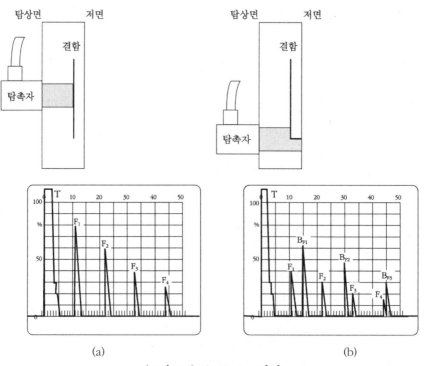

(a)   (b)

〔그림 7.5〕 6 dB drop방법

7.1.4 탐상 시 주의해야 할 사항

가. 적산효과

적산효과(*superimpose effect*)란 결함이 작은 경우에 결함 에코가 1회째 보다, 2회째, 3회째가 더 높아지는 현상을 말한다. 에코의 적산은 결함이 판 두께의 중앙부에 있는 경우, F_1에서는 하나의 반사 경로이지만, F_2에서는 3경로, F_3에서는 5경로와 같이 반사 경로가 증가하기 때문에 이들 에코가 더해져 합쳐짐에 의해 수 회째까지의 결함 에코는 점점 높아지며 그 후에는 확산, 감쇠에 의해 결함 에코 높이는 낮아진다.

이와 같은 현상은 결함이 작고 판 두께가 얇으며(특히 20 ㎜ 이하가 많음) 감쇠가 적은 경우에 나타나는 현상이다.

나. 전달 손실

초음파가 시험체 내로 전파할 때 탐상면에 투과할 때의 전달 손실, 시험체를 전파할 때의 확산과 결정립계에서의 산란에 의한 감쇠, 시험체의 표면에서 반사할 때의 반사 손실이 발생한다.

탐상면에서의 전달 손실은 시험체의 표면거칠기, 주파수, 접촉매질 등의 영향을 받으며 표면이 거칠고 주파수가 높을수록 또한 접촉 매질의 음향 임피던스의 값이 작을수록 전달 손실은 커진다. 따라서 탐상면이 거친 경우나 곡률이 있으면 전달손실이 크게 되고, 재료의 결정입이 조대하면 초음파의 감쇠가 크게 된다.

이와 같은 재료에 표준시험편으로 탐상감도를 조정하고 탐상하면 결함을 놓치거나 과소평가할 수 있다.

따라서 감도보정에 사용한 표준시험편과 대상물이 되는 시험체와의 초음파특성의 차이를 미리 조사하여 감도조정을 할 필요가 있다.

7.1.5 강판의 초음파탐상검사 절차

KS D 0233 「압력용기용 강판의 초음파탐상검사」에 따라 다음의 탐상순서로 강판을 수직탐상하고 결함에코를 평가한다. 표 7.11은 탐상 절차를 나타내고 있다.

표 7.11 강판의 초음파탐상 절차(감도 보정을 하지 않는 경우)

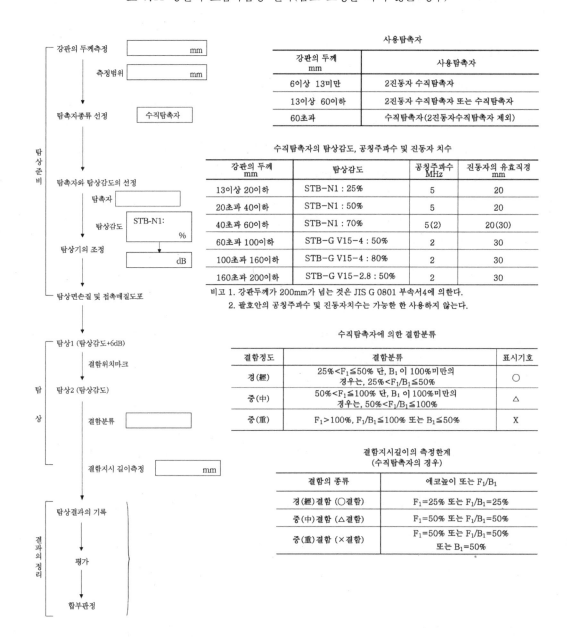

탐상준비 / 탐상 / 결과의 정리 (플로차트)

- 강판의 두께측정 ☐ mm
  - 측정범위 ☐ mm
- 탐촉자종류 선정 ☐ 수직탐촉자
- 탐촉자와 탐상감도의 선정
  - 탐촉자 ☐
  - 탐상감도 STB-N1: ☐ %
- 탐상기의 조정 ☐ dB
- 탐상면손질 및 접촉매질도포

- 탐상1 (탐상감도+6dB)
  - 결함위치마크
- 탐상2 (탐상감도)
  - 결함분류 ☐
  - 결함지시 길이측정 ☐ mm

- 탐상결과의 기록
- 평가
- 합부판정

사용탐촉자

강판의 두께 mm	사용탐촉자
6이상 13미만	2진동자 수직탐촉자
13이상 60이하	2진동자 수직탐촉자 또는 수직탐촉자
60초과	수직탐촉자(2진동자수직탐촉자 제외)

수직탐촉자의 탐상감도, 공칭주파수 및 진동자 치수

강판의 두께 mm	탐상감도	공칭주파수 MHz	진동자의 유효직경 mm
13이상 20이하	STB-N1 : 25%	5	20
20초과 40이하	STB-N1 : 50%	5	20
40초과 60이하	STB-N1 : 70%	5(2)	20(30)
60초과 100이하	STB-G V15-4 : 50%	2	30
100초과 160이하	STB-G V15-4 : 80%	2	30
160초과 200이하	STB-G V15-2.8 : 50%	2	30

비고 1. 강판두께가 200mm가 넘는 것은 JIS G 0801 부속서4에 의한다.
2. 괄호안의 공칭주파수 및 진동자치수는 가능한 한 사용하지 않는다.

수직탐촉자에 의한 결함분류

결함정도	결함분류	표시기호
경(輕)	25%<F_1≦50% 단, B_1 이 100%미만의 경우는, 25%<F_1/B_1≦50%	○
중(中)	50%<F_1≦100% 단, B_1 이 100%미만의 경우는, 50%<F_1/B_1≦100%	△
중(重)	F_1>100%, F_1/B_1≦100% 또는 B_1≦50%	X

결함지시길이의 측정한계 (수직탐촉자의 경우)

결함의 종류	에코높이 또는 F_1/B_1
경(輕)결함 (○결함)	F_1=25% 또는 F_1/B_1=25%
중(中)결함 (△결함)	F_1=50% 또는 F_1/B_1=50%
중(重)결함 (×결함)	F_1=50% 또는 F_1/B_1=50% 또는 B_1=50%

7.2 단강품의 탐상

7.2.1 대상이 되는 결함의 초음파적 특징

단강품은 그 무게가 1 kg 으로부터 10톤 이상이 되는 대형 제품에 이르기까지 형상이 매우 단순한 것부터 복잡한 것까지 여러 종류가 있고, 또 크기도 각종 제품에 따라서 다르다. 또한 회전기기에 사용되는 제품은 정지 상태로 사용하는 단조품에 비하여 피로강도가 더욱 문제 시 되므로, 초음파 탐상의 중요성이 더욱 강조된다. 결함의 종류로는 모래 흔적이나 편석과 같은 단조 과정에 나타나는 가늘고 긴 결함과 파이프 결함과 같은 기공형 그리고 수소에 의한 머리카락과 같은 단조 방향에 특히 관계없이 발생하는 결함으로 나눌 수 있다.

단강품에 주로 발생되는 결함으로는 ① 담금질 균열, ② 다공질 기공, ③ 비금속 개재물, 모래 흠 등이 있다.

① 담금질 균열의 경우는 담금질(*quenching*)을 하면 심하게 급냉되기 때문에 외면은 강하게 수축하고 내부는 냉각에 의한 수축이 지연된다. 다시 말해 담금질을 하면 표면이 먼저 마르텐사이트 상태로 경화하고, 그보다 다소 늦게 내부가 마르텐사이트 변태를 한다. 마르텐사이트 변태는 상당히 큰 체적팽창을 일으키기 때문에 이미 경화해 있는 외면에 의해서 강한 인장응력이 작용한다. 특히 모서리나 두께 차가 있는 부분 등에서는 이와 같은 강한 인장응력이 집중하여 균열이 발생하게 되는 경우이다.

② 다공질(*loose structure*) 기공의 경우는 강괴 중심 부근에는 미세한 입계균열 또는 입계에서 발생한 미소한 공동에 의해 결정립의 결합력이 약해진 부분이 존재한다. 이와 같은 부분은 단조 시에 충분히 단련되어 압착되는 것이 보통이지만 공극(空隙)이 현저하게 나타나기도 하고 단련이 불충분할 때에는 압착되지 않고 일부가 남아 결함이 된다. 이와 같은 결함을 다공질기공이라 한다.

③ 비금속 개재물, 모래 흠 등의 경우는 강괴의 내부에 존재하는 비금속 개재물은 일반적으로 상당히 미세한 것이다. 그러나 불순물이 많고 냉각응고 과정을 천천히 거치면 모여서 커지게 된다. 또, 주형의 일부가 탈락되어 혼입되는 것이 있다. 육안으로 볼 수 있을 정도로 큰 것을 모래흠(*sand mark*)이라 부른다. 이들 결함은 단조에 의해 가늘고 길게 늘어나기도 하지만 평판형 으로 되어 있는 것이 보통이다.

표 7.12 단강품에서 주로 발생되는 내부 결함과 대표적인 탐상지시

결함의 종류	탐상지시	검출 부위와 특징
편석 결함		둥근 축 모양의 시험체에서는 외주에서 지름 방향으로의 탐상으로 결함 에코가 검출되어 F_1 및 F_2는 지름 또는 두꺼운 중간부에서 띠 모양으로 층이 되어 보인다. (F_2는 검출되지 않는 경우가 있음)
백점		합금강 등으로 드물게 검출된다. 매우 날카로운 결함 에코가 발생하여 중간부에서 중심부에 걸쳐 광범위하게 검출되며 또한 저면 에코의 저하가 크다. 길이 방향에서는 저면부를 제외한 부위에서 검출되고 축방향의 탐상에서도 검출된다.
미소기공		거의 중심 부근에 집중되어 결함 에코가 검출되어 개개의 결함 에코는 중복된 형태로 명료하게 분리하는 일이 적다. 결함이 큰 경우에는 저면 에코의 저하가 뚜렷하다. 길이 방향에서는 강괴의 표층부에서 중앙부에 검출되어 축방향에서의 탐상에서도 검출된다.
모래 흠		강괴에서의 저면부 또한 중심부에 검출되는 경우가 많으며 각 결함 에코는 분리하여 나타나는 경우가 많다. 특히 국부적으로 검출되는 경우가 많다. 편석 내에 개재하는 경우 편석 결함과의 구별이 어렵다.
파이프		강괴의 표층부 그리고 중심부에 결함 에코가 검출되며 그 수는 비교적 적다. 결함 에코 높이는 변화가 있어도 축 방향으로 연속되어 나타나며 저면 에코의 저하를 동반하는 경우가 많다.
단조 균열 (*forging crack*)		파이프와 유사한 탐상지시이지만, 강괴에서 위치에 관계없이 검출되는 경우가 많다.
조대 결정립		표면 근처에서 임상 에코가 발생한다. 저면 에코의 변화에 주의하여 사용 주파수를 바꾸어 다른 결함과 구별할 필요가 있다. 일반적으로 감쇠가 크기 때문에 감쇠계수의 측정이 바람직하다.

* 탐상지시는 B_{G1} (건전부의 제 1회째의 저면 에코 높이): 80%로 한 경우를 나타냄.
  F : 결함 에코, B : 저면 에코

단강품의 탐상방법은 주강품 탐상과는 달리 결정입의 크기가 크지 않기 때문에 높은 주파수를 사용할 수 있으며, 결함도 입자성형 방향으로 비교적 직선형이므로 탐상이 용이하다. 다만, 균열일 경우에는 방향성이 없으므로 주의하여야 한다. 보통 단강품의 탐상에는 수직탐상이 흔히 사용되며, 근거리음장을 보정하기 위하여 분할형 탐촉자를 사용한다. 탐상 주파수는 4 ~ 6 MHz 가 많이 사용되며, 경우에 따라서는 10 MHz 의 높은 주파수를 사용하는 경우도 있다. 사각탐상은 수직탐상으로 확인된 결함의 모양이나 깊이 등을 확인하기 위한 특수한 경우에 사용되며, 피검체의 모양으로 인하여 수직탐상이 불가능할 때 사용된다.

사용 중 피로로 인하여 발생하는 서비스 형태의 결함은 발생부위가 정해져 있으므로 시방서 등으로 규정하여 정기적으로 그 부분만을 선택하여 검사를 하는 것이 통례이다. 크기가 큰 단조품에 발생되는 결함은 피로 균열이나 구속으로 인한 균열 등이 성형과정의 결함이므로 많은 공정을 거치기 전에 탐상하여 불필요한 경비를 줄이는 방법으로서도 사용된다.

표 5.6은 단강품에 발생하는 대표적인 결함의 종류와 초음파탐상지시의 특징을 나타내고 있다.

7.2.2 단강품의 탐상 규격

단강품의 초음파탐상검사에 사용되는 규격으로서는 미국의 ASTM A388이 있으며 단강품의 대표적인 수직 탐상 규격을 표 7.13에 나타낸다. 두께 20 ㎜ 이상 및 외경부의 곡율 반지름이 50 ㎜ 이상의 탄소강 및 저합금강의 단강품을 대상으로 한 KS D 0248이 있다. 또한 그 외 외국규격으로는 탄소강 및 저합금강의 단강품을 대상으로 한 JIS G 0587, 선용(船用) 크랭크 축 등을 대상으로 한 JFSS 13 등이 있으며, 터빈 및 발전기 로터를 대상으로 한 ASTM A 418 등이 있다.

표 7.13 단강품의 탐상 규격

규격 번호	규격품
KS D 0248	탄소강 및 저합금강 단강품의 초음파 딤상 검사 방법
JIS G 0587	탄소강 및 저합금강 단강품의 초음파 검사 방법 및 검사 결과의 등급 분류 방법
JFSS 13	선박용 단강품에 대한 초음파 탐상 기준
ASTM A 388	두꺼운 단강품의 초음파 탐상 검사 방법
ASTM A 418	단강품 터빈 및 발전기용 로터의 초음파 탐상 검사 방법

7.2.3 단강품의 탐상 방법

단강품에는 많은 재질이 있으며 그 형상, 치수도 변화가 크고 결함의 종류나 그 존재의 방법도 일정하지 않다. 그렇기 때문에 탐상 방법도 그에 따라 크게 달라지므로 목적에 따른 최적 탐상 방법을 선정하는 것이 중요하다.

(1) 검사의 시기

검사의 시기는 완성 검사와 중간 검사가 있다. 중간 검사란 단강품의 열처리의 전후나 흑피 그대로이거나 그라인더(*grinder*) 손질 정도의 단계에서 탐상하는 것으로서, 품질 정보로서는 최종 판정을 추측하기에 충분한 정보를 수집해 둘 필요가 있다. 즉 공정을 진행하거나, 그 시점에서 불량 처분할지의 판단을 하지 않으면 안 되는 품질 관리상 중요한 의미를 가진 탐상이다.

한편 완성 검사는 규격에 따른 검사이며 KS D 0248에서는 원칙적으로 열처리 후로, 긴 홈, 테이퍼(*taper*), 키 홈, 드릴 구멍 등의 가공을 하기 전에 실시된다. 단, 열처리 후의 형상이 탐상에 적절하지 않은 경우에는 열처리 전에 실시해도 좋다. 이 경우 열처리 후에 가능한 한의 범위를 재 탐상하도록 규정하고 있다.

(2) 탐상 방향

단강품은 단련 성형에 의해 metal flow가 생기며, 비금속개재물은 이것에 따른 형태로 변형한다. 따라서 탐상 방향 및 탐상 위치를 정하는 경우에는 단련 방향도 고려하여 검토하는 것이 중요하다. 주사 범위는 검출해야 할 결함의 종류, 방향, 크기 및 사용상의 영향을 고려하여 결정한다.

(3) 탐촉자의 선정

KS D 0248에서는 표 7.14에 나타내듯이 공칭 주파수와 진동자의 공칭 지름과의 조합에 의해 여러 가지 것을 사용할 수 있다. 검출해야 할 결함 및 시험체의 감쇠 등을 고려하여 적정한 탐촉자를 선정하는 것이 중요하다.

(4) 탐상 감도

KS D 0248과 JIS G 0587은 저면에코방식 및 시험편방식에 의한 방법이, 또한 JFSS 13은 저면에코방식에 의한 방법이 규정되어 있기 때문에 적용하는 규격에 따를 필요가 있다.

(5) 감쇠계수의 측정과 보정 방법

초음파가 시험체 중을 전파할 때 빔이 퍼지는 것에 의한 확산 감쇠와 결정립계에서의 산란 반사에 의한 산란 감쇠의 영향을 받아 전파거리가 길어지면 음압이 점차 저하한다. 이 중 산란 감쇠는 사용하는 탐촉자가 결정되어도 시험체의 재질이나 열처리의 정도 등에 의한 결정립의 크기의 영향을 받는다. 따라서 에코 높이 $H(dB)$를 정당하게 평가하기 위해서는 미리 감쇠계수를 구하고 보정을 할 필요가 있다.

시험체의 $B_1/B_2(dB)$의 값의 실측치를 (B_1/B_2), 확산 감쇠량(DGS 선도의 ∞곡선에서 읽어낸 $B_1/B_2(dB)$의 값, $X_{B1} > 4X_0$을 만족하는 경우에는 $6(dB)$를 $[B_1/B_2]$로 하면 감쇠계수 α는 식 7.1 으로 나타난다. 단, 여기에서는 저면 및 탐상면에서의 반사 손실은 무시되어 있다.

$$\alpha = \frac{(B_1/B_2) - [B_1/B_2]}{2t}$$ ···(7.1)

단, t: 시험체의 두께

보정한 에코 높이 $H'(dB)$는 식 7.2 으로 나타난다.

$$H' = H - 2\alpha x$$ ···(7.2)

(6) 평가 방법

KS D 0248에서는 표 7.14에 나타내듯이 DGS 선도에 의해 구한 등가 결함 지름과 결함에 의한 저면 에코의 저하량에 의해 등급을 분류한다.

7.2.4 단강품의 초음파탐상검사 절차

KS D 0248 「탄소강 및 저합금강 단강품의 초음파탐상검사」에 따라 다음의 탐상순서로 단강품을 탐상하고 결함에코를 평가한다. 표 7.14는 KS D 0248에 의한 단강품의 초음파탐상 절차를 나타내고 있다.

표 7.14 KS D 0248에 의한 단강품의 초음파탐상검사 순서

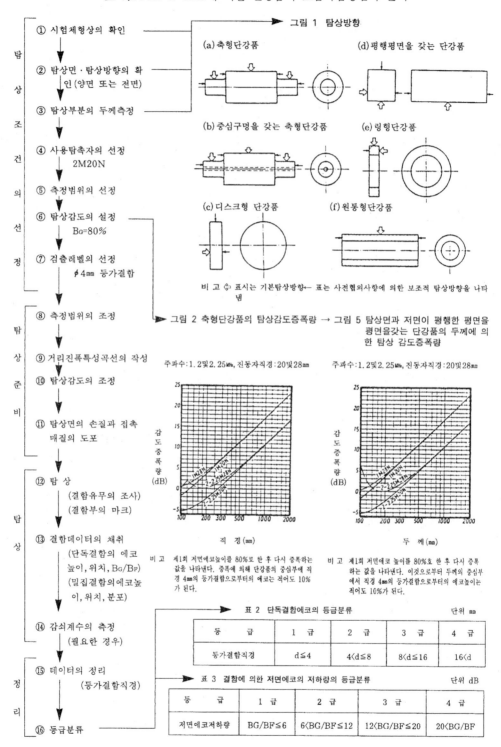

탐상조건의 선정

① 시험체형상의 확인

② 탐상면·탐상방향의 확인(양면 또는 전면)

③ 탐상부분의 두께측정

④ 사용탐촉자의 선정
　2M20N

⑤ 측정범위의 선정

⑥ 탐상감도의 설정
　Bσ=80%

⑦ 검출레벨의 선정
　φ4mm 등가결함

탐상준비

⑧ 측정범위의 조정

⑨ 거리진폭특성곡선의 작성

⑩ 탐상감도의 조정

⑪ 탐상면의 손질과 접촉매질의 도포

탐상

⑫ 탐상
　(결함유무의 조사)
　(결함부의 마크)

⑬ 결함데이터의 채취
　(단독결함의 에코높이, 위치, BG/BF)
　(밀집결함의에코높이, 위치, 분포)

⑭ 감쇠계수의 측정
　(필요한 경우)

정리

⑮ 데이터의 정리
　(등가결함직경)

⑯ 등급분류

그림 1 탐상방향

(a)축형단강품　　(d)평행평면을 갖는 단강품

(b)중심구멍을 갖는 축형단강품　　(e)링형단강품

(c)디스크형 단강품　　(f)원통형단강품

비고 ⇧ 표시는 기본탐상방향 ← 표는 사전협의사항에 의한 보조적 탐상방향을 나타냄

그림 2 축형단강품의 탐상감도증폭량 → 그림 5 탐상면과 저면이 평행한 평면을 갖는 단강품의 두께에 의한 탐상 감도증폭량

주파수:1.2및2.25㎒, 진동자직경:20및28㎜　　주파수:1.2및2.25㎒, 진동자직경:20및28㎜

감도증폭량 (dB)　　직 경(mm)

감도증폭량 (dB)　　두 께(mm)

비고 제1회 저면에코높이를 80%로 한 후 다시 증폭하는 값을 나타낸다. 증폭에 의해 단강품의 중심부에 직경 4㎜의 등가결함으로부터의 에코는 적어도 10%가 된다.

비고 제1회 저면에코 높이를 80%로 한 후 다시 증폭하는 값을 나타낸다. 이것으로부터 두께의 중심부에서 직경 4㎜의 등가결함으로부터의 에코높이는 적어도 10%가 된다.

표 2 단독결함에코의 등급분류
단위 ㎜

등　급	1 급	2 급	3 급	4 급
등가결함직경	d≦4	4<d≦8	8<d≦16	16<d

표 3 결함에 의한 저면에코의 저하량의 등급분류
단위 dB

등　급	1 급	2 급	3 급	4 급
저면에코저하량	BG/BF≦6	6<BG/BF≦12	12<BG/BF≦20	20<BG/BF

7.3 강 평판 용접부의 탐상

7.3.1 검사의 대상이 되는 용접결함의 종류와 그 특징

용접은 조선, 차량, 압력용기, 건축철골, 교량 등 각종구조물이나 기계제작의 기반 기술로써 이들 각종 용접구조물의 품질관리·품질보증에 매우 중요한 기술이다.

검사원은 검사대상의 대부분인 용접에 대해 용접방법, 용접이음, 용접부의 성질 등(특히 용접결함)에 대해서는 충분한 지식과 경험이 필요하다.

용접결함은 용접설계의 잘못, 용접공의 기량 부족이나 부주의 또는 용접시공관리 상의 문제 등에 의해 발생한다.

이러한 의미에서 용접공을 포함한 용접관리가 매우 중요한데 이것이 품질관리와 품질보증으로 이어지게 된다.

결함으로는 아크 스트라이크(*arc strike*), 기공(*blowhole*), 피트(*pit*), 슬래그 혼입(*slag inclusion*), 융합불량(*lack of fusion*), 용입부족(*incomplete penetration*), 언더컷(*undercut*), 오버랩(*overlap*) 및 균열(*crack*) 등이 있고 균열이 용접결함 중 가장 중대한 결함이다.

이들 결함 중에서 육안으로 검출할 수 있는 것에는 육안검사(*VT*)가 적용되고, 내부결함의 검출에는 방사선투과검사(*RT*)나 초음파탐상검사(*UT*)가 적용되고 있으며, 표면 또는 표면 직하의 미세한 결함 중에서 외관검사가 어려운 것은 자분탐상검사(*MT*)나 침투탐상검사(*PT*)등이 적용되고 있다.

보통 용접부의 탐상에는 에코 높이와 결함지시길이로부터 불합격이 되는 결함이 검출되면 결함의 종류와 형상은 추정하지 않고 가우징(*gauging*)에 의해 결함을 제거하고 용접 보수하는 것이 대부분이다.

그러나 판두께가 두꺼운 용접부나 사용 중의 기기에는 불충분한 용접보수로 인해 오히려 용접 구조물의 품질이 저하될 수도 있기 때문에 결함의 종류나 형상을 판정하고 결함의 유해도를 평가한 후에 보수용접을 할 것인가를 결정해야 한다.

이럴 때는 여러 종류의 탐상 기술을 구사하고 가능한 정확한 결함의 종류나 형상을 추정하는 것이 필요하다. 표 7.15에는 강 평판 용접부에서 발생하는 대표적인 결함의 발생 원인과 특징을 나타내고 있다.

표 7.15 용접 결함의 종류와 발생원인과 특징

결함명칭	발생원인	특징
균열	용접 이음매의 형상이나 구속의 상태 및 용접 금속이나 열 영향부의 경화 현상에 수소가 관여하여 생기는 저온 균열과 용접 금속이 그 응고 범위 또는 그 직하의 매우 연성이 부족한 상태에 있을 때에 발생한 수축력에 의해 발생하는 고온 균열이 있다. 이 밖에 강판의 층상 개재물이 원인으로 판의 층상 조직에 따라 박리하는 층상 박리나 용접 후 열처리 등으로 조대화한 열 영향부의 입계에서 일어나는 재열 균열이 있다.	① 용접비드에 평행한 세로 균열과 비드에 직각인 가로 균열로 분류된다. 가로 균열을 검출하기 위해서는 용접선상 주사나 경사 평행 주사를 실시할 필요가 있다. ② 덧붙임의 끝부분에 용접끝균열, 열 영향부에 비드 아래 균열, 루트부에 루트 균열이 발생한다. 종균열　횡균열　비드 아래 균열 끝단균열　루트균열　라멜라테어
용입 부족	개선 각도가 너무 작거나 루트간격이 너무 좁은 경우에 용해가 불충분해져 개선의 루트부가 미용융 채로 남는 것이 용입부족으로 양쪽 용접의 경우에는 저면 따내기가 불충분한 때에 발생하는 경우가 있다.	① 한면 용접의 경우에는 저면에 열린 용입부족이 발생한다. ② 양면 용접의 경우에는 내부 용입부족이 발생한다. 편측 용접의 용입불량　양측 용접의 용입불량
융합 불량	개선 각도가 너무 작거나 용접 입열이 불충분하기 때문에 모재와 용접 금속의 사이가 융합되지 않아 발생하는 것과 전층의 용접부의 표면에 부착하고 있는 슬러그나 산화물의 제거가 불충분하여 전층의 용접 금속과 후속의 용접 금속의 융합이 불충분한 때에 발생한다.	① 개선면에 따른 융합 불량은 비교적 평활한 반사면을 가지고 있다. ② 저면 따내기 부분의 융합 불량 및 층간 융합 불량은 탐상면에 평행하게 발생하는 경우가 많다. 홈면의 융합불량　백가우징 융합불량　층간 융합불량
슬래그 혼입	용접 작업 시, 슬래그의 일부가 용접 금속 내에 남는 경우가 있으며 또한 하층의 표면에 부착되어 있는 슬래그의 청소가 불충분한 때에 상층의 용접으로 이것이 용융하지 않을 때에 발생한다.	비교적 작고 균일하게 분포하고 있는 것이나 크고 불규칙한 형상을 하여 연속되어 있는 것이 있어 매우 다양하게 나타난다. 슬래그 혼입
기공 (*blow hole*)	용접 금속이 냉각할 때에 용접 금속 중에 함유되어 있는 가스가 석출하여 표면까지 올라오기 전에 응고하여 용접 금속 내에 갇혀 구상의 공동(空洞)으로서 남은 것이다.	① 단독으로 존재하는 것이나 밀집하여 존재하는 것이 있다. ② 길게 두께방향으로 연속하고 있는 것을 웜홀(*worm hole*)이라 한다. 기공

가. 아크 스트라이크

용접봉과 모재가 순간적으로 접촉하여 극히 단시간에 아크가 발생했을 때 생긴 모재표면에 작게 파인 것을 아크스트라이크(*arc strike*)라 한다. 이 홈은 노치가 되고 단시간에 발생한 아크 때문에 급열·급랭에 의한 취화(脆化)로 균열이 발생하거나 균열발생의 기점이 될 가능성이 있다.

나. 기공·피트

용융금속 내부의 가스가 응고할 때 부상하는 시간의 부족으로 용접금속 내부에 갇혀 있던 CO, H_2 등의 가스가 빠져나가지 못한 상태에서 내부에 응고된 공동을 기공(*blowhole*)이라 하고, 표면에 나타난 것을 피트(**pit**)라 한다. 구형에 가까운 형태로 노치로는 그다지 예리하지 않은 경우가 많다.

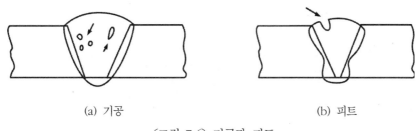

(a) 기공

(b) 피트

〔그림 7.6〕 기공과 피트

다. 슬래그 혼입

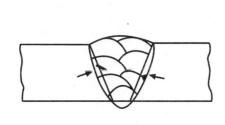

〔그림 7.7〕 슬래그 혼입

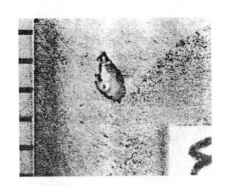

〔그림 7.8〕 슬래그 혼입의 횡단면 사진

슬래그 혼입(*slag inclusion*)이란 슬래그가 응고할 때 부상하는 시간이 부족하여 슬래그의 일부가 부상하지 못하고 용접금속 중에 남은 것, 아래층의 표면에 부착하고 있는 슬래그가 충분히 제거되지 않은 경우에 상층의 용접에서 용융되지 않고 남아있는 것을 말한다. 전자는 비교적 작고 한 가지 형태로 분산해 있는 데에 비해 후자는 크고 불규칙한 형상을 하여 연속하고 있는 경우가 많다(그림 7.7). 형상이 비교적 불규칙하게 가늘고 길며 선단이 예리한 경우에는 응력집중이 크다. 그림 7.8은 슬래그 혼입의 횡단면 사진을 나타내고 있다.

라. 융합 불량

융합 불량(*lack of fusion*)은 다층 비드의 층 또는 개선면과 비드와의 용접경계면이 충분히 용융되지 않는 것으로, 균열 모양이 되는 경우는 응력집중이 크다(그림 7.9). 또한 루트(*root*)면 이외의 부분이 용융되지 않고 남아있는 것을 총칭하며, 그림 7.10과 같은 개선면과 비드와의 사이의 융합불량, 그림 7.11과 같이 개선면과 비드 사이의 융합불량에 슬래그를 내장하고 있는 것, 그림 7.12와 같이 비드와 비드 사이의 융합불량에 슬래그가 층간에 공존하고 있는 것, 그림 7.13과 같이 백가우징 밑 부분의 융합불량 등이 있다. 융합불량 등은 단순한 슬래그 혼입과 명료하게 구분할 수 없는 것이 많다.

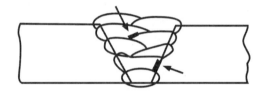

〔그림 7.9〕 융합불량

〔그림 7.10〕 개선면의 융합불량

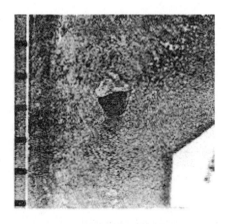

〔그림 7.11〕 개선면의 융합불량에 슬래그
혼입이 공존하고 있는 결함

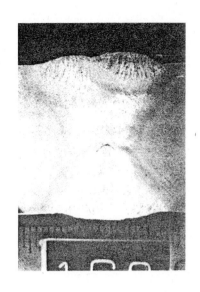

〔그림 7.12〕 층간의 융합불량 　　　〔그림 7.13〕 백가우징 밑 부분의 융합불량

마. 용입 부족

용입 부족(*lack of penetration*)은 본래 완전히 용입 되어야 하는 루트(*root*)면 이외의 부분이 용융되지 않고 남아 있는 것으로, 개선각이 지나치게 작은 경우나 백가우징이 불충분한 경우에 루트면이 미용융 상태로 남아 발생한다.

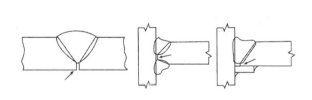

〔그림 7.14〕 용입 부족

〔그림 7.15〕 내부 용입 부족

루트면이 용융되지 않고 루트 간격이 작은 경우에는 균열상이 되어 응력집중이 크다(그림 7.14). 그림 7.15는 내부 용입부족의 횡단면 사진을 나타내고 있다.

용접이음의 초층은 용입부족이나 급냉에 의한 경화(취화), 구속응력에 의한 균열이나 슬래그 혼입 등의 용접결함이 생기기 쉬우므로 저면 용접 전에 이 용접결함을 제거하기 위해 초층부로부터 제2층부까지 파내는 것을 백가우징(*back gauging*)이라 한다(그림 7.16).

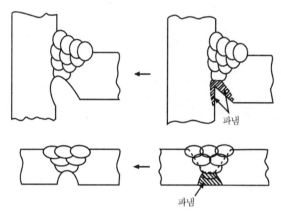

〔그림 7.16〕 백가우징의 예

백가우징을 하는 경우에 이들의 결함을 완전히 제거해야 한다. 특히, 고장력강의 경우에는 미세한 결함도 충분히 제거할 수 있도록 주의해야 한다. 이들 결함이 완전히 제거되었는지의 여부를 확인하기 위해 보통 백가우징면을 자분탐상검사를 한다.

바. 언더컷

언더컷(*under cut*)은 용접의 끝단(止端)에 인접하여 모재가 파인 후 용착금속이 채워지지 않고 남아 있는 부분으로 노치가 되어 반지름이 작은 경우에는 응력집중이 크고 동시에 이 부분(본드부)은 취화되기 때문에 균열이 발생하기 쉽다(그림 7.17).

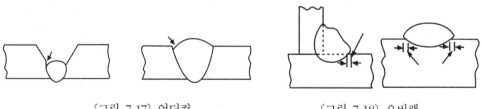

〔그림 7.17〕 언더컷　　　　　　　〔그림 7.18〕 오버랩

사. 오버랩

용접금속이 끝단부에서 모재와 융합하지 않고 덮여 있는 부분을 오버랩(*over lap*)이라
한다. 앞에 기술한 융합불량과 내용적으로 유사한 결함이다.(그림 7.18)

아. 텅스텐 혼입

스테인레스강이나 알미늄합금 및 티타늄 등의 용접에 TIG 용접법이 흔히 이용된다. 이
경우 전극의 텅스텐이 용융하여 용접금속 중에 들어가 혼입되어 발생한다.

자. 용접균열

균열은 예리한 노치로서 큰 응력집중이 생기고 강도면에서도 가장 나쁜 결함 중의 하나
로, 용접관리의 면에서 가장 피해야 하는 결함이다. 용접균열(*weld crack*)은 보통 발생장소
에 따라 ① 용착금속부, ② 열영향부(*heat affected zone; HAZ*), 발생온도에 따라서 ① 고온
균열(*hot crack*), ② 저온균열(*cold crack;* 약 300℃ 이하), 그리고 발생 시기에 따라 ① 용접
시공시, ② 용접후열처리시, ③ 사용시 등으로 분류한다.

a) 고온균열

고온균열은 주로 용접금속 또는 열영향부(*HAZ*)가 응고하는 과정이 온도가 높고 연
성이 부족한 상태에 있을 때 수축력에 의해 발생하는 것이다. 그림 7.19는 용접금속 중
의 고온균열의 횡단면 사진이다. 용접금속부의 고온균열은 용융된 용접금속이 응고할 때
응고가 완료되기 직전에 응고된 결정립의 사이에 용융금속이 박막 상으로 존재한다. 이
때 외부로부터의 구속에 의해 인장응력이 작용하면 결정입계에서 분리하여 고온균열이
된다. 따라서 고온균열은 입계균열로 이 균열이 공기와 접촉하는 경우는 균열의 표면은
산화된다. 크레이터 균열(그림 7.22 ⑫)이나 서브머지드 아크 용접의 비드고열(그림
7.20)이 그 예이다. 열영향부의 고온균열은 결정입계에 저융점 석출물이 존재하면 가열
시 입계가 용융하고 냉각할 때 앞의 용접금속부의 고온균열과 똑같은 발생기구로써 입계
균열이 발생한다.

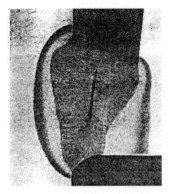

〔그림 7.19〕 용접금속 중의 고온균열그림

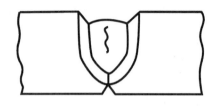

〔그림 7.20〕 서브머지드 아크용접의 비드균열

b) 저온균열

저온균열은 용접부가 약 300°C 이하에서 발생하며 입계균열과 입내균열이 있다. 저온균열은 용접부에 침입한 수소에 의해 발생하나 저온에서 생기는 수축응력, 용접금속 또는 열영향부의 경화나 연성저하도 원인이 될 수 있다. 이 중 수소가 원인이 되어 용접후 장시간 경과하고 나서 발생하는 균열을 특히 지연균열(遲延龜裂)이라 부른다. 지연균열을 검출하기 위해서는 용접종료 후 적어도 24 시간이 경과하고 나서 비파괴검사를 실시할 필요가 있다. 그림 7.21은 용접금속 표면에 열려 있는 지연균열(횡균열)을 나타내고 있다. 용접시공 시 발생하는 균열의 대부분은 저온균열이며 저온균열 발생의 주요한 요인에는 다음의 3가지가 있다.

(1) 열영향부의 조직(경화=취화)

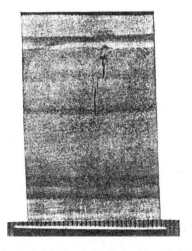

〔그림 7.21〕 용접금속 표면에 열려 있는 지연균열(횡균열)

열영향부는 경화하여 취성조직으로 이루어져 있다. 이 경화(취화)에 가장 관계 있는 저온균열 감수성을 나타내는 지표에는 탄소당량(C_{eq}), 균열 감수성 조정(P_{cm}) 및 균열감수성지수(P_c)가 있다.

$$C_{eq} = C + \frac{Mn}{6} + \frac{Si}{24} + \frac{N}{40} + \frac{Cr}{5} + \frac{Mo}{4} + \frac{V}{14}(\%)$$

이 C_{eq}로부터 열영향부 최고경도 $H_V(\textbf{\textit{max}})$를 추정하는 식은 다음과 같다.

$$H_V(\max) = (660\,C_{eq} + 40) \pm 40$$

$$P_{cm} = C + \frac{Si}{30} + \frac{N}{60} + \frac{Cr}{20} + \frac{Mo}{15} + \frac{Cu}{20} + \frac{V}{10} + 5B(\%)$$

P_c는 용접금속의 확산성수소량(H) 및 판두께(t)를 고려한 것이다.

$$P_c = P_{cm} + \frac{H}{60} + \frac{t}{600} \ (H : ml/100g,\, t : mm)$$

(2) 용접부의 확산성 수소

저온균열에 가장 큰 영향을 미치는 것이 확산성수소이다. 용융된 용접금속에 흡수된 수소는 응고하는 과정에서 일부는 금속표면에서 외부로 방출되지만, 일부는 용접금속에 잔류하여 확산성 수소로 열영향부에 확산되어 간다.

수소원(源)으로는 플럭스(**flux**)에 포함된 수분, 유기물, 대기 중의 수분, 홈면이나 용접와이어 표면의 기름, 녹, 유기물, 수분 등이 있고 용접봉의 건조, 용접시의 날씨, 개선면의 청소 등에 주의할 필요가 있다. 저수소계 용접봉은 수소를 아주 적게 포함하고 있기 때문에 균열발생의 방지에 효과적이다. 또 예열, 후열이나 층간온도를 유지하는 것도 확산성 수소의 외부로의 확산, 방출을 조장하기 때문에 유효하다.

(3) 용접부에 생기는 응력(주로 구속응력)

용접변형을 구속하는 것에 의한 응력의 발생을 완전히 피하는 것은 어려우며 이 응력에 의해 균열이 발생하거나 발생이 조장된다.

c) 용접 시공 시에 발생하는 균열

　　열영향부의 루트균열은 특히 고장력강의 초층 용접을 했을 때 용접종료 후 용접부의 온도가 약 90℃ 이하가 되어 발생하는, 수소 확산에 지배되는 균열로 구속응력이 큰 경우에 이 균열이 발생하는 경향이 크다. 또, 냉각속도가 빠른 경우에는 경화조직이 되어 구속응력에 의해 루트균열이 생긴다. 용접금속부의 루트균열은 용접금속부에서 생기기 때문에 용접금속의 평균 경도를 $H_V = 250$ 이하가 되도록 관리해야 한다.

　　마이크로(*micro*)균열(용접금속부: 그림 7.22 ④, 열영향부: 그림 7.22 ⑤)은 수소가 많은 용접금속이나 용접금속에서 확산된 수소가 많은 열영향부에 발생하는 다수의 미세한 균열로, 용접부의 냉각속도나 합금성분의 영향을 받으며 일반적으로 수소가 많을수록 발생하기 쉽다. 이것은 비금속 개재물이나 미소한 결함에 수소가 집적된 결과 발생하며, 저수소계의 용접봉을 사용하여도 예열하지 않고 고장력강을 다층 용접하는 경우에는 발생하기 쉽다. 이를 방지하기 위해서는 100℃ 이상으로 예열하고, 용접완료 후 100~200℃로 여러 시간 탈수소 열처리를 하는 것이 좋다.

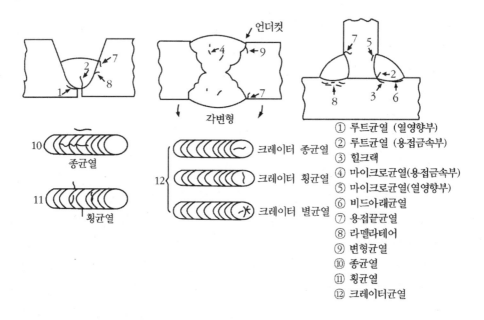

〔그림 7.22〕 용접시공 시에 발생하는 균열

　　용접끝균열(그림 7.22 ⑦)은 필릿 용접부에서 작은 입열 용접의 경우에 발생하기 쉽다. 이것도 수소에 의한 지연균열이지만, 용접 시에 수소량을 낮게 하더라도 용접금속의 강도가 큰 경우에는 방지하기가 어렵다. 끝단부의 국소적인 구속응력을 감소시키기 위해 예열을 하고, 층간온도를 유지하는 것이 필요하고, 탄소당량이 0.40 이상인 경우에는 예열이 필요하다.

라멜라티어(***lamella tear***, 그림 7.22 ⑧)는 강판이 판두께 방향으로 큰 인장응력을 받고 있는 용접이음부에서 강판표면에 평행하게 발생하는 층상의 균열로써, 열영향부나 모재에 발생한다. 발생 원인으로는 판두께 방향의 인장응력, 재료 중의 비금속 개재물, 변형시효, 수소취화 등이 있다.

강판의 내(耐)라멜라티어 성능을 향상시키기 위해서는 비금속 개재물의 감소, 판두께 방향의 인장강도를 증가시키고, 황(S)함유량을 낮추는 것이 효과적이다. 따라서 라멜라티어를 방지하기 위해서는 양질의 강재를 사용하는 것도 좋지만, 구속을 약하게 하거나 국부적인 변형집중을 피하는 것도 좋다. 또한 루트균열에서 진전하는 라멜라티어도 있기 때문에 루트균열 방지 역시 중요하다.

일반적으로 양면 필릿용접이나 양면의 맞대기 용접인 경우에 한쪽의 용접이 완료되어 반대쪽을 용접할 때 각 변형에 의해 먼저 용접한 용접부는 인장하게 된다. 특히 비드가 과대하게 볼록하게 되거나 언더컷이 있으면 끝부분에 응력집중이 생겨 열영향부(특히 본드부)는 취화되기 때문에 위에서 설명한 인장응력으로 인해 균열이 발생하는 데 이것이 변형균열이다. 변형균열을 방지하기 위해서는 각 변형방지를 위해 양쪽 용접을 하고, 언더컷을 방지하기 위해 적정한 용접조건이나 운봉법으로 용접할 필요가 있다. 그리고 열영향부의 경화를 방지하기 위해 충분한 예열을 하는 것도 효과적이다.

d) 용접 후열처리시의 균열

고장력강의 용접부의 잔류응력을 제거할 목적으로 용접완료 후 응력제거 풀림처리를 하면 끝부분에 재열균열(*SR* 균열)이 발생하는 경우가 있다. 이것은 응력제거 풀림시 미세한 탄화물 석출을 주체로 한 석출경화로 인해 결정입내가 경화하여 상대적으로 결정입계 보다 강해지고, 그 때문에 완화되고 있는 잔류응력에 의해 입계슬립이 일어난다. 이 입계슬립은 응력집중이 있는 끝단부에 일어나고 균열이 발생하는 데, 이 재열균열이 입계균열이다. 이 재열균열의 방지에는 맞대기 용접, 필릿 용접 등의 어느 경우에도 끝단부를 자연스럽게 제거하거나 하여 끝단부의 응력집중을 완화시키는 것이 필요하다.

e) 사용 중 균열

산성(酸性)원유나 프로판 등이 들어 있는 용기에서 응력부식 균열이 발생하는 경우가 있다. 이 균열의 방지에는 황화수소를 낮게 한다거나 결로(露点) 온도를 충분히 낮게 하여 결로에 의한 물이 생기지 않도록 하는 것, 용접부 표면을 에폭시 수지 등으로 보호하여 표면의 부식반응을 일으키지 않도록 하는 것, 응력을 작게 하는 것 등이 효과적이다. 한편, 용접부가 사용 중에 받는 변동응력에 의해 표면의 응력집중부(끝부분등)에 피로균열이 발생하는 경우도 있다.

7.3.2 탐상 조건의 조정

용접부를 탐상할 때의 검사 조건을 결정하는 순서를 그림 7.23에 나타낸다. 우선 용접 조건 등에서 발생이 예상되는 결함 중, 초음파탐상검사으로 검출해야 할 결함의 종류, 형상 등을 명확히 해 둔다. 또한 대상물의 형상, 치수 등에서 탐촉자를 접촉시키는 면(탐상면)을 결정한다. 이들을 고려하여 사용하는 탐촉자, 주사 범위 등의 검사 조건을 결정한다.

이 때 재료의 초음파 특성을 고려하여 사용하는 주파수나 접촉 매질을 결정한다. 특히 주파수를 결정하는 경우에는 표 7.16에 나타내는 항목이 유의사항이 된다. 보통 2 ~ 5 MHz 의 주파수가 사용된다. KS B 0896에서는 탐촉자의 주파수 및 진동자 치수의 선정을 시험체의 판 두께에 따라 표 7.17 및 표 7.18처럼 규정하고 있다. 또한 사용하는 굴절각 및 탐상 방향은 시험체의 판 두께 및 이음매 형상에 따라 각각 표 7.19 및 표 7.20처럼 규정되어 있다. 접촉 매질은 글리세린 페이스트, 농도 75% 이상의 글리세린 수용액, 물, 오일 등의 사용이 규정되어 있다. 최근 현장에서는 작업 상황에 따라 글리세린 페이스트가 자주 이용되고 있다.

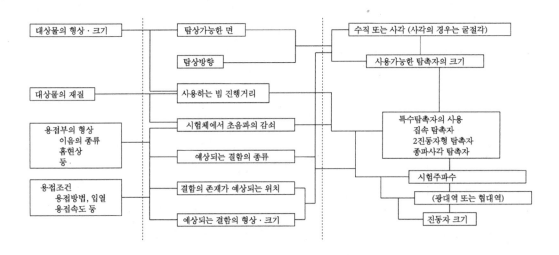

〔그림 7.23〕 용접부의 탐상시 검사 조건의 결정 방법 순서

표 7.16 주파수 선정 시 유의 사항

비교 항목	주파수가 높을 때	주파수가 낮을 때	비고
파장	짧다	길다	파장: $\lambda = \dfrac{C(음속)}{f(주파수)}$
검출 한계가 되는 결함의 치수	작다	크다	일반적으로 파장의 1/10 정도까지 검출 가능
지향성	예리하다	무디다	
분해능	좋다	나쁘다	예리함
결함의 위치 추정 정밀도	좋다	나쁘다	지향성이 예리할수록 정확도가 좋아진다.
결함의 경사 영향	크다	작다	주파수가 높을 때 결함의 반사 지향성이 예리하게 된다.
초음파의 감쇠	크다	작다	파장이 짧을수록 금속의 결정립계에서 산란 반사되기 쉬워지며 S/N비도 나빠진다.

표 7.17 사각탐상에 사용하는 공칭주파수

사용하는 최대 빔 진행거리 [mm]	공칭주파수 [MHz]
100 이하	5
100 이상 150 이하	2 또는 5
150 이상	2

표 7.18 사각탐촉자에서 표준으로 사용하는 진동자의 공칭 치수

공칭 주파수 [MHz]	진동자의 공칭 치수 [mm]
2	14×14, 20×20
5	5×5, 10×10

표 7.19 STB와의 음속비에 의한 굴절각의 선정

시험체의 판 두께 [mm]	STB와의 음속비	탐상에 사용하는 굴절각
6≦t≦25	$0.990 ≦ V/V_{STB} ≦ 1.020$	STB 굴절각 63° 이상 72° 이하
	$0.990 〉 V/V_{STB}$	탐상 굴절각 63° 이상 72° 이하
	$V/V_{STB} 〉 1.020$	탐상 굴절각 63° 이상 72° 이하
25〈t≦75	$0.995 ≦ V/V_{STB} ≦ 1.015$	STB 굴절각 58° 이상 72° 이하
	$1.015 〈 V/V_{STB} ≦ 1.025$	STB 굴절각 58° 이상 67° 이하
	$0.995 〉 V/V_{STB}$	탐상 굴절각 58° 이상 72° 이하
	$V/V_{STB} 〉 1.025$	탐상 굴절각 58° 이상 72° 이하
75〈t	$0.995 ≦ V/V_{STB} ≦ 1.025$	STB 굴절각 58° 이상 67° 이하
	$0.995 〉 V/V_{STB}$	탐상 굴절각 58° 이상 67° 이하
	$V/V_{STB} 〉 1.025$	탐상 굴절각 58° 이상 67° 이하

주1. 공칭 굴절각 45°의 탐촉자를 사용하여 탐상하는 경우에는 STB 음속비에 관계없이 STB 굴절각 43°이상 47°이하로 한다.

주2. 탐상에 사용하는 탐촉자의 굴절각이 STB와의 음속비에서, STB 굴절각이 되는 경우에는 탐상 굴절각으로 치환해도 좋다.

주3. 시험체의 판 두께가 75 ㎜ 를 초과하는 경우에서 $0.995 ≦ V/V_{STB} ≦ 1.005$의 경우에는 STB 굴절각 69~71°를 사용해도 좋다.

표 7.20 사각 탐상의 탐상면 및 탐상 방법(KS B 0896)

이음의 종류	사용하는 최대 빔 진행거리	주파수 MHz	탐상면	탐상 방법
맞대기 이음	150 이하	2 또는 5	한면 양쪽	직사법 및 1회 반사법
	150 이상 250이하	2	한면 양쪽	직사법 및 1회 반사법
	250 이상	2	양면 양쪽	직사법
T 이음	150 이하	2 또는 5	한면 한쪽	직사법 및 1회 반사법
	150 이상 250 이하	2	한면 한쪽	직사법 및 1회 반사법
	250 이상	2	양면 한쪽	직사법
각 이음 (폐단면의 경우)	150 이하	2 또는 5	한면 한쪽	직사법 및 1회 반사법
	150 이상 250 이하	2	한면 한쪽	직사법 및 1회 반사법
	250 이상	2	한면 한쪽	직사법 및 1회 반사법

7.3.3 감도 보정

수직탐상과 마찬가지로 용접부의 사각탐상에 있어서도 탐상면에서의 전달 손실 및 시험체의 감쇠계수가 감도 조정용 시험편과 다른 경우, 이들을 고려하여 용접 결함의 검출 및 평가를 할 필요가 있다.

실제로 사용하는 탐촉자를 2개 사용하여 우선 감도 조정용 시험편에서의 투과 펄스의 거리진폭특성 곡선을 작성한다. 다음으로 대상으로 하는 시험체에서 1스킵 및 2스킵에서의 상대적인 V투과 펄스의 크기를 측정하여 전달 손실의 차 ΔL 및 감쇠계수의 차 $\Delta \alpha$를 구하여 보정치를 구한다.

7.3.4 음향이방성

강재 중에서 초음파의 음속이나 감쇠 등의 초음파 전파 특성이 탐상 방향에 따라 다른 것을 음향이방성이라 한다. 예를 들면 TMCP강 등의 압연 강판에서는 주압연 방향(L방향)과 이것에 직각인 방향(C방향)에서 초음파의 전파 특성이 현저하게 다른 경우가 있다. KS B 0896에서는 표준시험편과의 횡파 음속비(STB 음속비)를 측정하여 탐상에 사용하는 굴절각을 규정하고 있다. 탐상 굴절각의 산출 방법에는 STB 음속비를 사용하여 산출하는 방법과 V투과법에 의해 측정하는 경우의 2가지의 방법이 있다. 이들 측정 방법에 대해서는 5.1.4 "시험체의 음향 이방성"의 항에 나타내었다. 음향 이방성이 있는 시험체에 대해서는 공칭 굴절각이 70°의 탐촉자는 사용하지 않고, 또한 공칭 굴절각이 60° 또는 65°의 탐촉자를 사용하여 탐상 굴절각을 측정한다.

7.3.5 결함 형상의 추정

A Scope표시(기본표시)의 탐상장치를 이용한 초음파탐상검사에 의해 재료 중에 존재하는 결함의 종류나 형상을 정밀도 높게 추정하는 것은 곤란하다. 그러나 재료 중의 결함은 그 발생 원인에 따라서 형상, 크기, 방향, 발생 위치 등에 특징이 있다. 또 초음파탐상 시의 남상지시나 주사지시는 결함의 종류와 형상과 상관관계를 갖는 경우가 많다. 따라서 이들 특징이나 상관성 및 과거에 축적된 데이터 등을 근거로 하면 어느 정도의 결함의 종류나 형상의 추정이 가능하다.

가. 결함의 특징과 검출에 적합한 탐상방법

그림 7.24에 대표적인 결함이 존재하는 용접부의 횡단면 그림을 나타낸다. 이와 같은 결함을 검출하는데 적합한 탐상방법은 다음과 같다.

(a) 그림 7.24(a)는 X 개선에 발생한 균열로 균열의 방향이 주로 탐상면에 근접하고 형상은 꾸불꾸불하며 파면은 비교적 거칠다. 이와 같은 결함을 선택적으로 검출하기 위해서는 주파수는 지향성이 예리한 2 MHz 로 결함면에 수직에 가까운 입사파를 얻기 위해 굴절각 70°의 탐촉자를 이용하여 사각 1탐촉자법을 이용하는 것이 좋다.

(b) 그림 7.24(b)는 양쪽 용접의 내부 용입부족이다. 이것은 X 개선의 초층 용접의 용입이 불량하거나 루트 면이 용융되지 않고 그대로 남아 있는 것이다. 형상은 평면, 결함면은 매끄럽다. 이와 같은 결함을 검출하는 데는 주파수는 지향성이 예리한 5 MHz 의 사각탐촉자법를 사용한 탠덤탐상법을 적용하면 좋다.

(c) 그림 7.24(c)는 개선면이 용융되지 않고 남은 개선면의 융합불량으로 이와 같은 결함을 선택적으로 검출하는 데는 결함 면에 초음파를 수직으로 입사시킬 필요가 있기 때문에 굴절각은 90°- 베벨각도로 하고 주파수 2 MHz 의 탐촉자를 이용한 사각 1탐촉자법을 이용하면 좋다.

(d) 그림 7.24(c)는 백가우징을 한 후 첫 번째 층의 용입부족으로 발생한 융합불량이다. 백가우징과 같은 곡면형의 결함검출에는 굴적각 45°의 탐촉자를 사용한 사각 1탐촉자법을 이용하면 좋다.

표 7.21 각종 용접결함의 검출에 적합한 탐상방법

결함의 종류	특　징	탐　상　방　법
개선면의 융합불량	• 발생위치 : 개선면 • 반사면 : 평활 • 방향성 : 개선면과 동일 • 형상 : 평면상	1탐촉자법 (1) 주파수 : 5MHz (2) 굴절각 : $\theta = 90°$- (개선각)
층간의 융합불량	• 발생위치 : 층간 • 반사면 : 약간 거칠다 • 방향성 : 탐상면에 평행 • 형상 : 곡면상	1탐촉자법 (1) 주파수 : 2MHz (2) 굴절각 : 40°~ 50°
내부용입부족	• 발생위치 : 루트부 • 반사면 : 평활 • 방향성 : 탐상면에 수직 • 형상 : 평면상	(I) 탠덤탐상법 　　(1) 주파수 : 5MHz 　　(2) 굴절각 : 40°~50° 　　　　(판두께가 얇은 경우는 70°) (II) 1탐촉자법 　　(루트면의 높이가 2mm이하인 경우) 　　(1) 주파수 : 2MHz 　　(2) 굴절각 : 70°
일면용입부족	• 발생위치 : 루트부 • 반사면 : 평활 • 방향성 : 탐상면에 수직 • 형상 : 코너형	1탐촉자법 (1) 주파수 : 2MHz (2) 굴절각 : 40°~50° 　　(판두께가 얇은 경우는 70°)
종균열	• 발생위치 : 용접부 전역 • 반사면 : 거칠다 • 방향성 : 추정곤란 　　　　(탐상면에 수직이 많다) • 형상 : 기복을 갖는 면상	1탐촉자법 (1) 주파수 : 2MHz (2) 굴절각 : 70°
횡균열	• 발생위치 : 표이면 근방 　　　　(최종층 바로 아래) • 반사면 : 거칠다 • 방향성 : 용접부에 수직 • 형상 : 기복을 갖는 면상	경사평행주사 또는 용접선상주사 (1) 주파수 : 5MHz 또는 2MHz (2) 굴절각 : 70°
슬래그개재	• 발생위치 : 개선면 및 층간 • 반사면 : 약간 거칠다 • 방향성 : 추정곤란 • 형상 : 복잡	1탐촉자법 (1) 주파수 : 2MHz (2) 굴절각 : 40° ~　70°
블로우홀	구상결함	

이상과 같이 용접결함은 그 종류에 따라서 발생위치, 형상 및 방향성 등의 특징을 갖는다. 표 7.21은 이들 특징에 주목하여 검출에 적합한 탐상방법을 정리한 것이다. 표 7.21에 나타낸 탐상방법을 적용하면 대상으로 하는 결함에코만 높아지기 때문에 결함의 종류나 형상을 판별하는 경우에 유효한 정보가 된다.

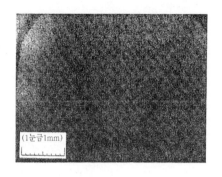
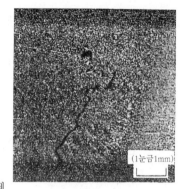

(a) 용접균열의 예

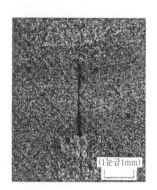

(b) 양측 용접의 용입불량의 예

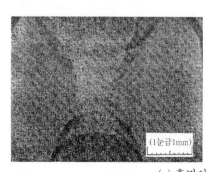

(c) 홈면의 융합불량의 예

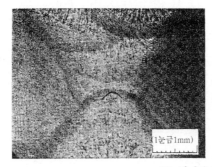

(d) 백가우징부의 융합불량의 예

〔그림 7.24〕 대표적인 결함이 존재하는 용접부의 횡단면

나. 결함의 종류 및 형상에 따른 에코의 특징

표 7.22에 각종 결함에 대한 탐상지시 및 주사지시의 특징을 나타낸다. 기공 등의 작은 단독 결함 개선면의 융합불량 등의 편평한 평면결함이나 균열 등의 거친 평면결함 및 밀집 기공 등과 같은 밀집결함 등에 의해 탐상지시(에코의 형상이나 패턴)이나 전후 및 좌우 주사에 의한 주사지시가 기본적으로 다르다. 따라서 이들의 특징은 결함의 종류나 형상을 추정하는 경우에 중요한 도움이 된다.

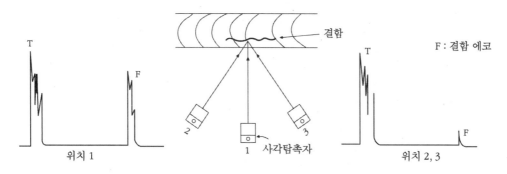

〔그림 7.25〕 진자 주사를 했을 때의 평면형 결함의 에코높이의 변화

그림 7.25와 같이 에코높이가 최대가 되는 위치에서 탐촉자를 진자주사하면 기공이나 슬래그혼입 등의 입체결함은 진자각도에 따라 에코높이가 그다지 변하지 않으나 균열, 용입부족이나 융합불량 등의 평면결함에서는 진자각도에 따라 에코높이가 급격하게 작아지는 특징이 있다.

표 7.22 각종 결함에 대한 탐상지시 및 주사지시의 특징

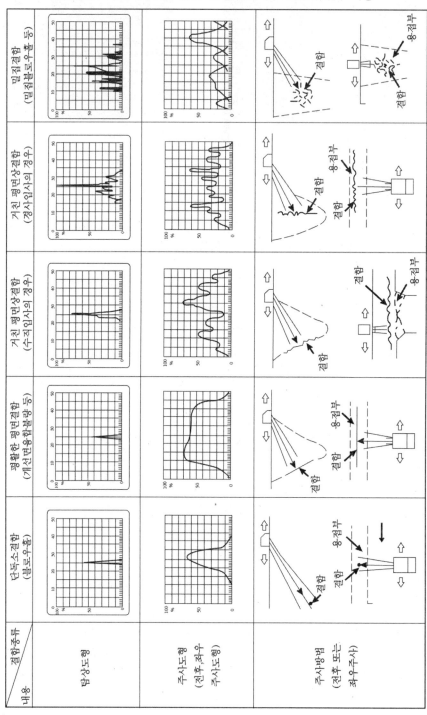

결함종류 내용	단독소결함 (블로우홀)	평활한 평면결함 (개선면응합불량 등)	거친 평면상결함 (수직입사의 경우)	거친 평면상결함 (경사입사의 경우)	밀집결함 (밀집블로우홀 등)
탐상도형					
주사도형 (전후,좌우 주사도형)					
주사방법 (전후 또는 좌우주사)					

용접부의 양쪽으로부터 탐상하면 탐상면에 수직인 결함의 경우에는 거의 동일한 에코높이가 얻어지나 기울기가 있는 결함에서는 그림 7.26과 같이 양쪽에서 에코높이가 다르기 때문에 결함형상 판별에 도움이 되는 정보가 된다.

또 결함의 형상에 따라 에코높이나 거리진폭특성이 변화하는 것을 이론상으로 기대할 수 있으나 실제로는 상당한 차이가 있고 이들의 형상 판별의 수단으로 이용하는 데는 일반적으로 적합하지 않다.

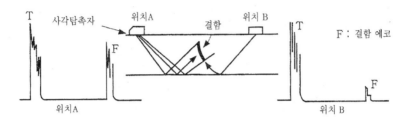

〔그림 7.26〕 양쪽에서 탐상했을 때의 에코높이의 변화

다. 결함 형상 추정 방법의 예

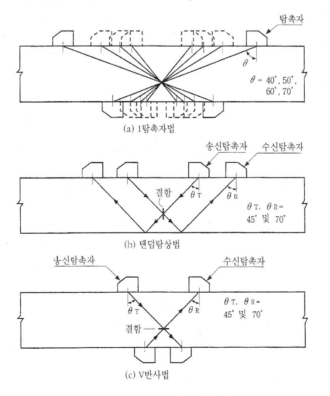

〔그림 7.27〕 단층탐상법

결함의 횡단면 형상을 추정하는 방법으로는 단층탐상법이 있다. 이것은 그림 7.27과 같이 여러 종류의 굴절각(45°, 50°, 60°, 70°)에 의한 1탐촉자법, 탠덤탐상법 및 반사법을 적용하고 각각의 방향으로부터 최대 결함 에코높이를 측정하고 결함의 크기를 구하고 그들을 조합하여 결함의 횡단면 형상을 추정하는 방법이다.

7.3.6 탐상 절차

표 7.23 강 용접부의 초음파 탐상 검사의 검사 절차 (KS B 0896)

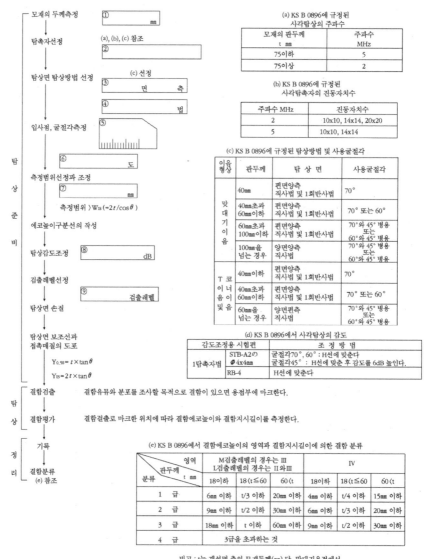

(a) KS B 0896에 규정된 사각탐상의 주파수

모재의 판두께 t mm	주파수 MHz
75이하	5
75이상	2

(b) KS B 0896에 규정된 사각탐촉자의 진동자치수

주파수 MHz	진동자치수
2	10x10, 14x14, 20x20
5	10x10, 14x14

(c) KS B 0896에 규정된 탐상방법 및 사용굴절각

이음형상	판두께	탐상면	사용굴절각
맞대기이음	40mm	편면양측 직사법 및 1회반사법	70°
	40mm초과 60mm이하	편면양측 직사법 및 1회반사법	70° 또는 60°
	60mm초과 100mm이하	편면양측 직사법 및 1회반사법	70°와 45° 병용 또는 60°와 45° 병용
	100mm을 넘는 경우	양면양측 직사법	70°와 45° 병용 또는 60°와 45° 병용
T코이너음이음및음	40mm이하	편면양측 직사법 및 1회반사법	70°
	40mm초과 60mm이하	편면양측 직사법 및 1회반사법	70° 또는 60°
	60mm을 넘는 경우	양면편측 직사법	70°와 45° 병용 또는 60°와 45° 병용

(d) KS B 0896에서 사각탐상의 감도

감도조정용 시험편		조정 방법
1탐촉자법	STB-A2의 Ø4x4mm	굴절각70°, 60° : H선에 맞춘다 굴절각45° : H선에 맞춘 후 감도를 6dB 높인다.
	RB-4	H선에 맞춘다

(e) KS B 0896에서 결함에코높이의 영역과 결함지시길이에 의한 결함 분류

영역 분류 \ 판두께 t mm	M검출레벨의 경우는 III L검출레벨의 경우는 II와 III			IV		
	18이하	18<t≦60	60<t	18이하	18<t≦60	60<t
1 급	6mm 이하	t/3 이하	20mm 이하	4mm 이하	t/4 이하	15mm 이하
2 급	9mm 이하	t/2 이하	30mm 이하	6mm 이하	t/3 이하	20mm 이하
3 급	18mm 이하	t 이하	60mm 이하	9mm 이하	t/2 이하	30mm 이하
4 급	3급을 초과하는 것					

비고 : t는 개선면 측의 모재두께(mm) 단, 맞대기용접에서 판두께가 다른 경우는 얇은쪽 판두께로 한다.

플로우차트 (좌측):

탐상 준비
- 모재의 두께측정 ① mm
- 탐촉자선정 ② (a),(b),(c) 참조
- 탐상면 탐상방법 선정 ③ 면 (c) 선정 / ④ 법
- 입사점, 굴절각측정 ⑤
- ⑥ 도
- 측정범위선정과 조정 ⑦ mm 측정범위) $W_{ls}(=2t/\cos\theta)$
- 에코높이구분선의 작성
- 탐상감도조정 ⑧ dB
- 검출레벨선정 ⑨ 검출레벨
- 탐상면 손질
- 탐상면 보조선과 접촉매질의 도포 $Y_{0.5s}=t\times\tan\theta$ $Y_{ls}=2t\times\tan\theta$

탐상
- 결함검출 : 결함유무와 분포를 조사할 목적으로 결함이 있으면 용접부에 마크한다.
- 결함평가 : 결함결출로 마크한 위치에 따라 결함에코높이와 결함지시길이를 측정한다.

정리
- 기록
- 결함분류 (e) 참조

KS B 0896「강 용접부의의 초음파탐상 검사 방법」에 따라 다음의 탐상순서로 강 용접부를 탐상하고 결함에코를 평가한다. 표 7.23은 탐상 절차이며, 표 7.24는 맞대기 용접부(X 개선) 초음파탐상 검사의 기록 예이다.

표 7.24 맞대기 용접부(X 개선) 초음파 탐상 검사의 기록 예

시험체No.				명칭 No.		
시험담당자			탐촉자	입사점		
탐상기명칭				STB굴절각	$\theta =$	도

결함 No.	시험체				탐상방향	탐촉자위치		빔진행거리 W_F	결함위치		결함지시길이				에코높이	결함분류	비고
	길이 mm	모재두께 mm	비드폭 上 mm	비드폭 下 mm		X_P mm	Y mm	mm	k mm	d mm	범위				영역		
											X_S	X_E	1				
						①	②	③	④	⑤	⑥	⑦	⑧	⑨			

결함분포

X : 용접선방향의 거리
X_P : 결함으로부터 최대에코높이가 얻어지는 탐촉자 위치
X_S : 결함지시길이의 시작끝
X_E : 결함지시길이의 종단
k : 용접선으로부터 결함까지의 거리

용접단면 위의 결함위치

X_P : 결함으로부터 최대에코높이기 얻어진 탐촉자 위치
Y : 탐촉자용접부 거리
y : 탐촉자 결함거리
$\quad y = W_F \times \sin\theta$
k : 용접선으로부터 결함까지의 거리
$\quad k = Y - y = Y - W_F \times \sin\theta$
d : 결함깊이
$\quad$ 직사법 $\quad d = W_F \times \cos\theta$
$\quad$ 1회반사법 $\quad d = 2t - W_F \times \cos\theta$

7.4 강관 용접부의 탐상

7.4.1 원주이음부

곡률이 있는 원주이음의 직경범위는 KS B 0896부속서 3을 기준으로 하면, 곡률반경이 250 mm 이상은 평판으로 취급하며, 곡률반경이 150 mm 이상 250 mm 미만, 즉 직경 300 mm 이상 500 mm 미만인 관(Tube)의 원주이음부는 에코높이 구분선 작성시 감도조정은 RB-A6을 사용하며, 다른 것은 평판 맞대기용접부와 동일하다. 곡률반경이 150 mm 이하, 즉 직경 300 mm 이하인 관의 탐상은 탐촉자의 탐상면을 시험재의 곡률에 맞춰 가공하여 사용하며, 에코높이 구분선의 작성과 감도조정에는 RB-A6을 사용한다. 곡률반경이 50 mm 이하, 즉 직경 100 mm 이하인 관의 탐상은 KS에서는 대상에서 제외시켰다.

근래에는 튜브의 직경이 38.1 mm ~ 63.5 mm, 두께 3.5 mm ~ 10 mm 정도의 비교적 얇은 두께의 관도 탐상하고 있으나, 이때에는 용접 덧붙임으로부터의 에코와 결함에코의 구분이 어려우므로, 일정한 탐촉자거리와 게이트를 복합하여 사용하여 용접부의 양측에서 자동탐상하는 방법이 개발되고 있다. 이상 적용범위 내에서의 문제점을 요약해보면 다음과 같다.

① 탐촉자와 시험재의 접촉조건
② 대비시험편의 표준결함의 형상
③ 탐촉자와 진동자의 크기
④ 시험재의 양쪽소재의 형상차이

이상의 항목에 관하여 상호관련이 있는 현상에 대한 대책 및 금후의 과제에 대하여 생각해 보면 다음과 같다.

가. 탐촉자와 시험재의 접촉조건

접촉면이 평면인 사각탐촉자를 곡률이 있는 표면에 접촉시키면, 탐촉자의 빔중심이 정확히 탐상면에 향하는지를 알 수 가 없다.

그러므로, 파이프의 곡률이 어느 정도 이하가 되면, 탐촉자의 표면을 시험재의 곡률에 맞게 가공해야 한다. 곡면가공시에는 다음의 두 가지 사항에 주의하여야 한다. 첫 번째는 탐촉자 빔이 한쪽으로 치우치면 이를 참작하여 빔 방향이 튜브의 길이 방향이 되도록 가공하여야 한다. 이를 무시하면, 용접선방향의 결함검출능력이 저하하게 된다. 두 번째로는 초음파빔의 방향을 정확히 맞추었다 하더라도 탐촉자가 좌우 어느 쪽이건 기울어진 상태로 가공하게 되면 초음파빔의 방향이 달라지게 되므로 주의해야 한다.

나. 대비시험편의 표준결함의 형상

KS B 0896의 RB-A6시험편의 표준결함은 $\phi 4 \times 4$ mm 인 종방향구멍이다. 용접부의 결함은 용접선에 평행한 결함이 많다. 표준결함인 $\phi 4 \times 4$ mm 종방향구멍은 곡면가공의 방향이 많이 달라진다 하더라도 감도조정시에 에코의 최대 값을 얻기가 쉬우므로 에코높이의 차이는 적다. 그러므로, 현재는 RB-A6의 사용에 영향을 받지 않는 부분에 길이 방향에 수직으로 비교적 긴(진동자폭의 1.5배정도) 놋치를 만들어 곡면가공 되지 않은 탐촉자로 $\phi 4 \times 4$ mm와 노치와의 에코높이의 관계를 명확하게 하여 탐상 중의 변화를 점검하고 있다.

다. 탐촉자와 진동자의 크기

근래에는 점집속(*point focused*) 사각탐촉자가 실용화되고 있으며, 접근한계거리가 보다 작게 되면 원주이음부의 탐상에도 이를 사용함으로써, 보다 정확한 탐상이 가능하게 되었다.

진동자가 작은 소형탐촉자를 사용하면, 탐촉자의 표면을 곡면가공하지 않고 판에서의 탐상과 같이 목돌림주사로도 탐상이 가능하게 된다. 그러므로 규격에 의해 규정된 경우 외에는 작은 탐촉자를 사용하는 것도 유용한 방법이다.

라. 시험재의 형상

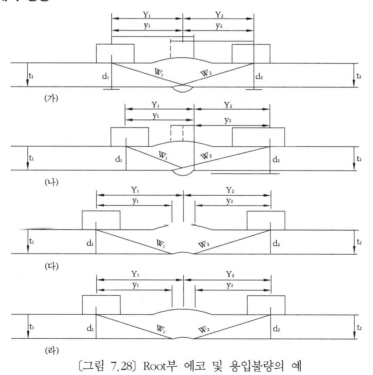

〔그림 7.28〕 Root부 에코 및 용입불량의 예

일반적으로 이음매가 없는 관(*seamless tube*)은 진원으로 두께차이가 없지만, 용접을 하게 되면 두께차이는 별로 없지만 진원은 아니라고 생각하는 것이 좋다. 그러므로, 원주이음에서의 결함여부의 판별은 루트부 에코인가 결함인가를 구분하는 것이 된다.

ㄱ) 직사법으로 루트부에코와 결함에코를 구분하는 방법

우선, 루트부에코로 추정되는 에코를 찾는다. 탐촉자거리와 빔거리로서 루트부에코를 결함에코로 생각한다(그림 7.28(가)에서 루트부에 결함이 있는경우). 에코가 루트부근에 단독으로 존재할 때에는 탐촉자와 용접부거리Y와 비교하여 빔거리 W로 계산한 탐촉자 결함거리 y가 짧고 깊이 d가탐상면의 판두께보다 작으면 결함으로 볼 수 있다(그림 7.28(나) 참조).

만일 y가 Y보다 크고 d가 t보다 크게 되면, 결함에코가 아닌 Root에코인경우가 많다(그림7.28(가)(나)).그러나 이때에는 반대측에서의 탐상결과를 감안하여 판단하여야 한다.

반대측에서의 탐상에서도 동일한 결과가 나오면 이를 루트부에코로 간주해도 좋다. 그러·나 y가 Y보다 크지만, d는 t와 큰 차이가 없는(그림 7.28(가)(나))의 경우에는 탐상에 오차가 있는가를 점검해 보고, 이상이 없는 경우에는 루트부에코로 생각한다.

Backing Ring이 사용되었을 때에는 평판맞대기 용접부의 보강판을 사용한 경우와 동일하게 탐상하여, 이 경우에도 양측의 두께의 점검은 중요한판단의 정보가 된다.

ㄴ) 1회 반사법

1회반사법으로 탐상표면 근처의 내부결함을 탐상할 때 그림 7.29와 같이 빔거리 W보다 그다지 멀지 않은 거리에서 W1의 에코가 나타날 때가 있다. 이 경우 계산상으로는 그림의 접선위치에서 나타나지만, 실제로는 용접표면 덧붙임에 있는 결함의 에코인 경우가 있는데, 이러한 때에는 손가락으로 확인하여 결함지시 여부를 확인해 보아야 한다.

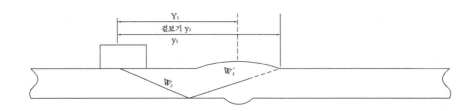

〔그림 7.29〕 방해에코의 예

ㄷ) 두께가 얇은 관

일반적으로, 두께가 6 mm 이하가 되는 얇은 관은 사각탐상을 하기가 곤란하다. 이

런 때에는 특수한 방법, 즉 초음파의 빔분산을 이용하여 일정거리에서 원주를 주사한 다음, 게이트를 설정하여 판별하는 방법이 있다. 예를 들면, 그림 7.30에서 탐촉자와 용접부거리 Y를 일정하게 하고 게이트를 설정하여 게이트 내에 나타난 에코를 결함으로 하는 방법이다.

그러나, 이 경우에는 덧붙임으로 인하여 탐상이 불가능한 부분이 있게 된다.

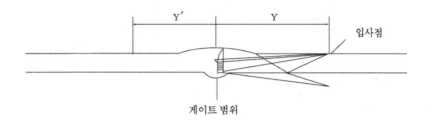

〔그림 7.30〕 일정거리로부터의 탐상

7.4.2 길이이음부

길이이음부용접부의 탐상은 KS B 0896 부속서 3을 근거로 한다. 대비시험편은 RB-A7을 사용하여, 곡률반경이 250 mm 이하인 길이이음부에서는 탐촉자의 접촉면을 시험재의 곡면과 일치시켜야 한다.

길이이음부의 사각탐상은 초음파탐상 중 가장 어려운 것 중의 하나로서, 우선탐상시의 문제점을 요약하고 이의 대책에 대하여 설명한다.

- 탐촉자와 시험재와의 접촉조건
- 탐촉자와 진동자의 크기
- 곡면사각탐상의 기하와 굴절각의 선택
- 시험재의 진원도

가. 탐촉자와 시험재의 접촉조건

초음파빔의 방향이 길이이음에 직각이 되도록 곡면가공을 한다.

나. 진동자와 탐촉자의 크기

곡면가공을 한 보통의 사각탐촉자는 초음파빔의 확산이 크므로, 점집속 탐촉자 또는 가능한 한 작은 탐촉자를 사용하는 것이 바람직하다.

다. 곡면사각탐상의 기하학

ㄱ) 굴절각과 내면입사각

일반판재와 관의 사각탐상의 차이점은 탐촉자 굴절각이 달라지는 것이다.

예를 들면, 관의 길이 이음부용접부의 사각탐상시에는 관의 곡률로 인하여 탐촉자의 굴절각이 관두께를 따라 연속적으로 변하게 된다. 그림 7.31(a)에서와 같이 P점에서 탐촉자의 굴절각 θ로 입사한 초음파빔은 관의 내면에서 θ_1이 되므로 굴절각 θ보다 ϕ만큼 커지게 된다. 여기에서 굴절각 θ와 내면입사각 θ_1의 관계를 구해보면 다음과 같다. 입사점 P로부터 굴절각 θ로 튜브내면으로 입사한 초음파빔을 연장하여 피검체의 중심점 0에서 연장된 직선과 직각으로 만나는 점을 q라 하면, 선분 $\overline{Oq}$는 다음과 같이 구할 수 있다.

$$\overline{O_q} = \frac{D}{2}sin\theta = \left(\frac{D}{2} - t\right)sin\theta_1$$

그러므로,

$$sin\theta_1 = \frac{sin\theta}{\left(1 - \dfrac{2t}{D}\right)}$$

이 된다.

또, 그림 7.31(a)에서 외경은 동일하고 두께가 $\frac{D}{2} - \overline{O_q}$가 될 때는 θ_1이 $90°$가 되며, 이때의 두께는 t'를 나타낸 것이 그림 7.31(b)이다. 이 외경에 대하여 두께대 외경의 비가 t'/D보다 크게 되면 유효빔이 내면에 도달되지 않는 것을 의미한다. 그러므로 탐촉자의 굴절각과 한계두께대 외경비(t/D)c의 관계를 아는 것이 중요하다.

위 식에서 t를 t'로 치환하고 θ_1의 값을 $90°$로 하여 θ의 값을 구하면

$$sin\theta = \left(1 - \frac{2t'}{D}\right)$$

이 된다.

다시 이를 t'/D에 대해 정리하면 다음과 같이 된다.

$$t'/D = (1 - \sin\theta)/2$$

이 t'/D(두께대외경비)는 굴절각이 θ일 때 두께 전체에 걸치는 탐상한계가 t/D이기 때문에 이것을 (f/D)c로 하면

$$(f/D)c = (1-\sin\theta)/2$$

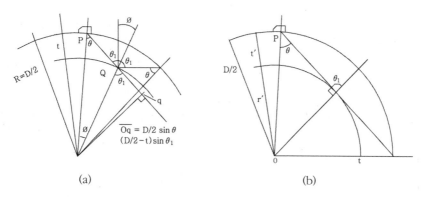

〔그림 7.31〕 굴절각과 내면입사각

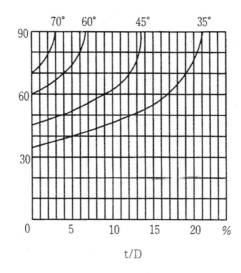

〔그림 7.32〕 굴절각(θ), t/d, 내면입사각(θ_1)과의 관계

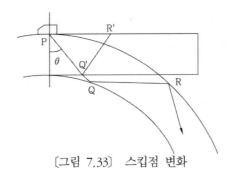

〔그림 7.33〕 스킵점 변화

ㄴ) 탐촉자거리와 빔거리

그림 7.33과 같이 P점으로 입사한 초음파빔은 Q(0.5s), R(ls)로 진행하게 되어, 스킵 거리는 동일한 두께 t의 판재의 경우보다 길게 된다. 이러한 경향은 t/D값이 클수록 더 커진다. 관에서의 빔거리(W)와 탐촉자 위치(y)는 0.55에 해당하는 탐촉자거리를 y_u, 빔 진행거리를 W_L이라 하고, 1s에 해당하는 탐촉자거리를 y_u, 빔거리를 W_u이라 하였을 때 시험재의 t/D와 탐촉자와 탐촉자의 굴절각 θ가 정해지면, 다음 식으로 계산된다.

$$W_L = (t/\cos\theta) \times k$$
$$W_u = (2t/\cos\theta) \times k$$
$$y_L = (t \cdot \tan\theta) \times m$$
$$y_u = (2t \cdot \tan\theta) \times m$$

여기에서 k와 m은 t/D에 대한 보정계수이다.

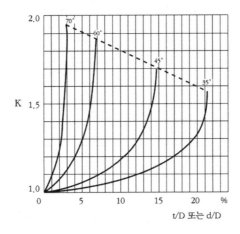

〔그림 7.34〕 스킵점에서의 빔거리의 보정계수(K)

탐촉자의 굴절각 θ가 35°, 45°, 60° 및 70°에 대한 k 및 m값을 그림 7.34 및 그림 7.36에 나타내었다. 그림에서 보는 바와 같이 굴절각 θ에 대한 한계 t/D부근에서는 탐촉자거리 및 빔거리가 특이하게 커지는 데 유의해야 한다.

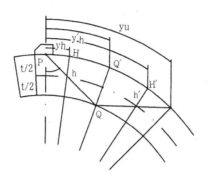

〔그림 7.35〕 1/2두께 탐촉자거리 및 1/2두께 빔거리

ㄷ) 두께의 1/2에 해당하는 탐촉자거리 및 빔거리

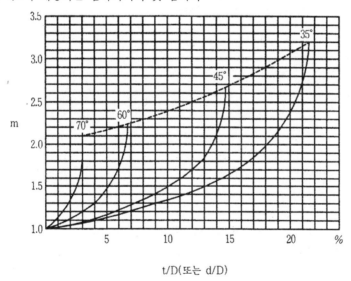

t/D(또는 d/D)

〔그림 7.36〕 스킵점에서의 탐촉자거리 보정계수(m)

t/D의 값이 큰 관재의 용접부에서 결함위치를 정확히 구하고자 할 때 사용하는 방법이다. 그림 7.35로부터 알 수 있는 바와 같이 빔의 두께의 1/2에 도달했을 때 탐촉자거리 및 빔거리는 평판의 경우와는 달리 0.5 yL, 0.75 yu 또는 0.5 WL, 0.75 Wu 가 되지는 않는다.

두께의 1/2에 해당하는 빔거리 $W'_H(\overline{Ph})$, $W'_H(\overline{PQ} + \overline{Qh'})$ 및 탐촉자 거리 y_H $(\overline{PH})$, $y'_H(\overline{PH})$를 아는 것이 필요하다. 이 값은 시험할 동일한 크기의 대비시험편의 1/2 두께에 Hole을 만들어 측정하거나 그림 7.34 및 그림 7.36을 이용하여 계산할 수 있다.

우선, 반두께의 빔거리는 그림 7.34으로부터 t/D에 해당하는 보정계수를 구하여 이를 K라 한다. 다음 t/D의 반두께에서의 보정계수를 구하여 이를 K_H라 하면, W_H, W_u 및 W_H, W'_H는 다음 식으로 계산된다.

$$W_L = (t/\cos\theta) \times K$$
$$W_U = W_L \times 2$$
$$W_H = t/(2\cos\theta) \times K_H$$
$$W'_H = W_U - W_H$$

다음으로 1/2탐촉자거리는 그림 7.36로부터 t/D에 해당하는 탐촉거리의 보정계수 m 및 t/D의 1/2에 해당하는 보정계수 m_H를 구한다
y_L, y_u 및 y_H, y'_H는 다음 식에 의해 구한다.

$$y_L = (t \cdot \tan\theta) \times m$$
$$y_U = Y_L \times 2$$
$$y_H = (t/2) \cdot \tan\theta \times m_H$$
$$y'_H = y_U - y_H$$

라. 시험재의 진원도

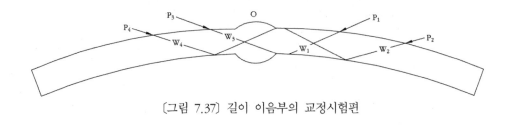

〔그림 7.37〕 길이 이음부의 교정시험편

일반적으로, 관에서는 용접부 부근의 곡률은 반경쪽의 곡률보다 커지게 되므로, 원래 그 부분의 곡률을 고려하여야 한다. 그러나, 현실적으로는 어려운 문제이므로, 3항에서 언급한 탐상조건을 설정하여 큰 착오가 발생되지 않도록 검사방법을 설정하여 결함판별시 혼돈을

일으키지 않도록 한다. 내면입사각은 가능한 한 70° 또는 그보다 작게 되는 사각탐촉자를 사용한다.

결함의 위치를 결정하기 위한 적당한 방법은 시험재로부터 잘라낸 그림 7.37과 같은 교정시험편을 사용하는 방법이다. P_1에서 P_4의 각지점으로 부터 탐상하여 각각의 위치에서 빔거리와 탐촉자-용접부사이 거리 및 탐촉자-결함거리를 기록하여 두면 결함판별시 도움이 된다. 시험편을 모재에서 절단할 때, 자칫하면 시험재의 곡률과 달라질 수 있으므로 주의하여야 한다. 그러나, 내면입사각을 70° 정도로 하면 큰 오차는 없게 된다. 또한, 시험재의 두께가 얇을 때에는 교정시험편의 상하의 구멍으로부터의 에코가 빔의 분산이 발생되므로 인공결함의 위치가 용접부의 중앙이 되도록 탐촉자거리를 일정하게 한 후, 앞으로 이동하여 탐상한다.

7.4.3 기타이음부

곡률이 있는 피검체의 초음파탐상은 평판의 검사에 비하여 여러 가지 곤란한 문제점이 발생한다. 그 중에서도 특히 사각탐상이 문제가 되어 탐촉자를 곡률가공 해야 하는 것 또는 피검체의 곡률이 커서 탐촉자의 곡률가공하지 않아도 되는 것이 있지만, 탐상주사를 계속함에 따라 탐촉자의 접촉면이 피검체의 곡률에 의해 닿게 됨으로써, 입사점과 굴절각이 변하게 되어 결함의 평가에 오류가 생기게 된다.

이러한 문제를 해결하기 위하여 다음과 같은 대안을 검토해 볼 수 있다.

① 탐촉자의 쐐기 가공용 치구제작
② 곡률가공된 탐촉자의 입사점과 굴절각 측정용 시험편의 제작
③ 곡률을 갖는 피검체의 용접탐상용 결함위치 판정용 치구제작

여기에서는 대표적인 예로써 가지이음 용접부 및 압력용기의 경판에 붙인 노즐용접부에 관해 설명한다.

가. 가지이음용접부(Branch Connection)

해양구조물(*Offshore Structure*)은 그림 7.38과 같이 파이프를 이용하여 구조물을 제작하게 된다. 선박과는 달리 한번 설치되면 사용기간 중에는 검사하기가 어렵고, 사고발생시 많은 인명이 희생되게 되므로 제작시에 철저한 검사가 요구된다. 가지이음부의 비파괴검사법으로

는 초음파탐상검사가 우선적으로 이용되지만, 탐상면이 곡면이므로 탐상에 여러 가지 문제점이 발생한다. 그림 7.39에 탐상위치를 나타내었으며, 문제점을 요약해 보면 다음과 같다.

ㄱ) 관A 및 관B의 어느 쪽에서 탐상하더라도 탐상위치에 따라 용접부의 개선현상이 달라지므로 결함위치 측정의 정확도가 떨어진다.

ㄴ) 관A 위치에서 탐상할 때, 관의 원주이음에서 발생되는 문제점과 동일한 문제가 생기며, 또한 구조물의 모양에 따라서는 용접부에 접근이 불가능한 부분이 생기게 된다.

ㄷ) 관 B 위치에서 탐상할 때, 탐촉자 위치에 따라 그 접촉면의 상태가 달라지므로 탐촉자의 쐐기의 닿는 부분이 일정치 않게 되어 접촉상태가 더 한층 불안하게 된다.

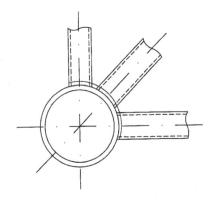

〔그림 7.38〕 가지이음 용접부

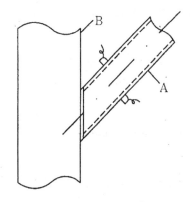

〔그림 7.39〕 가지이음 용접부의 탐상부위

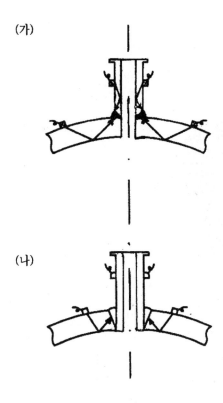

(가)

(나)

〔그림 7.40〕 경판 중심부에 위치한 경우의 노즐용접부

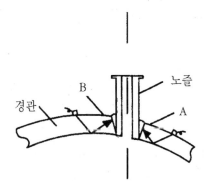

〔그림 7.41〕 경판 중심부로부터 벗어난 위치에 있는 경우의 노즐 용접부

이상과 같이 가지이음용접부의 초음파 탐상은 많은 문제점을 가지고 있으나, 실제로는 관의 직경이 큰 때에는 탐촉자를 적절히 선택하여 평판에 준 하는 접촉상태를 얻을 수 있는 방법 등을 적용하여 탐상결과를 탕상 시킬 수 있다.

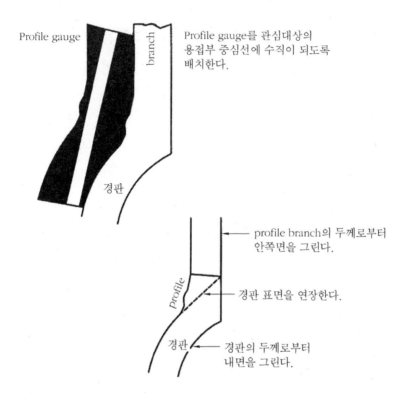

Profile gauge

branch

Profile gauge를 관심대상의
용접부 중심선에 수직이 되도록
배치한다.

경판

profile branch의 두께로부터
안쪽면을 그린다.

Profile

경판 표면을 연장한다.

경판

경판의 두께로부터
내면을 그린다.

〔그림 7.42〕 Profile Gauge를 이용한 용접부 Profile 스케치법

나. 노즐용접부(Nozzle Weld)

압력용기의 경판에 붙은 노즐에는 그림 7.40(가)의 set-on type과 그림 7.40(나)의 set-in type으로 나눌 수 있으며 탐상은 경판측과 노즐측으로 구분하여 생각해 본다. 경판측에서의 탐상은 탐촉자의 쐐기를 오목하게 가공하며, 노즐측에서의 탐상은 원주이음부와 같이 가공한다. 노즐이 그림 7.40과 같이 경판 중심부에 위치한 경우에는 일반적인 원주이음부 탐상과 같이 노즐원주를 360° 탐상하여도 용접개선면의 변화없이 탐상단면이 일정 하지만, 그림 7.41과 같이 노즐이 경판의 중삼부가 아닌 위치에 붙어 있을 때에는 용접부의 위치에 따라 탐상면이 달라지게 되어, 그림의 A위치와 B위치에서는 겉보기 굴절각도 달라지므로, 결함위치 측정에 오차가 발생할 우려가 많아진다. 특히, A위치에서는 노즐벽면으로 부터의 에코가 항시 발생된다는 것을

염두에 두고 탐상하여야 한다.

그림 7.42은 노즐용접부의 곡률을 정확히 알아내기 위하여 Profile Gauge를 사용하는 방법을 나타낸 것으로서, 탐상위치에 따른 초음파빔의 위치를 정확히 그려내는데 사용되며, 일반적으로 탐상부의 위치를 1:1도면을 작성하여 굴절각과 빔거리로서 결함의 위치를 정확히 측정하는 데에 사용하고 있는 방법이다.

7.5 알루미늄 용접부의 탐상

7.5.1 알루미늄 용접부의 특징

알루미늄의 용접에는 일반적으로 가스실드의 MIG 용접법 또는 교류 TIG 용접법이 사용된다. 발생이 예상되는 용접 결함은 고온 균열, 융합 불량 및 기공이며 특히 초음파탐상에서는 개선면의 융합 불량이나 저면 따내기부분의 융합 불량이 검사의 대상이 된다. 이것은 알루미늄 표면의 산화 피막이 모재보다도 융점이 높고 특히 개선면의 융합 불량의 발생이 염려되기 때문이다.

7.5.2 탐상 조건의 설정 방법

일반적으로 알루미늄 용접부의 경우 모재 및 용접부의 어느 쪽도 초음파의 감쇠계수는 비교적 작고 보통의 탐상에서는 그다지 문제가 되지 않는다. 또한 탐상면도 비교적 양호하고 극단적으로 표면이 거친 경우에도 드물다. 그러나 강재와 음속이 조금 다르기 때문에 STB-A1이나 STB-A3을 사용하여 측정한 굴절각을 사용하거나 STB-A1이나 STB-A3을 사용하여 조정한 측정 범위에서 빔 진행거리를 그대로 읽는 것은 불가능하다.

굴절각의 측정은 가로 구멍을 가지는 알루미늄의 대비시험편이 있으면 측정 가능하지만, STB 굴절각 θ_{STB}에서 알루미늄 중에서의 굴절각 θ_{AL}은 다음과 같이 계산해야 한다.

$$\theta_{AL} = \sin^{-1}\left(\frac{C_2}{C_1} sin\theta_{STB} \right) \quad\cdots\cdots\cdots\cdots\cdots\cdots\cdots\cdots\text{(7.3)}$$

여기에서 C_1 및 C_2는 각각 강의 표준시험편 및 알루미늄 시험체 내의 음속이다. 빔 진행거리의 읽음은 음속비 $\frac{C_2}{C_1}$을 계수로 곱하여 이하와 같이 화면상에서 읽어낸 값 X_1에서 실제의 알루미늄 중의 빔 진행거리 X_2로 환산한다.

$$x_2 = \frac{C_2}{C_1} \cdot x_1 \quad\cdots\cdots\cdots\cdots\cdots\cdots\cdots\cdots\cdots\text{(7.4)}$$

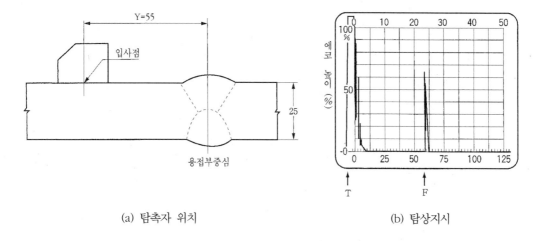

(a) 탐촉자 위치   (b) 탐상지시

〔그림 7.43〕 알루미늄 합금 용접부의 초음파탐상

알루미늄 용접부의 초음파 탐상 검사는 KS B 0897에 규정되어 있으며 이하와 같이 검사조건의 선정 방법이 규정되어 있다.

가. 사용 탐촉자의 선정

표 7.25 사각 탐촉자의 진동자의 치수와 공칭 굴절각

진동자의 치수 [mm]	공칭 굴절각
등가 치수 [5 × 5] [10 × 10]	0° 45° 50°
실치수 5 × 5 10 × 10	55° 60° 65° 70°

진동자의 치수 및 알루미늄 중의 공칭 굴절각은 표 7.26처럼 규정되어 있다. 여기에서 진동자의 등가 치수는 시험체 중에 굴절 투과한 초음파의 진행 방향에서 본 외관 진동자 치수이다.

표 7.26 1탐촉자법에 사용하는 사각탐촉자의 공칭 굴절각

대상으로 하는 결함	공칭 굴절각
전체	70°
개선면의 융합 불량	90-α(*)° 에 가장 가까운 표 8.20(?)의 공칭 굴절각
저면에 열려있는 용입부족	45°(모재의 두께가 40 mm 이하의 경우에는 70°를 사용해도 좋다.)

주(*) α(°): 베벨각

실제의 용접부의 탐상에 적용하는 경우 1탐촉자법에 의한 경우에는 표 7.26에 나타내듯이 일반적으로는 굴절각 70°를 사용하지만, 개선면의 융합 불량이나 저면에 열려있는 용입부족을 검출하는 경우에는 각각 그 목적에 적절한 굴절각을 사용한다. 이 경우의 진동자의 크기는 표 7.27에 나타내는 것을 사용한다. 또한 탠덤탐상법의 경우에는 별도로 규정하고 있다.

표 7.27 1탐촉자법에 사용하는 사각 탐촉자의 진동자의 치수

빔 진행거리 [mm]	진동자의 치수 [mm]
50이하	[5×5](*) 또는 5×5
50 초과 100이하	[5×5], [10×10] 5×5 또는 10×10
100 이상	[10×10] 또는 10×10

주(*) [ ]안은 등가 치수

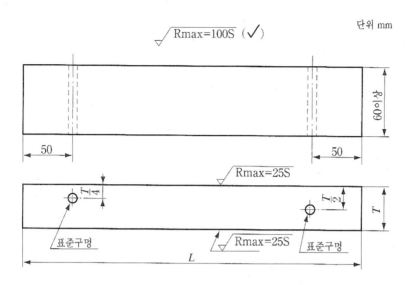

비고 L: 대비 시험편의 길이(사용하는 빔 진행거리에 의해 정한다.)

　　　T: 대비 시험편의 두께(표 6.22 참조)

〔그림 7.44〕 대비 시험편(RB-A4 AL)의 형상

나. 탐상 감도의 조정

탐상 감도의 조정은 적용하는 시험체의 두께에 따라 그림 7.44에 나타내는 형상을 갖는 대비시험편을 표 7.28 중에서 선택하여 가로 구멍에서의 최대에코높이를 기준 레벨에 맞춘 후 평가레벨에 의해 표 7.29에 나타내는 감도를 더 높여 탐상한다. 또한 이때 시험체와 대비 시험편의 초음파 특성이 다른 경우, 식 7.5 으로 구한 감도 보정량을 고려하여 조정한다.

표 7.28 대비 시험편(RB-A4 AL)의 치수

(단위 : mm)

시험편 호칭	시험편의 적용 측정 범위	대비 시험편의 두께	표준 구멍의 지름
No 1	100 이하	12.5 또는 t(*)	2.0
No 2	200 이하	25 또는 t	5.0
No 3	250 이상	50 또는 t	5.0

표 7.29 평가 레벨에 의한 감도 증폭량

평가 레벨의 종류	감도 증폭량
A평가 레벨	+12 dB
B평가 레벨	+18 dB
C평가 레벨	+24 dB

표 7.30 결함의 구분과 에코 높이(KS B 0897)

결함의 구분	에코 높이
A종	A평가 레벨을 초과하는 것
B종	A평가 레벨 이하이고 B평가 레벨을 초과하는 것
C종	B평가 레벨 이하이고 C평가 레벨을 초과하는 것

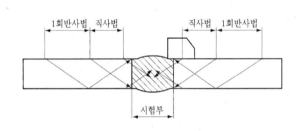

(a) 한면 양쪽에서의 직사법 및 1회 반사법

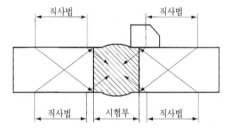

(b) 양면 양쪽에서의 직사법

〔그림 7.45〕 1탐촉자법에서의 탐상면과 주사 범위(KS B 0897)

$$\Delta H_{LA} = \Delta L_T + 2\Delta\alpha \cdot \ell_{max} \ (dB) \cdots\cdots\cdots\cdots\cdots\cdots(7.5)$$

ΔL_T : 시험체와 대비 시험편의 전달 손실량의 차

$\Delta\alpha$: 시험체와 대비 시험편의 감쇠계수의 차

ℓ_{max} : 탐상에 사용하는 최대 빔 진행거리

또는 감도 조정에서 표 7.28에 나타내는 No 1 시험편으로 Φ2.0의 표준 구멍을 사용한 경우는 가로 구멍의 지름에 의한 감도 보정량으로서 *4dB* 감도를 높일 필요가 있다.

다. 탐상

탐상에 앞서 대비시험편 RB-A4 AL을 사용하여 거리진폭특성곡선을 작성한다. 거리진폭특성 곡선은 사용하는 빔 진행거리의 범위 내에서 90% 이하이고 또한 10% 이상이 되도록 작성한다.

탐상면 및 주사 범위는 시험체의 두께에 따라 아래와 같이 한다. (그림 7.45 참조)

① 모재의 두께가 40 ㎜ 이하의 경우 한면 양쪽에서 직사법 및 1회 반사법에 의해 탐상한다.
② 모재의 두께가 40 ㎜ 를 초과하고 80 ㎜ 이하의 경우 양면 양쪽에서 직사법에 의해 탐상한다. 단, 용접부의 형상 등에 의해 특히 1회 반사법에 의한 탐상이 필요한 경우에는 대상으로 하는 결함의 존재가 예상되는 위치에 초음파가 충분히 전반하는 것을 확인한 다음 한면 양쪽에서 직사법 및 1회 반사법에 의해 탐상해도 좋다.
③ 모재의 두께가 80 ㎜ 를 초과하는 경우 양면 양쪽에서 직사법에 의해 탐상한다.

7.5.3 검사 결과의 평가 방법

검출한 결함 에코는 강 용접부의 초음파탐상의 경우와 마찬가지로 에코 높이의 레벨과 결함의 지시 길이로 분류한다. 이때 에코 높이의 레벨에 의해 표 7.31처럼 결함은 A종, B종 및 C종으로 구분된다. 또한 결함의 지시 길이는 A종에 대해서는 그 에코 높이가 최대 에코 높이보다 10 *dB* 낮은 레벨을 초과하는 범위(10 *dB* 드롭법)를, B종 및 C종의 경우에는 에코 높이가 각각 평가 레벨을 초과하는 범위로 한다.

그리고 결함의 구분 및 결함의 지시 길이에 따라 표 7.32와 같이 결함을 분류한다. 이 경우 동일하다고 간주되는 깊이에서 결함과 결함의 간격이 큰 쪽의 결함의 지시 길이와 같거나 그것보다 짧은 경우에는 농일 결함으로 간주하며 그들 간격도 포함하여 연속된 결함으로서 취급한다. 결함과 결함의 간격이 양자의 결함 지시 길이 중 큰 쪽의 결함의 지시 길이보다 긴 경우에는 각각 독립된 결함으로 간주하여 길이를 측정한다.

표 7.31 결함의 지시 길이에 의한 결함의 분류(KS B 0897)

(단위 : mm)

모재 두께 t		5 초과 20 이하			20 초과 80 이하			80 이상		
분류/구분		A형	B형	C형	A형	B형	C형	A형	B형	C형
결함의 분류	1종	-	5 이하	6 이하	$t/8$ 이하	$t/4$ 이하	$t/3$ 이하	10 이하	20 이하	26 이하
	2종	-	6 이하	10 이하	$t/4$ 이하	$t/3$ 이하	$t/2$ 이하	26 이하	26 이하	40 이하
	3종	5 이하	10 이하	20 이하	$t/4$ 이하	$t/2$ 이하	t 이하	40 이하	40 이하	80 이하
	4종	3종을 초과하는 것								

주(1) t: 맞붙이는 모재의 두께가 다른 경우에는 얇은 쪽의 두께로 한다.

7.6 얇은 판 용접부

두께 6 mm 미만인 훼라이트강 용접부의 비파괴검사 방법으로서는 자분탐상검사나 침투탐상검사를 하는 것이 일반적이다.

이렇게 얇은 두께에서의 용접은 구조상의 강도를 요구하기보다는 균열이나 관통된 핀홀 등 표면결함와 유무를 화인하기 위한 검사가 요구되기 때문이다.

그러나, 필요에 따라서는 초음파탐상검사를 적용하게 되는데, 이때에는 탐상검사의 목적을 분명히 하여 검출하고자 하는 결함의 크기와 종류를 결정한 후, 탐상법을 선정하여야 하며, 표면결함 탐상에 효과적인 침투탐상이나 자분탐상을 병행하는 것이 요령이 된다.

가. 탐촉자의 선정

일반적으로 주파수가 높으면 분해능이 좋아지므로, 얇은 판의 탐상에서는 높은 주파수가 선호되어 주파수 5 MHz, 진동자 크기가 10×10 mm 이 탐촉자를 선정하는 것이 좋다. 탐촉자의 접근한계 거리로 인하여 직사법으로 탐상할 수 없는 경우가 많으므로, 선집속탐촉자를 사용하는 것도 좋은 방법이 된다.

나. 측정범위의 조정

가능한 한 작은 깊으로 측정범위를 조정하여 에코들간의 구분을 명확히 할 수 있도록 한다.

다. 탐상감도의 설정

피검체 또는 초음파특성이 유사한 재질로 시험편을 작성하여 인공결함으로부터 거리진폭 특성곡선을 작성하여 탐상한다. 다른 방법으로서는 허용할 수 있는 최대크기의 자연결함이나 인공결함을 사용하는 방법도 있다.

라. 탐상방법

박판의 용접부는 일반적으로 판두께에 비하여 용접덧붙임이 높고 덧붙임과 모재사이의 각도가 급경사이기 때문에, 이 부위의 에코가 크게 나타나게 되며, 모재가 얇으므로 내부결함의 에코와 덧붙임에코의 구분이 쉽지 않다.

결함 에코의 확인 방법은 두꺼운 판의 구분방법과 같으나, 한가지 고려할 것은 용접덧붙임의 에코는 항시 나타나는 에코이므로, 이를 계속 주시해 가면서 결함에코와 구분을 하여야 한다.

예를 들면, 박판용접부에 많이 사용되는 V형개선 수동용접부의 탐상을 할 때에는 우선 용접루트부의 에코가 계속 나오는지의 여부를 확인하는 것이 중요하다. 탐상은 가능하면 0.5스킵 이내에서 하되, 불가능할 경우에는 그림 7.46와 같이 1.5스킵거리에서 좌우주사를 한다. 이때 $3t/\cos\theta$ (0.5스팁에서는 $t/\cos\theta$)의 빔거리보다 1.5 mm 뒤에 나타나는 에코가 이면 덧붙임의 에코가 되므로 이를 확인하면서 이 앞에 나타나는 에코를 결함에코로 생각하여 탐상한다. 즉 미리 주사위치를 계산에 의하여 설정한 후에 실제로 탐상을 하게 된다. 박판의 용접 덧붙임이 있는 용접부의 탐상은 이와 같이 접근한계 거리로 인사법으로 탐상이 곤란한 경우가 많아 0.5스킵 이상에서 탐상하게 되므로, 용접덧붙임의 에코를 확인해가면서 탐상을 하여야 하므로 가능한 한에 시험편을 제작하여 비교해가면서 탐상하는 것이 바람직하다.

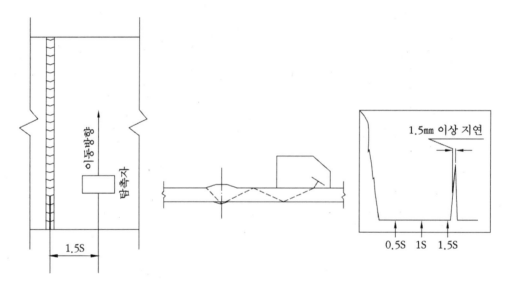

〔그림 7.46〕 1.5 스킵탐상법

7.7 Clad 용접부

화학프랜트나 원자력발전소에서 사용되는 압력용기는 내식성을 증가시키기 위하여 스테인리스강을 압력용기의 내면에 Cladding하여 사용하고 있는데, 이 Clad부에 발생되는 결함으로서는 본드 (**Bond**)부의 이탈과 Clad 바로 밑의 균열로서, 이 두 가지 결함의 검사가 중요하다.

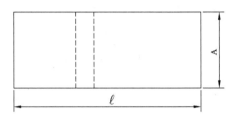

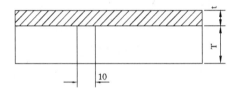

A, ℓ, T : 시험에 필요한 길이
t : 탐상하는 clad의 두께

〔그림 7.47〕 ASTM 시험편 탐상법

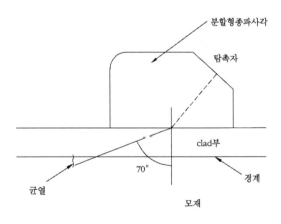

〔그림 7.48〕 분할형 종파사각 탐촉자에 의한 Overlay부 직하의 균열

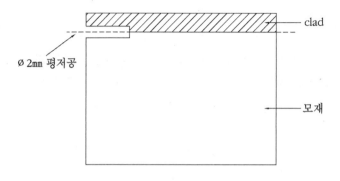

〔그림 7.49〕 Clad 바로 밑

가. Clad Bond 부의 이탈검사

본드부의 이탈검사는 수직검사 방법으로 탐상한다. 그림 7.47은 ASME Sec.V T-540에 규정되어 있는 대비시험편으로서, 중간부위에 구멍이 만들어져 있으며, 필요에 따라 Clad쪽에서 또는 모재쪽에서 검사할 수 있도록 되어 있다.

주파수는 2.25 MHz, 탐촉자 진동자의 크기는 19 ~ 29 mm 를 사용하게 되어 있다.

나. Clad 바로 밑 균열검사

용접 Clad부의 열영향부(**HAZ**)와 모재에 발생되는 균열은 수직탐상빔으로도 검출은 되지만, 결함의 방향으로 인하여 사각탐상이 효과적이다. 그러나, 일반 사각탐촉자로는 스테인리스강인 Clad부의 조대한 입자 경계에서 잡음신호가 발생되어 탐상에 신뢰성이 없으므로, 좌우분할형 종파사각탐촉자가 개발되어 사용되고 있다. 그림 7.48은 좌우분할형 종파 70° 사각탐촉자로서, 초음파빔의 초점이 경계부의 바로 밑에 오도록 되어 있으며, 감도조정은 특수하게 설계된 시험편내의 $\phi 2$ mm 평저공을 이용한다(그림 7.49).

7.8 오스테나이트계 스테인리스강 용접부

오스테나이트계 스테인리스강(*Austenitic Stainless Steel*)용접부는 탄소강 등 일반적인 페라이트(*Ferrite*)강 용접부의 초음파탐상법으로는 초음파의 감쇠가 크고 임상에코가 많이 나타나므로, 탐상이 곤란한 경우가 많다.

오스테나이트강은 변태점을 가지고 있지 않으므로 용접 중 응고시에 성장한 커다란 주상정이 상온까지 그대로 유지된다. 이 주상정은 단결정이어서 음속과 감쇠의 이방성을 나타내게 되어 초음파의 진행에 영향을 준다. 이 결정의 방위에 의한 음속의 이방성은 결정입계에서 음향임피던스의 차이를 유발시키는데, 이것이 곧, 산란이며 산란반사된 성분 중 탐촉자에 돌아온 것이 임상에코가 된다.

또한, 입계에서의 산란반사에 의해 초음파 에너지의 일부분이 소실되어 감쇠의 원인이 된다. 그러므로, 오스테나이트계 스테인리스강의 탐상을 가능하게 하기 위해서는 결함에코를 강조하고 임상에코를 억제하는 방법 즉, 신호대 잡음비(*S/N ratio*)를 향상시키는 방법이 필요하게 된다.

7.8.1 오스테나이트 조직의 감쇠원인

ㄱ) 결정입의 직경

결정입의 직경이 커지게 되면 감쇠가 현저히 증가하며, 특히 주파수가 높아져 파장이 짧게 되면 감쇠가 커진다.

ㄴ) 탄화물의 석출

결정입계의 탄화물이 석출되면 산란감쇠가 증가하지만. 탄화물층의 크기가 1/100파장이하가 되면 큰 영향은 없다.

ㄷ) 페라이트강

일반직으로 페라이트량이 승가함에 따라 감쇠는 급속히 감소한다.

ㄹ) 마이크로균열

페라이트량이 특히 작지 않을 때에는 마이크로균열이 발생할 경우가 있는데, 이 마이크로균열로 인하여 감쇠가 증가하게 된다.

7.8.2 초음파의 특성

ㄱ) 주파수

결함에코는 주파수 의존성이 적지만, 임상에코는 주파수 의존성이 크다. 이 성질을 이용하여 SN비를 향상시키는 방법이 있다.

또한, SN비는 용접입열량에 따라서도 변하는데, 실험 예로서는 입열량이 30 kJ/cm 때에는 고분해능종파 사각탐촉자를 사용하여 측정해본 결과 SN비는 2 MHz 에서 21 dB 이며, 5 MHz 에서는 13 ~ 14 dB 이었는데 입열량이 45 kJ/cm 때에는 주파수에 관계없이 SN비가 10 dB 이었다. 즉, 입열량이 커지면 SN비는 감소한다.

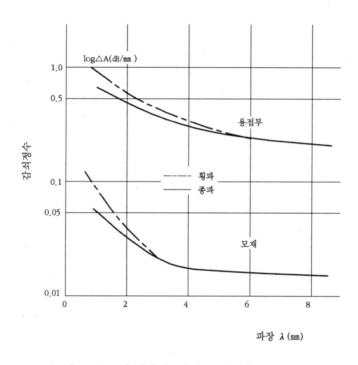

〔그림 7.50〕 오스테나이트강의 용접부의 초음파 감쇠

ㄴ) 종파의 횡파

일반적으로 종파보다는 횡파의 감쇠가 크며, 오스테나이트강에서는 특히 심하다. 그러나, 실험결과로는 그림 7.50에서와 같이 주파수가 같으면 종파와 횡파간에 감쇠차는 무시할 수 있게 된다. 특히, 횡파의 방향이 열영향부나 입계에 평행일 때에는 감쇠가 적어 같은 주파수의 종파와 같은 정도의 감쇠값을 가지게 된다. 즉, 횡파에는 감쇠가 최소가 되는 편파의 방향이 있다는 것을 알 수 있다.

ㄷ) 결정의 방향과 감쇠차이

용접을 하게 되면, 오스테나이트 결정입자들은 「100」측에 평행하고 등온면에 수직인 방열선을 따라 성장하게 된다. 초음파의 감쇠는 결정성장 방향에 따라 다르며, 0° 방향 「100」의 감쇠는 90° 방향에서보다 작으며, 두 방향에서의 감쇠차는 주파수가 높을수록 커진다는 것이 정설이다.

이를 좀더 깊이 관찰하면, 종파는 결정성장방향의 40°에서 감쇠가 최소가 되며, 횡파는 결정성장의 방향과 횡파의 편파방향이 평행이 될 때, 음속이 최대로 되며, 파형변환도 일어나며 에너지 손실이 작아지게 되므로 감쇠가 최소가 된다는 것이 실험으로 입증되었다(그림 7.51 참조).

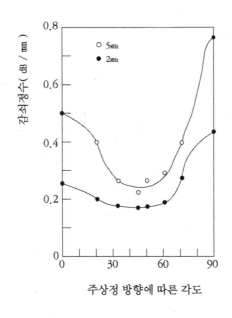

〔그림 7.51〕 주상정방향에 의한 종파초음파 감쇠의 이방성

ㄹ) 결정 방향과 음속차이

음파가 매질내를 진행할 때 파장 λ, 음속 v, 주파수 f는 λ = v/f의 관계가 있다. 따라서, 물체가 동일하다면, 이들 세인자는 일정하게 된다. 그러나 물체내의 탄성에 차이가 생기게 되면, 각각의 인자는 변화한다. 초음파의 음속은 국부적인 탄성계수에 의존하므로, 금속조직내의 음속은 탄성계수로서 결정하게 된다. 오스테나이트계 스테인리스강 용접부나 주조품과 같이 조직이 균일하지 않을 경우에는 초음파의 음속이 음파의 경로에 따라 변하게 된다.

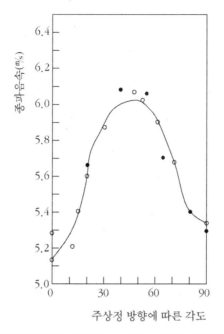

• 표시는 용접선 방향에 평행한 음파 경로이고, ○ 표시는 용접선 방향에 수직 방향의 음속이다.

〔그림 7.52〕 주상정 방향에 의한 종파음속의 이방성

주상정 등 단결정에서의 음속은 탄성계수와 밀도를 사용하여 음속 $= \sqrt{탄성계수/밀도}$ 로서 계산한다. 단결정의 탄성계수를 사용하여 SUS 30에 대해 종파와 두 개의 횡파, 특히 각각 직교하는 편파면(編波面)을 갖는 횡파에 관하여 음속을 구하여 보면 다음과 같다.

$$횡파음속 \ Vs \cdot max = V_{s1}\{110\} = 4,040 \ m/s$$
$$Vs \cdot min = V_{s2}\{110\} = 2,120 \ m/s$$
$$V_L \cdot max = V_L\{111\} = 6,570 \ m/s$$
$$V_L \cdot max = V_L\{100\} = 5,230 \ m/s$$

즉, 초음파는 전달방향에 따라 음속이 변한다. SUS 308L 용접부로 제작한 시험편에서 측정한 종파음속의 주상정방향에 따른 변화를 그림 7.53에 나타내었다.

ㅁ) 주상정에 의한 초음파의 도파효과

　　횡파는 때때로 주상정의 성장방향을 따라 진행하는데 이러한 현상은 주상정이 초음파의 도관(導管) 역할을 하는 것으로 생각된다. 그림 7.53은 맞대기용접 시험편에 횡파를 입사시키면 초음파빔은 모재에서는 직진하지만, 용접금속 내에는 주상정을 따라 진행하여 시험편의 저면에서 반사되어 되돌아오므로, 이를 결함에코로 오인할 경우가 생기게 된다.

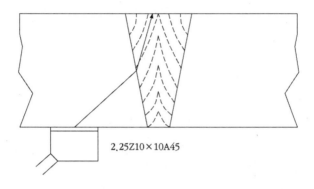

2.25Z10×10A45

〔그림 7.53〕 주상정에 의한 횡파의 도파효과

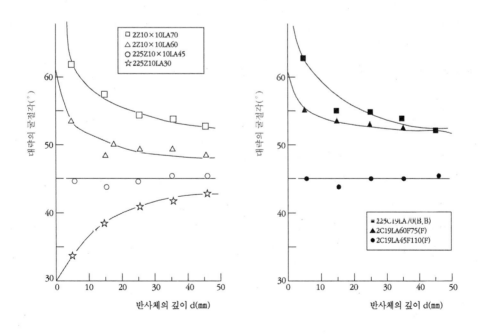

〔그림 7.54〕 반사체의 깊이에 대한 굴절각의 변화

또한, 어떤 한 방향으로만 생성된 용접금속으로 제작한 시험편에 초음파를 입사시키면, 횡파는 굴절각에 관계없이 주상정의 성장방향으로만 진행된다. 종파는 주상정의 성장방향에 대하여 45° 이외의 각도로 입사시켜도 초음파의 용접금속내의 진행거리가 길어지면 길어질수록 45°에 가까운 각도로 굴절된 것과 같이 측정되는데, 이는 주상정방향에 의한 감쇠변화로 설명될 수 있다. 종파는 주상정에 대하여 45°로 입사했을 때 감쇠는 최소가 되며, 45° 이외의 각도에서는 감쇠가 커진다. 따라서 45° 이외의 각도로 입사한 종파빔의 중심은 감쇠가 많은 경로로 전파되고, 45°에 가까운 쪽의 빔성분은 감쇠가 작은 경로로 전파되므로, 마치 45°에 가까운 각도로 전파하는 것처럼 보이게 된다(그림 6.87).

ㅂ) 오스테나이트 스테인리스강 용접부로부터의 에코

모재에서는 결정립의 크기가 파장보다 약간 작고 미세하며 결정립 개개의 차이가 없으므로, 어느 방향에서도 일정한 음향임피던스를 갖는다. 그러나, 용접금속은 주상정으로 결정입이 파장보다 크며, 위치에 따라 음향임피던스가 달라지게 된다. 결정입계, 모재와 용접부와의 경계, 다층용접에서 층사이의 경계에서는 음향임피던스가 달라지므로, 경계부(**Interface**)에서 초음파의 일부가 반사되어 에코가 나타나게 된다. 이외에도, 횡파에서는 도파효과로 인하여 큰 유사에코가 나타나는 경우도 있다. 종파사각 탐촉자를 사용할 때에는 종파와 함께 횡파도 발생하게 되므로, 에코의 해석에 주의해야 한다. 또한, 저면에서 반사될 때에는 거의 횡파로 파형변환되므로, 1회반사법보다는 양면양측으로부터의 직사법으로 탐상을 한다. 이와 같이 오스테나이트 강용접부로부터의 에코는 결함이외로부터의 에코가 많이 나타나기 때문에 에코의 해석을 충분히 하지 않으면 결함에코의 식별이 어렵게 된다.

7.8.3 탐촉자의 개발

오스테나이트 스테인리스강 용접부의 초음파탐상을 어렵게 하는 가장 큰 원인은 결정입자가 큰 것으로서, 이 큰 결정입으로부터의 반사로 임상에코가 나타나 결함에코와 식별이 되지 않는 것이다. 그러므로, 결함에코와 임상에코와의 비 즉, 신호대잡음비를 개선하려면, 초음파빔 면적에 대한 결함면적의 비를 크게 하여 임상에코의 원인이 되는 입자로부터의 반사를 적게 수신하도록, 지향성을 예리하게 하는 것이 효과적이므로, 특수한 탐촉자를 개발하여 사용하게 한다.

ㄱ) 분할형 사각탐촉자

초음파빔의 초점이 탐상면의 일정한 깊이에 오도록 분할형 사각탐촉자를 사용하여 초점영역이외의 입계에서의 임상에코가 수신되지 않도록 한다. 이 초점영역을 진동자의 근거리음장 한계거리와 같은 거리로 하면, 음장영역이 작게 되므로, SN비도 개선되게 된다. 두께가 두꺼운 용접부의 탐상시에는 두께를 여러 층으로 나눠(대략 10 ~ 15 mm 간격) 해당되는 두께부위에 초점이 오도록 여러 개의 분할형 탐촉자를 사용하게 된다.

ㄴ) 점집속사각탐촉자

초음파빔을 줄여 임상에코를 가능한 한 수신하지 않도록 하고, 또한 음압을 높여 감쇠를 보상해줄 수 있게 한다.

ㄷ) 고분해능탐촉자

펄스폭이 좁아지면 임상에코가 낮아지므로, 펄스폭을 줄이기 위하여 광대역 (*Wide Band*) 고분해능탐촉자를 사용한다.

위와 같은 각 탐촉자의 장점을 조합하여 광대역 점집속 분할형 탐촉자를 제작하여 신호대잡음비를 개선시킨다.

7.8.4 탐상기술의 개발

신호대잡음비의 개선을 위한 방법으로 탐촉자의 개발과 더불어 새로운 탐상기술이 개발되고 있는데, 이들을 종합해 보면 다음과 같다.

ㄱ) 송신주파수를 변경하는 방법

임상에코는 주파수를 변화시키면 에코의 높이가 결함에코보다 크게 변화하는데, 이를 이용하여 여러 개의 주파수를 송신할 수 있는 가변주파수탐촉자를 사용하는 방법이다.

ㄴ) 주파수 필터 이용법결함에코는 주파수를 변화시켜도 임상에코에 비해 에코높이의 변화가 크지 않다. 그러므로, 광대역펄스를 송신하고, 수신은 주파수 필터를 사용하면, 결함에코의 높이는 변하지 않으나, 임상에코의 높이는 크게 변화하므로, 식별이 용이하게 된다.

ㄷ) 탐촉자를 주기적으로 이동시키는 누적법(累積法)

탐촉자를 피검체에서 연속적으로 일률적으로 이동시키면, 결함에코의 높이는 탐촉자의 이동에 따라 규칙적으로 변하는데, 이것을 누적시켜 큰 신호를 얻을 수 있다. 한편, 임상에코는 임의로 불규칙하게 되어 큰 신호가 얻어지지 않는다. 이 방법은 적산회로(*Memory Scope*)를 이용함으로써, 결함의 식별을 용이하게 할 수 있다.

ㄹ) 빔 넓이를 변경하는 방법

탐촉자의 송신출력을 일정하게 유지시키며, 진동자의 면적을 주기적으로 변경시키면 임상에코의 높이는 일정하지만, 결함에코의 높이는 진동자의 면적변화에 따라 달라지게 되는 것을 이용하는 방법이다. 이 방법을 지향각변화법(指向角變化法)이라 하며, 결함에코의 식별을 위한 한 가지 방법이다.

ㅁ) 이 이외에 Polarized SV Wave나 SH Wave를 사용하는 방법 등이 활발히 연구되고 있다.

7.9 수침 탐상

수침법은 탐촉자와 시험체가 직접 접촉하지 않으므로 초음파의 전달에 접촉 매질의 두께나 시험체의 표면거칠기의 영향이 적기 때문에 자동 탐상이나 C-스캔 탐상 등의 정밀 탐상에 사용되고 있다.

7.9.1 전몰 수침법

그림 7.55는 원통 형의 축받이(축수: 軸受) 합금 접합부의 탐상의 예이다. 시험체를 수조 내에 넣고 투과법에 의한 탐상을 하여 투과파의 진폭이 소정의 레벨 이하의 부분을 결함으로써 검출한다. 시험체의 회전과 탐촉자의 축 방향에의 주사를 조합하여 접합부 전면의 탐상을 한다.

7.9.2 국부 수침법

길이가 긴 시험체나 대형 시험체를 수침 탐상을 하려면 큰 수조가 필요해져 설비가 대형화하는 문제가 있다. 이때 탐촉자가 국부적으로 접촉하는 부분에만 수조를 설치하여 탐상을 하는 국부 수침법이 유효하다. 그림 7.56은 국부 수침법에 의한 이음매 없는 강관의 회전 자동 탐상 장치의 예이며, 탐촉자를 회전시켜 그 회전 중심을 관이 직진하는 것에 의해 관의 전면을 탐상하는 것으로 관내로 전파하는 횡파가 결함에 닿게 되었을 때 결함 에코가 검출되며 그 에코 높이의 최대치를 표시하거나 또는 경보를 발한다. 수침법에서는 안정적인 초음파의 전달이 가능하여 최대 10,000 rpm 의 탐촉자의 회전이 가능하다.

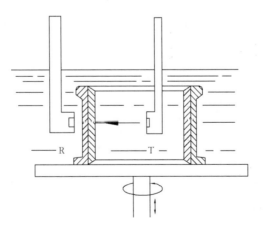

〔그림 7.55〕 축받이 합금 접합부의 전몰 수침 탐상

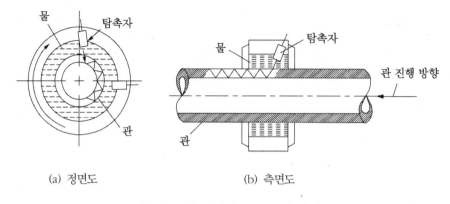

(a) 정면도   (b) 측면도

〔그림 7.56〕 강관의 국부 수침 탐상

7.9.3 갭 수침법

갭 수침법은 시험체가 길거나 대형인 경우에 유효한 탐상법이다. 그림 7.57은 두꺼운 강판의 연속 자동 탐상에 사용되고 있는 갭 수침 탐상의 예를 나타내고 있으며 2진동자 탐촉자에 의한 수직탐상에 의해 두꺼운 강판의 결함을 탐상한다. 탐촉자와 시험체(두꺼운 강판)와의 사이에 0.3 ㎜ 에서 0.8 ㎜ 의 갭이 형성되도록 되어 있으며 이 갭이 기포가 없는 물로 채워져 이것을 통하여 초음파가 안정적으로 전달하도록 되어 있다.

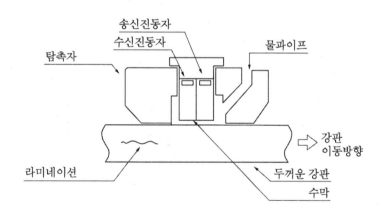

〔그림 7.57〕 갭 수침법에 의한 두꺼운 강판의 탐상

7.9.4 C 스캔 탐상법

C-스캔 탐상법은 수침 탐상법의 안정적인 초음파 전달을 이용하여 시험체 내부의 정밀한 화상화를 얻는 방법이다. 또한 탐촉자와 시험체와의 사이에 물이 개재되어 있으므로 음향 렌

즈나 구면 진동자에 의한 초음파 빔의 집속이 가능하며, 높은 정밀도의 방위 분해능의 화상를 얻을 수 있는 특징이 있다.

그림 7.58은 C-스캔 탐상법을 모식적으로 나타내고 있다. 초음파를 송수신하여 얻어진 신호 중, 시험체의 소정의 깊이 범위에 상당하는 부분에 게이트를 설정하여 이 범위 신호의 최대값이 나타나도록 탐촉자를 기계 장치에 의해 2차원 주사하여 최대값과 탐촉자의 위치를 대응시켜 표시를 한다.

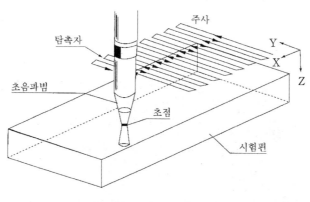

〔그림 7.58〕 C-스캔 탐상법

그림 7.59에 C-스캔 탐상 장치의 기본 구성을 나타낸다. 최근의 장치는 컴퓨터에 신호의 최대값 및 탐촉자 위치를 읽고 C-스코프로 표시할 수 있다.

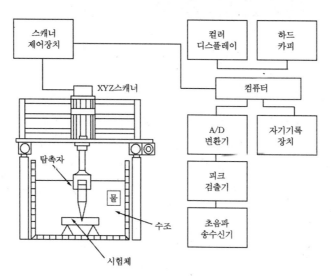

〔그림 7.59〕 C스캔 탐상 장치 블록도

그림 7.60은 C스코프 표시의 예를 나타내고 있으며 IC 패키지의 리드선(**lead**)과 몰드(**mold**)와의 떨어짐을 주파수 25 MHz 의 집속 탐촉자를 사용하여 검출한 결과이다. 중앙의 칩 주위의 선이 밝게 표시되고 있는 부분이 박리부이다. C스캔 탐상 장치는 당초 금속판의 내부 결함의 탐상에 사용되고 있었지만, 최근에는 세라믹이나 복합 재료의 검사나 IC 패키지의 검사 등 광범위한 분야에 이용되고 있다. C스캔 탐상을 할 때에는 표면 에코 및 그 잔향에 의해 시험체의 표면 직하에 불감대가 생기는 것, 초음파 빔의 초점 이외의 깊이에서는 결함의 검출능이 저하되는 것에 유의할 필요가 있다.

7.9.5 수침 탐상의 적용상의 주의할 점

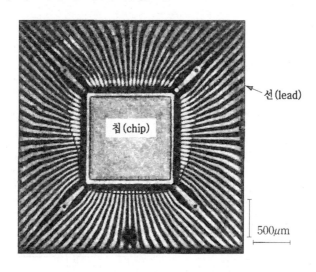

〔그림 7.60〕 IC팩키지의 C스코프의 예

수침 탐상을 양호하게 하기 위해서는 기포의 영향의 제거가 중요하다. 국부 수침법 및 갭 수침법은 탐촉자 주위에 끊임없이 물을 공급하여 시행하는 경우가 많고 수로에 와류가 발생하면 기포가 발생하여 탐상 결과에 악영향을 미치기 때문에 수로를 설계할 때에는 충분한 주의가 필요하다. 전몰 수침법에서도 수도수를 그대로 사용하면 물에 함유되어 있던 기포가 시험체와 탐촉자 전면의 표면에 부착하여 초음파의 전달을 저해하기 때문에 증류한 물을 사용하도록 한다.

7.10 표면파 탐상

표면파 탐상은 압연용 롤과 같은 표면 결함의 탐상에 유용하다. 균열(*Crack*)과 같은 표면 결함이 있는 롤을 강판의 압연에 사용하면 압연 중에 균열이 진전하여 롤이 홈지는 등의 문제가 발생하기 때문에 사전에 표면파로 표면 결함의 유무를 검사하게 된다.

7.10.1 탐상 방법 및 탐상 장치

그림 7.61에서와 같이 표면파 탐촉자에 의해 압연 롤(이하 시험체라 한다)의 원둘레 방향으로 표면파를 전파시켜 표면 결함을 검출한다. 표면파 탐촉자는 공칭 주파수 2 MHz 가 사용되는 경우가 많다. 그림 7.62에 자동 탐상 장치의 예를 나타낸다.

회전하는 시험체의 회전 방법과는 반대방향으로 표면파를 송신하여 표면 결함에서의 에코를 수신하면서 표면파 탐촉자를 시험체의 축 방향으로 주사함으로써 압연 롤 전 표면의 표면 결함의 탐상이 가능하다. 표면파 탐촉자와 시험체와의 음향 결합에는 그림 7.63과 같이 갭 수침법이 사용되며, 갭의 치수는 약 0.5 ㎜ 가 적당하다고 되어 있다.

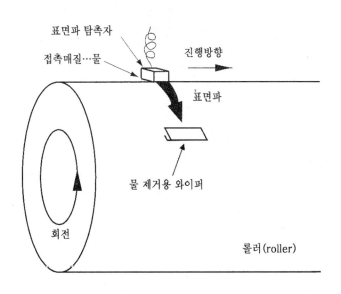

〔그림 7.61〕 압연 롤 표면 결함의 전면 탐상 방법

갭 수침법에 사용된 물은 상당한 양이 회전하는 시험체와의 마찰에 의해 시험체에 접촉한다. 이 물이 표면파의 전파경로와 중첩되면 표면파의 감쇠 및 잡음에코의 발생이 일어나기 때문에 와이퍼에 의해 탐상 부분의 물을 제거하도록 하고 있다.

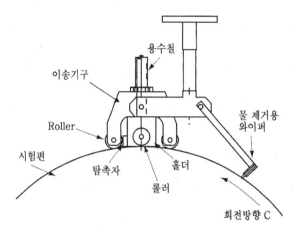

〔그림 7.62〕 자동 탐상 장치의 탐촉자 주변의 구조

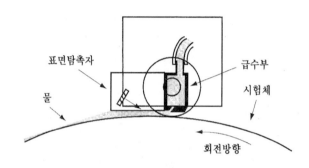

〔그림 7.63〕 갭 수침법에 의한 표면파의 송수신

7.10.2 표면 결함의 탐상 예

그림 7.64는 표면파에 의해 검출된 압연 롤 표면 결함의 일예이다. 압연 롤의 축 방향에 약 2 mm 길이의 미소 균열이 검출되고 있다.

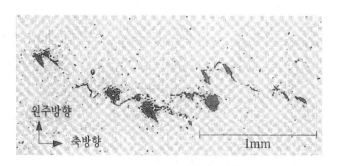

〔그림 7.64〕 검출한 표면 결함의 예

7.10.3 표면파 탐상의 주의점

표면파의 전파경로에 액체가 존재하면 반사 및 감쇠가 발생하여 결함 검출을 놓칠 수가 있으므로 표면파의 전파경로로 접촉 매질이 흘러 나가지 않도록 하는 것과 탐상을 하는 부분의 액체를 완전하게 제거하도록 하는 것이 필요하다.

7.11 세라믹의 탐상

구조용 파인세라믹의 강도 보증상의 허용 결함크기는 대략 금속재료의 허용 결함크기의 십분의 일인 약 10 ~ 100 μm 로 알려져 있다. 이들의 초음파탐상 검사에서는 일반적으로 약 10 ~ 100 MHz 의 고주파의 초음파로서 집속빔을 이용한 수침법이 많이 이용된다.

표면(표층) 결함과 내부 결함에서는 적용하는 탐상방법이 다르고 표면 결함에 대해서는 사각 누설표면파법이나 수직 표면 디포커싱(De-focusing)법이 이용되고 내부 결함의 검출에는 집속탐촉자에 의한 수직탐상법 등이 이용되고 있다. 또 세라믹 내부의 기공이나 개재물과 초음파의 음속, 감쇠, 주파수 스펙트럼 등과의 상관관계를 이용하여 기공률 등의 추정이 시도되고 있다.

* 디포커싱(De-focusing) : 초점을 흐리게 하다.

7.11.1 표면결함의 탐상

가. 사각 누설표면파법

그림 7.65에 시험체 표면에 대해 사각으로 종파를 입사시키면 입사각 θ가 식 7.6에 주어지는 θ_c가 될 때 발생하는 누설표면파를 이용하여 탐상하는 방법이다.

$$\theta_c = \sin^{-1}\left(\frac{V_w}{V_m}\right) \quad \cdots\cdots\cdots\cdots\cdots\cdots\cdots\cdots\cdots\cdots\cdots\cdots\cdots\cdots\cdots\cdots\cdots(7.6)$$

여기서 θ_c는 누설표면파를 발생시키기 위한 입사각, V_w는 물속에서의 종파음속, V_m은 누설표면파의 음속이다.

알루미늄 지름 200 μm, 깊이 50 μm 드릴 구멍을 가공한 시험편을 이용하여 주파수 15 MHz에 의한 누설표면파의 각도 특성을 조사한 예를 그림 7.66에 나타내고 있다. 입사각의 증가와 함께 시험체 표면으로부터 직접 반사파가 작아졌다 다시 입사각이 증가하면 누설표면파에 기인한 에코가 다시 얻어지기 시작하여 입사각이 30° 부근에서 피크값이 얻어진다. 그림으로부터 알 수 있듯이 표면파의 에코높이는 충분히 높고 또 S/N비도 커 미소결함의 탐상에 적합함을 알 수 있다.

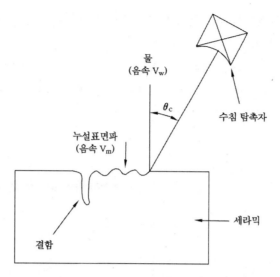

〔그림 7.65〕 사각 누설표면파법

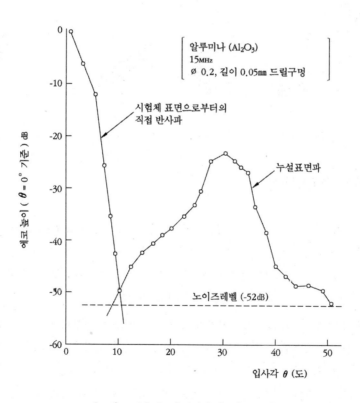

〔그림 7.66〕 누설표면파의 에코높이

그림 7.67은 열충격으로 발생한 균열을 갖는 질화규소의 시험체를 이용하여 초음파 빔을 시험체 길이 방향으로 평행(0°), 직각(90°) 및 45° 방향으로 입사시켰을 때 사각 누설표면파에 의한 주파수 50 MHz 의 C-Scope상이다. 그림으로부터 명확히 알 수 있듯이 초음파 빔의 진행 방향에 거의 수직한 부분이 강조되어 검출된 것을 알 수 있다. 놓치지 않는 검사를 위해서는 적어도 4방향에서 탐상을 할 필요가 있다.

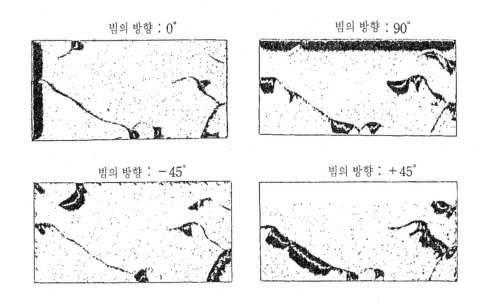

〔그림 7.67〕 열충격시험편의 균열 검출 예(사각 누설표면파법)

나. 수직 표면 디포커싱법

탐촉자의 초점거리가 비교적 짧고 개구각이 큰 경우 디포커싱(*De-focusing*)하면 임계각으로 입사한 물속의 종파가 시험체에 누설표면파로 모드 변환되고 시험체 표면을 전파한 후 수신된다. 결함이 있는 경우에는 누설표면파의 전파 경로가 방해받기 때문에 수신 음압이 저하한다. 이 저하의 정도에 의해 표면 결함을 검출하는 것이 가능해진다.

질화규소의 표면에 폭 30 μm 및 40 μm, 깊이 10~80 μm 슬릿(*slit*)을 가공한 시험체를 이용하여 수직 표면 디포커싱법을 적용하면 슬릿결함과 수신 신호의 저하량과의 관계를 구한 실험결과 예를 그림 7.68에 나타내고 있다. 이것은 주파수 50 MHz, 진동자 지름 10 mm, 초점거리 12.5 mm 의 탐촉자를 이용하여 약 1 mm 의 디포커스를 하였을 때의 결과이다. 슬릿 깊이가 깊어질수록 수신 신호의 저하 정도는 크게 되는 것을 알 수 있다.

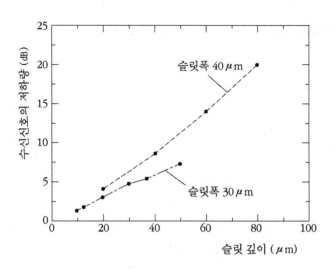

〔그림 7.68〕슬릿 깊이와 수신 신호의 저하량과의 관계

7.11.2 내부결함의 탐상

25 ~ 100 MHz 의 짧은 펄스로 고감도인 동시에 고분해능의 집속형 수직탐촉자를 이용하여 미세 피치로 2차원 주사하고 영상처리를 한 초음파영상법을 적용하면 수십 ㎛ 의 결함 검출이 가능해진다. 이 경우 초점 부근에서 검출능(*detectability*)이 좋고 또 기공 지름과 에코 높이에 양호한 상관관계를 가지나 초점으로부터 멀어지면 결함의 검출능이 현저히 나빠지는 것에 유의할 필요가 있다.

7.12 복합재료의 탐상

CFRP(탄소섬유강화플라스틱)와 같은 복합재료는 비강도(재료강도/비중)나 비강성(탄성율/비중)이 높고 경량화되었기 때문에 항공우주용 또는 소형선박용 등의 구조재료로 이용되고 있다.

복합재료는 한 방향으로 배열된 강화섬유 또는 강화섬유에 에폭시 등의 매트릭스수지를 혼재시켜 일정한 배향을 갖게 하여 적층화한 것을 고온, 가압 및 경화시켜 형성한 것이다. 이 성형 과정에서 생긴 주된 결함으로는 층간 박리, 수지 내의 균열 및 보이드 등이 있다.

이들의 비파괴검사에는 초음파탐상검사가 널리 이용되고 있고 주파수는 0 ~ 25 MHz 의 전몰 혹은 국부 수침법에 의한 반사법 및 투과법이 적용되고 있다. CFRP 소재에서 층간의 박리나 균열의 검출법으로는 각 층간에 게이트를 걸어 반사법에 의해 각 층마다의 결함 정보를 추출하고 영상화하는 방법이 있다. 그림 7.69는 트리거 지연(**trigger delay**)에 의해 기동된 표면 반사파 추종 게이트 방식이 채용되고 있다. 각 층간을 고분해능으로 영상화하기 위해서는 게이트 위치나 게이트 폭을 가능한 한 작게 조정 가능(예를 들면 20 *nsec*)할 필요가 있다. 또 지름이 작은 빔으로 초점 범위가 짧은 집속형탐촉자를 이용하는 것도 필요하다.

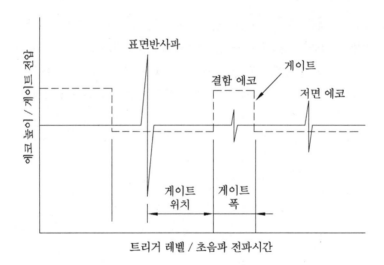

〔그림 7.69〕 표면 반사파 추종 게이트 방식

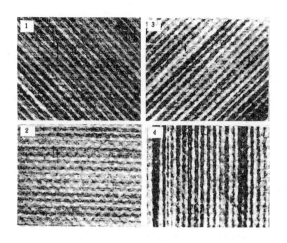

〔그림 7.70〕 CFRP의 표면으로부터 1~4층에서의 초음파 영상

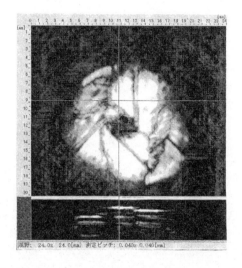

〔그림 7.71〕 CFRP의 층간 박리 검출 예(25 MHz)

그림 7.70은 두께 4.8 mm 의 CFRP(적층 구성 [+45/0/-45/90], 0.2 mm/층)의 표면으로부터 1 ~ 4층에서의 초음파영상을 나타낸 예이다. 주파수 25 MHz 로 각 층에서 20 nsec 의 게이트를 걸어 영상화한 것이다. 그림 중의 번호는 층수를 나타내며 각 층의 섬유 방향의 변화가 명료하게 나타나고 있다.

그림 7.71은 CFRP의 층간 떨어짐을 주파수 25 MHz 로 영상화한 예이다. 그림 중의 위는 C-Scope, 아래는 B-Scope 영상으로 백색은 박리부이다. 각 층간 박리의 진전 상황을 매크로적으로 파악 가능하다.

7.13 고분자재료의 탐상

집속형탐촉자를 이용하여 미세 피치로 2차원 주사하는 초음파영상법을 적용하여 고분자 재료(플라스틱)에 내재하는 균열이나 보이드 등의 균열 검출 외에 사출성형품의 결정화도 분포나 충진재의 배향성 및 분산 등의 비파괴평가가 가능하다. 영상화하는 경우 시험체의 원하는 깊이에 게이트를 걸고 동시에 게이트 중앙 부근에 초점을 맞추는 것이 필요하다.

7.13.1 결정화도 분포의 관찰

결정성 고분자를 사출 성형 가공한 경우 금형 내에서의 용융수지의 냉각속도의 차가 있으면 결정화도나 그 고차 구조가 달라진다. 그 결과 수축도에 국부적인 차가 생기고 성형품에 비틀림이 생긴다. 결정화도의 표면으로부터 내부에 이르는 차이는 시험체의 기계적 강도나 강성률 등의 역학 특성에도 큰 영향을 미치기 때문에 성형 재료 내부의 결정화도 분포(*flow pattern*)를 조사하는 것은 성형가공품의 특성을 이해하는데 중요하다. 그림 7.72는 두께 1.5 ㎜ 의 열가소성 ABS수지의 사출 성형상의 결정화도 분포를 주파수 25 MHz 로 영상화한 예이다. 선 모양의 흰 부분은 결정화가 진행하여 비교적 탄성률이 큰 부분을 나타내고 있다.

〔그림 7.72〕 사출성형 후의 수지의 결정화도 분포 영상 예

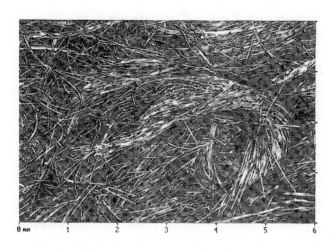

〔그림 7.73〕 글라스 섬유 충진 복합재료의 배향성의 관찰 예

7.13.2 글라스 섬유 충진재의 배향성의 관찰

글라스 섬유 충진 재료의 기계적 성질 및 환경 특성 및 크기 안정성 등은 사출 성형 시에 생기는 섬유의 표면 및 내부의 배향성에 의존하는 것으로 알려져 있다. 그 때문에 재료 특성을 제어하는 데에는 사출 성형 시에 글라스 섬유 배향 분포를 파악할 필요가 있다. 그림 7.73은 초음파영상법을 이용하여 글라스 충진 재료의 사출 성형 후의 글라스 섬유 배향성을 관찰한 예이다. 이 시험체는 폴리프로필렌에 지름 17 ㎛ 의 글라스섬유를 체적률 약 0.2% 로 혼합한 것으로 영상 관찰시의 주파수는 150 MHz 이다. 음향임피던스의 차로부터 글라스 섬유 쪽이 고분자 매트릭스부보다 훨씬 초음파의 반사율이 크기 때문에 글라스 섬유만을 명료하게 관찰하는 것이 가능하다. 또 글라스 섬유의 배향성은 영상처리한 후 배향성 분포나 배향 질서도를 정량적으로 측정하는 것이 가능하다.

7.13.3 분산 및 응집의 관찰

고분자 재료의 탄성률이나 강도를 증가시키는 방법으로 무기질 재료를 혼합하는 방법이 잘 이용되고 있다. 이 경우 혼합물인 무기 재료의 분산 정도가 탄성률이나 강도에 큰 영향을 미친다. 균일하게 분산하면 무기재료가 고분자 재료에 접촉하는 면적이 커지기 때문에 강도는 증대하나 응집하면 강도는 저하한다. 그림 7.74는 폴리프로필렌에 평균지름 1.5 ㎛ 의 실리카를 혼합시켜 사출 성형한 후 실리카의 분산 상태를 75 MHz 의 주파수로 관찰한 예이다.

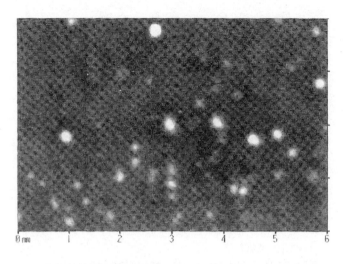

〔그림 7.74〕 폴리프로필렌 내의 실리카의 응집 관찰 예

7.13.4 열 열화의 관찰

새로운 고분자 재료를 개발하는 경우에는 정적·동적 강도검사는 물론이고 사용 환경 하에서 신뢰성을 확인할 목적으로 열 열화나 손상 평가를 한다. 고분자 재료가 열 열화하면 부분적으로 탄성률이나 밀도가 변화하기 때문에 음향임피던스에 차이가 생기고 그 결과 초음파의 반사율의 차와 영상에 차가 생긴다. 따라서 영상으로부터 열 열화 정도를 추정하는 것이 가능하다.

그림 7.75는 에폭시수지의 열응력 부하 전후에 주파수 25 MHz 의 초음파영상 관찰 예이다. (a)의 부하 전에 비해 (b)의 800 사이클 부하 후에 영상은 명확하게 변화한 것을 알 수 있다.

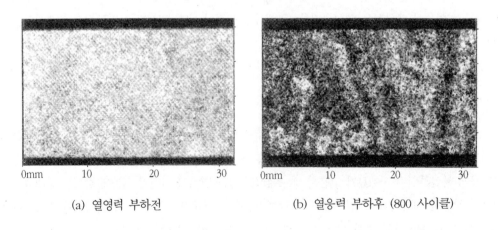

(a) 열영력 부하전   (b) 열응력 부하후 (800 사이클)

〔그림 7.75〕 에폭시수지의 열응력 부하 후의 초음파영상 변화 예

7.13.5 용접부의 관찰

금형 형상이나 게이트 위치의 설정이 부적절한 채로 사출 성형을 하면 용접부에서 위치의 어긋남과 충진재의 배향성이 흐트러져 강도 저하 또는 성형품의 변형을 유발하게 된다. 따라서 용접부의 형성 상태를 파악하는 것이 중요하다.

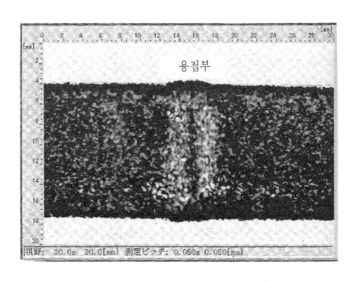

〔그림 7.76〕 용접부의 초음파영상 예

그림 7.76은 실리카를 충진재로 혼합시킨 폴리프로필렌 열가성수지를 좌우 2개의 게이트로부터 사출 성형했을 때 얻어진 용접부를 주파수 25 MHz 으로 관찰한 초음파영상 예이다. 좌우 흰색부의 경계 부근의 검은 선상 영상이 용접부 경계를 나타낸다. 용접부의 위치나 충진재 분포 상황을 명료하게 보여주고 있다.

7.14 전자 부품의 탐상

초음파탐상검사의 대상이 되는 전자 부품에는 대규모집적회로(LSI), 반도체 패키지, 칩콘덴서 등이 있다. 이들 검사에는 짧은 펄스로 고감도의 집속형탐촉자를 이용하여 검사하고자하는 계면에 게이트와 초점을 맞추고 미세 피치로 2차원 주사하는 수침법이 적용되고 있다.

7.14.1 LSI 반도체 패키지

LSI에서 주로 발생하는 결함은 실리콘칩 윗면 회로부와 수지와의 계면에 박리가 있으면 공기 중으로부터 수지 중에 침투한 수분이 수지 내 불순물의 수용성 이온을 녹여 박리부로 석출되고 알루미늄증착 배선부를 부식시켜 회로의 단선 등을 유발하는 문제가 된다. 따라서 이들 검사가 필요하다.

그림 7.77는 수지와 리드프레임 계면의 박리부를 검출한 예이다. 백색 부분이 박리부이다. 이러한 부위에서 계면 박리부의 간격은 10 ~ 100 $n$sec 정도로 알려져 있다. 이와 같은 미소 간격의 경우 X선 검사의 경우 충분한 콘트라스트가 얻어지지 않아 검출할 수 없으나 초음파로는 5 $n$sec 정도의 간격에서도 반사파가 얻어져 명료하게 검출된다. 그림 7.78은 패키지 균열의 C-Scope 영상 예이다.

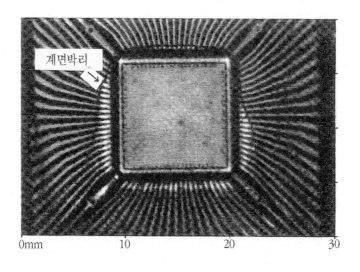

〔그림 7.77〕 리드 프레임과 수지 계면의 박리부의 C-Scope 영상

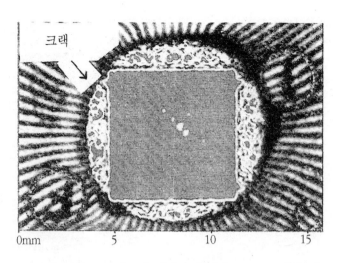

〔그림 7.78〕 LSI 반도체 패키지 균열의 C-Scope 영상 예

7.14.2 칩콘덴서

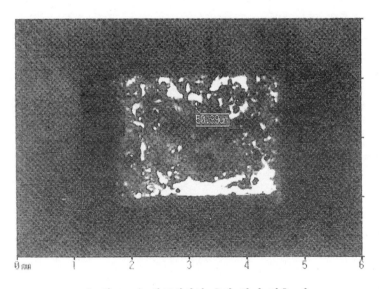

〔그림 7.79〕 칩콘덴서의 층간 박리 검출 예

칩콘덴서는 외형 크기가 수 ㎜크기의 세라믹의 다층 접합체로 구성되어 있다. 접합 층 간에 박리나 보이드가 내재하면 현저하게 성능 저하가 초래되어 특히 대용량 콘덴서에서는 높은 발취율로 초음파탐상검사를 하고 있다. 그림 7.79는 층간 박리의 검출 예이다. 백색부 는 박리를 나타낸다.

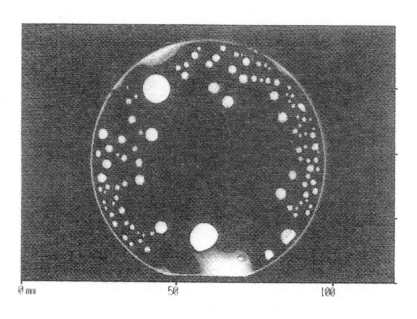

〔그림 7.80〕 미러 웨이퍼 접합계면의 보이드 검출 예

7.14.3 실리콘 웨이퍼 접합 기판

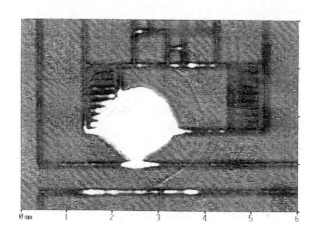

〔그림 7.81〕 파워 디바이스용 웨이퍼 접합계면의 보이드 검출 예

파워 디바이스(*power-device*) 집적회로(*integrated chip*) 등의 연산이나 저장의 고속화를 목적으로 유전체 분리 기판(*SOI*)이 활발히 이용되고 있다. SOI에서는 실리콘이 접착되어 있어 그 접합 계면의 검사가 필요하다.

그림 7.80은 주파수 50 MHz 를 이용한 미러-웨이퍼(*mirror-wafer*) 접합 계면의 보이드 검

출 예를 나타내고 있다. 웨이퍼의 주변을 따라 지름이 10 ㎛ 에서 수 ㎜ 의 원형 보이드가 검출되었다. 그림 7.81은 파워 디바이스(*power-device*)용 접착 웨이퍼의 접합 계면을 75 MHz로 영상화한 검출 예이다. 그림 중의 백색 부분이 보이드 상이다.

7.15 스테인리스 주강의 탐상

7.15.1 스테인리스 주강의 종류

스테인리스 주강은 마르텐사이트계, 페라이트계, 오스테나이트계 및 페라이트·오스테나이트계(2 상계)로 분류된다. 상온에서 인장강도나 내력은 마르텐사이트계가 가장 크고, 2상계, 페라이트계, 오스 테나이트계 순이다. 내식성의 관점에서는 오스테나이트계가 많이 사용되고 응력부식균열이 염려가 되 는 경우는 페라이트상을 포함한 2상 스테인리스 주강이 사용된다.

7.15.2 초음파탐상검사

스테인리스 주강의 결정 조직의 예를 그림 7.82에 나타낸다. 그림의 미세조직 사진에서 볼 수 있듯이 중 앙 부근에서는 결정립이 상당히 조대하고 그 크기는 수 ㎜ 정도가 되는 것도 있다. 원심 주조관에서는 판두 께가 두꺼울수록 조대한 주상정(*columnar crystal*)이 길게 성장하는 경향이 있다.

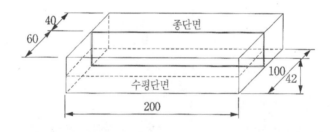

(a) 종단면

(b) 수평단면

〔그림 7.82〕 스테인리스강 강재의 조직사진의 예

이와 같이 스테인리스 주강재는 결정립이 크기 때문에 초음파의 감쇠가 현저하고 주상정에서는 음향이방성이 나타나는 경우도 있다. 따라서 오스테나이트계 스테인리스강 용접부의 경우와 동일하게 횡파보다도 종파가 전파하기 쉽고 주상정에 대해서는 45° 방향이 가장 효율 좋게 전파하는 경향이 있어 초음파탐상을 적용할 경우에는 이를 고려할 필요가 있다. 또 결정입계에서의 산란반사에 의한 임상에코가 현저한 경우가 있고 S/N비를 개선하기 위해 광대역탐촉자 또는 2진동자탐촉자가 사용된다. 최근에는 세라믹과 폴리머의 복합진동자(콤포지트형)를 고감도, 광대역 특성을 살려 적용하고 있다.

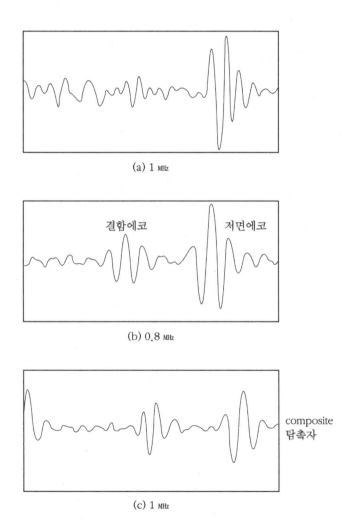

(a) 1 MHz

(b) 0.8 MHz

(c) 1 MHz

〔그림 7.83〕 스테인리스 주강에 φ4 mm 의 인공결함 탐상지시

스테인리스 주강에 깊이 75 ㎜ 에 있는 $\phi 4$ ㎜ 의 평저공을 검출한 예가 그림 7.83이다. 복합진동자를 이용하여 S/N비가 개선된 것을 볼 수 있다. 그 외 스플리트 스펙트럼(*split spectrum; SSP*)에 의한 신호처리나 3D 이미지에 의한 영상처리 등의 기술이 검토되고 있으나 아직 큰 효과는 얻지 못하고 있는 실정이다.

이 재료의 또 한 가지 문제점은 단순히 초음파의 감쇠가 크다는 것만 아니라 재료 중의 감쇠나 음속 등의 초음파 특성이 동일 시험체 내에서도 편차가 있다는 것이다. 예를 들면 표면과 뒷면이 평행한 재료를 수직탐상한 결과 저면에코높이나 저면에코의 빔 진행거리가 측정 장소에 따라 크게 다른 경우가 있다. 이 때문에 일반적인 펄스반사법의 적용이 곤란할 뿐만 아니라 저면에코를 감시하는 방법이나 투과법의 적용도 어렵다. 어느 경우에도 대상이 되는 시험체와 동등한 대비시험편에 인공적인 결함(구멍이나 평저공)을 가공하고 적용하고자하는 기법을 이용하여 이들 인공결함이 어느 정도 검출될 수 있는가를 확인한 후에 검사를 적용하는 것이 필요하다.

7.16 점 용접부의 탐상

7.16.1 개요

점(*spot*)용접은 저항용접의 일종으로 그림 7.84와 같이 박판을 겹쳐 용접하였을 때 그림에서와 같이 접합부는 너깃(*nugget*)이라 불리는 타원형 접합부와 코로나본드(*corona bond, kissing bond*)가 존재하며, 너깃부가 주로 접합강도에 기여하고 있다.

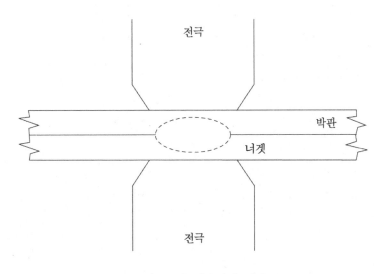

〔그림 7.84〕 점용접의 원리

너깃의 크기(지름) d는 약 $4 \sim 6\sqrt{T}$ (T는 판두께)이다. 비파괴검사의 대상이 되는 것은 이 접합부에서 접합 불량으로 너깃의 크기가 일정한 값을 만족하는가를 평가한다. 이와 같은 형상에 가장 적합한 방법 중의 하나가 초음파탐상 검사이다.

7.16.2 초음파탐상검사의 적용

형상적으로는 그림 7.85와 같이 수직탐상에 의한 반사법과 투과법을 생각할 수 있으나 검사의 작업성을 고려하면 한쪽면으로부터 검사할 수 있는 반사법의 적용이 유효하다.

검사조건은 대상물의 재료 및 크기, 특히 판두께에 의해 결정된다. 수직탐상에서는 판두께가 얇을수록 분해능이 좋을 필요가 있기 때문에 주파수를 높이고 광대역의 탐촉자를 이용하게 된다. 또 너깃 접합부의 경계인 코로나본드를 잘 측정하기 위해서는 집속형의 탐촉자를 이용하는 것이 유효하다. 또 표면은 용접의 경우 팁(**tip**)에 의한 오목하게 파인부분(**dent**)이 생기게 된다. 이 파인부분의 경계가 너깃 접합부의 경계와 거의 일치하기 때문에 직접 접촉에 의한 수직탐상의 적용이 곤란한 경우가 생기고 또 너깃 지름의 측정 정밀도에 영향을 주는 경우가 있다. 수침법을 적용하는 것이 바람직하나 대상물의 크기에 한계가 있어 분류법 또는 국부수침법을 적용한다. 또 표면의 파인부분을 피해 초음파를 입사시키는 방법을 생각하는 것이 필요하다.

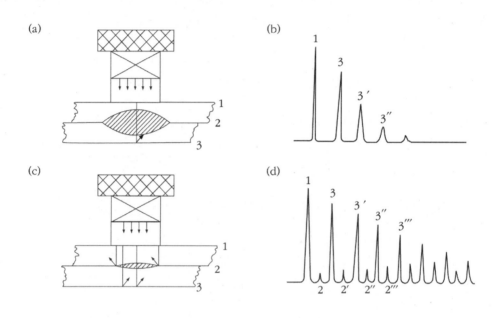

〔그림 7.85〕 점용접부의 초음파탐상법

가. 집속 수직탐상

앞에 설명한 대로 수직탐상검사를 적용하는 경우는 고주파, 광대역(고분해능)의 집속탐촉자가 유효하다. 기본적으로는 용융면에 초점을 설정하고 그 위치에 게이트 설정하고 반사파를 감시하여 일정 에코높이 레벨을 넘는 신호를 채취하는 방법이 유효하다. 수침법이나 국부수침법에서 탐촉자를 자동으로 평면주사하고 이것에 의해 영상화하는 것이 가능하다.

나. 사각 2탐촉자 탐상

그림 7.86과 같이 주사 대상부가 좁아지도록 사각탐촉자를 배치하고 용융된 경계면으로부터의 신호를 채취하는 방법으로 검사 탐상부의 표면에 파인부분이 있는 경우에 유효하다.

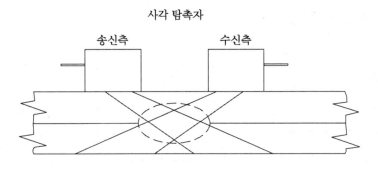

〔그림 7.86〕 사각 2탐촉자법

다. 램파 투과 탐상

그림 7.87과 같이 겹치기이음의 양쪽에 초음파탐촉자를 배치하는 방법으로 접합부에서 의 초음파의 투과파를 이용하여 검사하는 방법이다. 검사 탐상 표면의 파인부분의 영향을 거의 받지 않으나 너깃부 크기의 정량적 평가는 어려움이 있다.

〔그림 7.87〕 램파투과법

7.17 콘크리트의 탐상

7.17.1 개요

교량 등 여러 종류의 대형 구조물 대부분에 콘크리트가 사용되고 우리 생활환경을 둘러싸고 있는 재료 중에서 가장 중요한 것 중의 하나이다. 콘크리트 구조물은 금속재료와 비교하여 여러 성질이 크게 다르다. 시멘트 페이스트(*cement paste*), 골재(조골재와 세골재) 그리고 철근 등의 복합체이다. 따라서 비파괴검사의 적용에는 특별한 배려가 필요하다. 보통 콘크리트 소재의 강도 평가에는 파괴검사가 이용되고 육안검사나 비파괴검사로는 방사선, 초음파, 적외선, AE, 전자기, 레이더 등이 이용되고 있다.

7.17.2 초음파탐상 적용의 문제점

콘크리트는 시멘트 페이스트, 골재, 철근 등의 복합 구성 상태이고 그 특성은 각각의 재료 특성(물 시멘트 비, 세골재 비율 등의 재료 배합, 각종 열화에 의한 조직 변화, 결함 크기 및 분포, 철근 등의 부식)에 의존한다. 따라서 초음파탐상을 콘크리트에 적용할 경우 다음과 같은 점을 고려해야 한다.

① 고주파수 초음파는 감쇠가 심하므로 수십 ~ 수백 kHz 의 초음파를 사용할 필요가 있다.
② 복합재료이므로 음속, 감쇠 등의 초음파 특성의 편차가 크다.
③ 타설 방향에 의한 음향이방성이 나타나는 경우가 있다.

우선 ①의 저주파수를 사용하는 경우의 문제점은 파장이 길어지므로 작은 이상 부분의 검출이 곤란하다. 또 초음파의 지향성이 나빠지기 때문에 이상부의 위치 정확도가 나빠진다. ②의 문제로는 편차 때문에 일반화된 기법의 적용은 곤란하고 또 평가의 경우에도 편차를 고려하여 넣을 필요가 있고 정확도의 저하가 나타난다. ③의 경우도 동일하게 검사 정확도의 저하로 나타난다. 따라서 금속의 탐상과는 완전히 다른 개념으로 접근해야 한다.

초음파는 주로 아래와 같은 항목의 측정에 사용된다.

① 음속(전파시간)
② 판 두께

③ 공극까지의 깊이
④ 철근까지의 깊이
⑤ 미세한 균열
⑥ 강도의 추정

7.17.3 초음파를 이용한 콘크리트의 평가

가. 두께 측정

보통 펄스반사법과 같은 원리로 초음파를 시험체에 전파시켰을 때 반사파의 전파시간을 측정한다. 이 때 두께 T를 구하기 위해 다음의 식을 이용한다.

$$T = V_0 \times \frac{t}{2} \quad \cdots\cdots\cdots\cdots\cdots\cdots\cdots\cdots\cdots\cdots\cdots\cdots\cdots\cdots\cdots\cdots\cdots(7.7)$$

V_0 : 콘크리트 중의 음속
t : 초음파의 전파시간

여기서 두께측정 정확도에는 전파시간의 측정값만이 아니고 콘크리트 중의 음속에 영향을 받는다. 특히 콘크리트의 경우는 음속의 편차가 크고 그 성분 다시 말해 물/시멘트비나 조골제, 세골제의 비에 따라 크게 다르다. 또 표면 근방과 내부에도 음속차가 있는 경우도 드물지 않고 측정 정확도에 영향을 미친다.

나. 균열 깊이의 측정

콘크리트의 표면에 발생한 균열 깊이를 측정하는 방법으로 초음파가 이용된다. 일반적으로 2탐촉자법을 이용하여 송신 탐촉자로부터 발생한 초음파의 균열 끝부분에서의 회절파를 수신 탐촉자에서 수신하고 그 전파시간으로부터 균열 깊이를 측정한다. 일반적으로 사용하는 주파수는 낮기 때문에 지향성이 나쁘고 비교적 큰 신호가 수신된다.

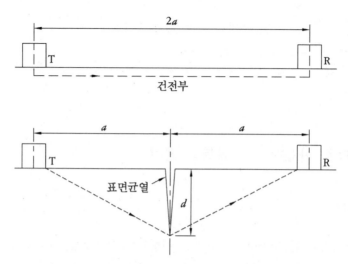

〔그림 7.88〕 T_C - T_O법에 의한 콘크리트 균열 깊이의 측정

그림 7.88와 같이 2탐촉자 간의 거리를 일정하게 하고 건전부와 균열부의 전파시간을 비교하는 방법, 그림 7.89와 같이 2탐촉자 간의 거리를 바꿔가며 전파시간이 불연속으로 변화하는 것을 조사하는 방법, 그림 7.90과 같이 균열 끝부분에서 회절파로부터 기하학적으로 균열 깊이를 구하는 방법 등이 있다.

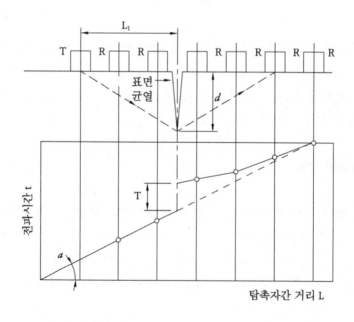

〔그림 7.89〕 T법에 의한 콘크리트 균열 깊이의 측정

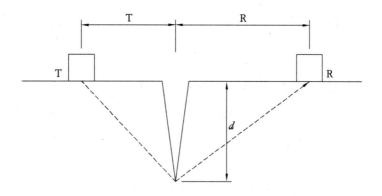

〔그림 7.90〕 델타 방식에 의한 콘크리트 균열 깊이의 측정

다. 강도 평가

　재료 중의 음속은 그 재료의 밀도와 탄성계수에 의해 정해지므로 음속을 측정함으로써
이들 재료의 평가가 가능해진다. 이 때 앞에 기술한 것과 같이 시멘트, 물, 골재 등의 성분
비율에 크게 영향을 받는다. 그리고 이들 비율을 초음파 감쇠의 상황으로부터 산출해 놓고
보정계수를 고려한 음속으로부터 재료의 강도를 추정하는 방법이 검토되고 있다.

7.18 열화 · 손상 평가

7.18.1 검사 대상이 되는 열화 · 손상

화력 및 원자력발전소, 정유소, 석유화학 등의 각종 플랜트는 고온 고압 등 상당히 가혹한 조건으로 사용되고 있다. 이 때문에 기기, 배관 등에 사용되는 재료는 사용 개시 후에는 충분한 성능을 만족하고 있어도 사용 중에 재료의 강도 저하나 불연속부의 발생 진전에 의해 요구되는 성능을 만족하지 못하고 파괴에 이르게 되는 경우가 있다.

열화와 손상이라는 용어는 엄밀한 정의는 아니나 일반적으로 아래와 같이 흔히 사용된다. 열화(*degradation*)는 재료 전체가 강도 저하, 취화를 일으키는 현상을 의미하고, 주로 파괴인성이나 충격 에너지의 저하에 의해 미세한 균열로부터 파괴에 이르게 되는 것도 있다. 이에 대해 재료에 국부적으로 균열이 발생 성장하는 현상을 손상(*damage*)이라 부른다. 이들을 총칭한 광의의 용어로 손상이라는 용어를 사용하는 경우도 있다.

구조물에서 열화와 손상의 발생 원인이 되는 환경으로는 주로 크리프로 대표되는 고온 환경, 피로 균열 등의 원인이 되는 반복 응력 및 응력부식균열이나 수소침식 등이 문제가 되는 부식 환경을 들 수 있다. 열화와 손상의 형태에 따라서 표 7.32와 같이 두께감육, 변형, 균열 및 재질 열화로 분류된다. 부식, 두께감육, 재료의 열화, 손상 및 스트레인 · 변형을 검출하고 평가하는 비파괴적인 기법은 표 7.33과 같이 정리하는 것이 가능하다. 이 중 초음파를 이용하는 방법이 많으나 이것은 초음파를 이용하여 얻어지는 정보가 많다는 것에 기인하고, 이들이 전파하는 재료와의 상호작용으로 재료의 형상적인 변화 뿐 만 아니고 조직적인 변화와도 관련을 갖기 때문이다. 예를 들면 수직법에 의한 부식 두께감육의 측정, 사각법에 의한 피로균열의 검출과 크기의 측정, 후방산란법을 이용하기도 하고 주파수 해석을 이용한 재료 평가등에 유효하게 이용된다.

표 7.32 재료 열화 · 손상의 분류

열화와 손상의 분류	열화와 손상의 형태
두께감육	부식에 의한 두께감육, 침식, 공식
변형	소성 변형, 크리프 변형
균열	크리프 보이드(캐비티), 피로균열, 응력부식균열, 수소유기균열, 재열균열(Stress-Relief Cracking)
재질 열화	조직 변화, 침탄, 수소침식, 수소 취화, 크리프 취화 등

표 7.33 열화와 손상 평가 기법

원리	부식, 두께감육 측정	재료 평가	응력 변형률 측정
방사선	방사선투과검사 형광 X선	형광X선분석 X선회절법	X선회절법 중성자회절법
초음파	펄스반사법 (초음파두께계, 수직탐상) 공진법 주파수분석법(간섭패턴)	초음파현미경 감쇠법 음속측정 주파수분석 후방산란법 공진법 임계각법 AE	음탄성 음속측정 자기 AE
전기 및 자기	투과율 변화법 도전율 변화법	투과율 변화법 보자력측정법 바크하우젠 효과 자기변형률 효과 누설자속측정법 전기저항법 도전율변화법	자기변형률 효과 바크하우젠 효과 전기저항변형율계
광 및 레이저	내시경	레이저-초음파	광탄성 모아레법 스펙클법 홀로그라피
그 외		전기화학적재활성화법 레프리카법(*raplica*) 양전자소멸법 마이크로파법	응력도료

7.18.2 초음파탐상검사의 역할

금속재료의 열화와 손상은 탄화물 등 개재물의 석출, 미세 보이드 및 그것이 연결되어 발생하는 미세균열(*fissure*)이 원인이 되나 이러한 불연속부의 경우에는 명료한 신호가 얻어지는 경우가 거의 없기 때문에 보통 초음파탐상 기술과는 다른 정보의 이용이 필요하다.

초음파는 검사의 대상이 되는 재료의 내부 조직과 고유의 상호작용을 일으키고 재료 중을 전파하는 초음파 펄스는 재료의 열화·손상의 영향을 받아 미묘하게 변화한다. 이 때 얻어진 정보는 진폭의 변화 다시 말해 재료 중의 감쇠나 전파시간 즉 음속과 주파수 해석으로 얻어진 정보 등이 있다.

고체 중을 전파하는 파동 모드로는 종파, 횡파(SV파 및 SH파), 표면파, 크리핑파, 표면 SH파 등이 있고 이들 음속은 전파하는 매질의 밀도, 탄성계수 및 푸아송비에 영향을 받는다. 단 이들 파 모두는 반사 굴절의 경우 모드 변환하고 그 전파 형태는 복잡한 양상을 띤다. 이 때문에 하나의 파동 모드만으로 평가하는 것은 곤란한 경우가 많다. 이들 중 특히 표면파는 재료의 미세한 조직 변화에 민감하게 작용하기 때문에 열화ㆍ손상의 평가에 유효하다.

7.18.3 초음파에 의한 재료의 열화와 손상 평가

전파하는 초음파는 연속파나 버스트파와 같은 지속 시간이 긴 것과 펄스파라 불리는 지속 시간이 짧은 것으로 분류된다. 이들은 그림 7.91과 같이 주파수 영역에 특징을 갖는다. 그림과 같이 연속파와 버스트파는 단일 주파수를 갖는 것에 비해 단펄스파의 경우는 어느 범위의 주파수 대역을 가지며, 펄스폭이 짧을수록 주파수 대역은 광대역이 된다. 재료평가에서는 특히 이 주파수의 영향을 항상 고려할 필요가 있다.

가. 초음파 감쇠 변화를 이용하는 방법

초음파는 전파하면서 빔의 확산에 기인한 확산 감쇠, 결정립에 의한 산란 감쇠, 재료의 점탄성에 의한 점성 감쇠, 전위의 운동에 의한 감쇠 등의 영향을 받는다. 따라서 시험체의 초음파적 특성이 변화하면 감쇠의 정도가 달라진다. 예를 들면 고온에서 크리프가 생기는 경우는 제 1기 크리프에서 감쇠량이 최대가 되고, 제 2기 크리프는 감쇠 다음으로 작아지고, 제 3기 크리프에서 급증하는 경향이 있다고 알려져 있다.

초음파의 감쇠는 그 주파수와 밀접한 관계가 있고, 주파수가 높을수록 산란 감쇠 등이 현저해진다. 이 때문에 적절한 검사주파수의 선정이 중요한 포인트가 된다. 또 보통 펄스반사법을 사용하기 때문에 초음파펄스의 주파수 대역에 의해서도 감쇠의 정도가 다르다. 예를 들면 그림 7.92에서와 같이 협대역 펄스의 경우는 주파수가 높으면 감쇠가 현저히 커지는 경우가 있으나 광대역 펄스의 경우는 주파수가 높은 성분이 현저하게 감쇠하여도 주파수가 낮은 성분이 시험체 내를 전파하여 감쇠는 그다지 커지지 않는다. 따라서 감쇠 값을 이용하여 평가를 하는 경우에는 버스트파를 이용하여 그 특정의 주파수에 대해 감쇠값을 이용하는 것이 중요하다.

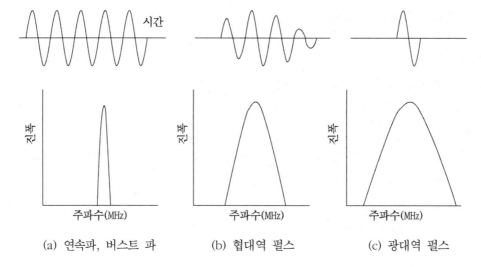

(a) 연속파, 버스트 파   (b) 협대역 펄스   (c) 광대역 펄스

〔그림 7.91〕 지속 시간에 의한 초음파의 분류

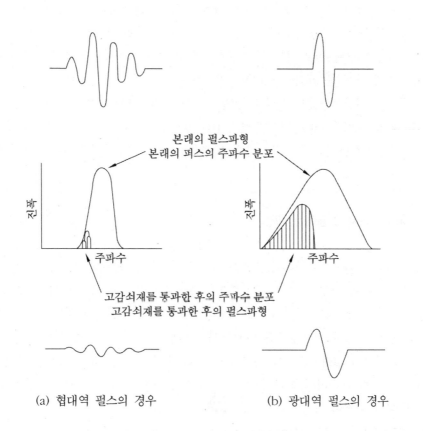

(a) 협대역 펄스의 경우   (b) 광대역 펄스의 경우

〔그림 7.92〕 주파수 대역이 감쇠에 미치는 영향

나. 음속 변화에 의한 방법

음속은 전파하는 재질의 밀도와 탄성계수에 의해 정해지므로 재료의 열화·손상에 의해 이들의 값이 변하면 음속도 변하게 된다. 예를 들면 크리프 손상에서 미소한 보이드가 증가하여 밀도가 감소하는 것에 의해 음속이 저하하는 것을 이용하여 음속 측정에 의한 평가가 가능하게 된다.

또 수소침식의 검출 방법으로 종파나 횡파를 이용한 수직탐상으로부터 각각의 음속을 측정하는 방법이 있다. 이것은 수소침식 영역에서의 음속 변화가 종파 및 횡파에서 다르다는 성질을 이용하여 수소침식의 정도를 평가하는 방법이다. 음속을 정확히 측정하기 위해서는 버스트파를 이용한 펄스에코오버랩법 등이 이용되고 있다.

다. 노이즈를 분석하는 방법

재료가 큰 손상에 이를 때까지의 초기 단계에서는 미세한 보이드의 발생 및 그것이 연결되어 균열로 성장하는 것이 흔하다. 초음파를 이용하여 이들 미세한 불연속부를 검출한다고 하는 경우 이들 반사원으로부터는 명료한 에코를 기대할 수 없다. 따라서 후방산란 다시 말해 노이즈 중에 묻혀있는 이들 정보를 이용하여 평가할 필요가 있다.

예를 들면 수직탐상하였을 때의 저면에코로 보다 앞에 나타나는 노이즈의 진폭, 에너지, 주파수 등이 그 정보가 된다. 미세한 반사원을 대상으로 하는 경우 가능한 한 주파수를 높이는 것이 바람직하나 그 재료의 주파수 특성을 고려한 고주파의 탐촉자를 선정할 필요가 있다.

라. 주파수분석을 이용하는 방법

앞에 기술한 것과 같이 보통의 펄스파는 특유의 주파수 대역을 가지고 있다. 이 특성은 사용하는 탐촉자, 탐상기의 펄서나 증폭회로의 영향을 받는 동시에 시험체의 재질, 반사원의 형상, 크기, 반사하는 경우 위상의 변화 등의 영향을 받아 변화한다. 따라서 시험체를 전파한 초음파 펄스나 결함 등으로부터 반사하여 온 에코의 주파수 대역의 변화 상황으로부터 결함 크기나 재료의 열화·손상의 정도를 아는 것이 가능하게 된다. 그러나 현재로는 실험 실적으로는 유효한 데이터가 얻어지지만 현장적으로는 충분한 활용 범위가 아직 제한적이므로 향후 데이터 축적이 요망되고 있다.

또 그림 7.93에서와 같이 후방산란파(노이즈)를 주파수 해석하는 방법도 유효하다. 이것은 건전한 재료에서는 결정입계에서 고주파수 성분만이 후방산란파가 되는 것에 비해, 미소한 보이드가 존재하기도 하고 그것이 연결되면 저주파 성분의 반사가 일어나고 이것이 후방산란파에 포함되어 스펙트럼이 저주파수 쪽으로 이동하는 것으로 생각한다. 단 이 경우 그림과 같이 노이즈의 파워 스펙트럼은 매우 복잡하고 피크 주파수나 중심주파수는 측정 개소나 게이트 설정 등의 방법에 따라 편차가 커 현재로는 중심주파수를 이용하는 방법이 유효한 것으로 보고되고 있다.

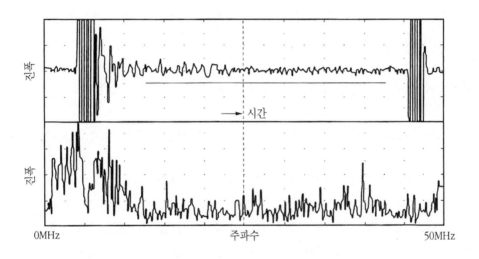

〔그림 7.93〕 후방산란법의 주파수 해석

『익힘문제』

1. 강판에 주로 발생하는 결함의 종류와 발생 원인에 대해 설명하시오.

2. 적산효과란 무엇이며, 어떠한 경우에 잘 발생하는가?

3. 강판의 초음파탐상검사에 2진동자수직탐촉자(분할형수직탐촉자)가 사용되는 이유를 기술하고 사용 시의 주의할 점을 기술하시오.

4. 단강품에 주로 발생하는 결함의 종류와 발생 원인에 대해 설명하시오.

5. 강용접부에 주로 발생하는 균열(*crack*)의 종류와 발생 원인에 대해 설명하시오

6. 실측 판 두께가 25.0 ㎜ 의 알루미늄 합금의 맞대기 용접부를 5Z10×10A70(STB 굴절각: 71.0°)을 사용하여 탐상했더니 아래의 탐촉자 위치에서 그림과 같은 탐상지시를 얻었다. 측정 범위의 조정 및 굴절각의 측정은 STB-A1을 사용하였으며 보정하지는 않았다. 이 반사원 위치를 구하라. 단, 알루미늄 합금의 종파 음속은 6,380 m/s, 횡파 음속은 3,150 m/s 로 한다.

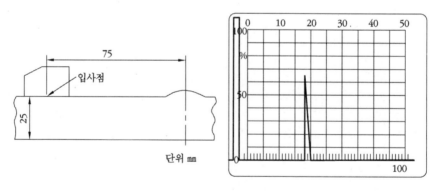

〈 결함 · 용접부 〉

7. 구조용 파인세라믹 재료의 초음파탐상에는 어떠한 방법을 이용하면 좋은가?

8. 반도체 패키지와 같은 전자부품의 신뢰성 평가에는 어떠한 초음파탐상 기법이 유용한가?

9. 점(*spot*)용접의 접합강도를 측정하여 품질평가에 활용하기 위한 너깃(*nugget*) 지름을 측정할 수 있는 비파괴검사법은 무엇이 있는가?

10. 콘크리트를 초음파탐상할 때의 문제점과 적용한계에 대해 기술하시오.

11. 재료의 열화(*degradation*)와 손상(*damage*)이란 무엇인가?

12. 초음파에 의한 재료의 열화·손상 평가에는 어떠한 방법이 있는가?

13. 초음파 외에 재료의 열화·손상을 평가할 수 있는 비파괴평가 기법에는 어떠한 방법이 있는가?

제 8 장 새로운 초음파탐상 기술

8.1 고속 A/D변환 디지털화 기술

최근 초음파탐상기의 수신부에 고주파 증폭기 다음에 A/D변환기를 설치하고 초음파탐 촉자에 수신되는 에코 신호를 직접 디지털 신호로 변환 할 수 있는 가변형의 초음파탐상기 가 시판되고 있다.

에코 신호의 아날로그 시간 파형을 디지털신호로 변환하는 데는 시간축 상에서 어느 일 정한 시간 간격 t_0(**Sample rate** = $1/t_0$)로 아날로그 시간파형 $r(t)$(t는 시간)를 샘플링하여 샘플링 값의 시계열 신호($r_1, r_2, r_3 \cdots$)로 변환할 필요가 있다. 이때 시간 간격 t_0가 너무 크 면 본래 아날로그 파형을 충실히 표현한 시계열 신호가 얻어지지 않고(**Aliasing** 현상 발생) 역으로 시간 간격 t_0를 너무 짧게 하면 데이터 수가 불필요하게 많아진다. 이 문제에 관해 해답을 주는 것이 Nyquist Sampling Theorem이다.

이 정리에 의하면 본래 아날로그 시간파형의 주파수스펙트럼(**spectrum**)이 F_{max}[Hz] 이상 의 고주파수 성분을 가지고 있지 않으면 샘플링 주파수를 F_{max}[Hz]의 2배로 하고, 다시 말해 시간 간격 $t_0 = 1/(2F_{max})$[s]로 샘플링하면 샘플링 값의 시계열 신호로부터 본래 아날로그 시간 파형을 결정할 수 있다. 따라서 에코 신호의 주파수 스펙트럼을 측정하였을 때, 예를 들어 25 MHz 이상의 고주파 성분이 없으면 그것의 2배 주파수인 50 MHz를 샘플링 주파수 (시간 간격 20 ns에 싱딩)로 하면 좋다는 것이 된다. 그러나 실제로는 어떤 주파수 이상의 스펙트럼 성분이 완전히 영이 되는 것은 거의 없기 때문에 보통 Nyquist Sampling Theorem 에서 정해지는 샘플링 주파수보다도 좀 더 여유있게 높은 주파수를 선택하는 것이 보통 이다.

고주파 성분을 포함하는 에코 신호를 직접 디지털신호로 변환 처리가 가능하게 된 것은 최근 각 디지털 신호처리 기술의 현저한 발전에 기인하고 향후 이 분야는 더욱 급속한 발전 이 기대된다.

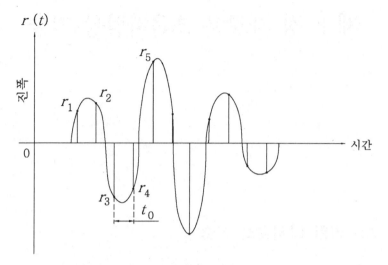

〔그림 8.1〕 샘플링 주파수 검출

8.2 초음파 스펙트로스코피

초음파 스펙트로스코피(*spectroscopy*)는 넓은 초음파의 주파수 의존성을 나타내는 물성의 주파수해석 기법이다. 초음파탐상 기술 중에서 그 주파수 의존성을 이용하는 경우가 매우 많다. 재료 중의 결함의 크기와 경사, 재료의 미세조직 더 나아가서 초음파의 송신 및 수신에 관계하는 탐촉자의 주파수의존성, 사용하는 전기기기의 주파수 특성 등을 다루는 경우도 있다.

여기서는 초음파탐상검사에 관련한 재료의 진단 기법으로 초음파 스펙트로스코피의 몇 가지 예를 나타내고 있다.

8.2.1 재료의 진단에서 초음파의 주파수 의존성

가. 주파수 해석

파에는 연속파와 펄스파가 있고 연속파는 주기를 t, 주파수를 f라 하면 식 8.1의 관계를 갖는다.

$$f = \frac{1}{t} \quad \cdots\cdots\cdots\cdots\cdots\cdots\cdots\cdots\cdots\cdots\cdots\cdots\cdots\cdots(8.1)$$

한편 어떤 재료(매질)를 생각하면, 그 재료 중의 초음파의 음속을 c라 하면 그 초음파의 파장 λ는 다음의 식으로 나타내진다.

$$\lambda = \frac{c}{f} \quad \cdots\cdots\cdots\cdots\cdots\cdots\cdots\cdots\cdots\cdots\cdots\cdots\cdots(8.2)$$

음속 c는 재료(매질)에 의해 정해지고 다음 식으로 주어진다.

$$c = \sqrt{\frac{E(탄성률)}{\rho(밀도)}} \quad \cdots\cdots\cdots\cdots\cdots\cdots\cdots\cdots\cdots\cdots(8.3)$$

초음파탐상검사에서는 펄스파가 많다. 펄스에서는 여러 주파수가 관계하기 때문에 주파수를 식 8.1만으로는 설명하기 어렵다.

초음파 펄스 파형은 일반적으로 시간 파형이다. 이 파형은 어떠한 주파수의 파형으로 되어 있는 푸리에변환(*Fourier transform*)과 역푸리에변환(*inverse Fourier transform*)을 이용한다.

지금 $g(t)$을 시간파형이라 하면 식 8.4로 나타내지고 이 식은 식 8.5의 주파수 파형 $G(\omega)$으로 구성되고 이들은 다음의 푸리에변환으로 나타내진다.

$$g(t) = \frac{1}{2\pi} \int_{-\infty}^{\infty} G(\omega)e^{j\omega t}d\omega \qquad (8.4)$$

$$G(\omega) = \int_{-\infty}^{\infty} g(t)e^{-j\omega t}dt \qquad (8.5)$$

여기서 $\omega = 2\pi f$, f는 주파수, t는 시간, j는 허수 단위이다.

일반적으로 주파수 스펙트럼 $G(\omega)$의 절대값으로 주어진다. 한편 별도의 방법으로 함수 $G(\omega)$가 주어지는 경우는 그 시간 파형 $g(t)$를 구하는 것이 가능하다.

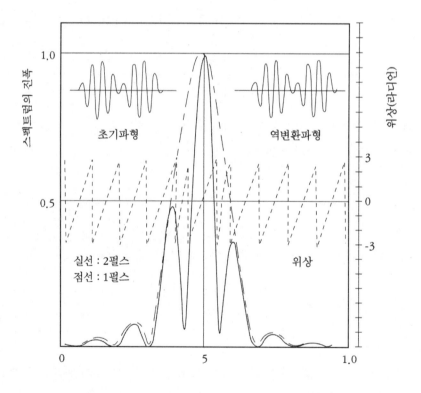

〔그림 8.2〕 2개 펄스 파형의 주파수 스펙트럼 해석 예

그림 8.2는 2개의 시간 파형이 서로 인접해서 존재하는 경우 푸리에변환에 의한 진폭 스펙트럼과 위상 스펙트럼이 있다. 그림에서 역푸리에변환에 의한 시간파형도 나타내고 있고 주파수 영역과 시간 영역과의 상호 변환이 가능함을 보여주고 있다.

주파수 스펙트럼에 Δf가 보이는 것은 2개 파의 시간차 Δt을 의미하고 식 8.1의 관계로부터 Δf는 다음의 식으로 나타낼 수 있다.

$$\Delta f = \frac{1}{\Delta t}$$ ···(8.6)

8.2.2. 재료의 결정립도의 초음파 스펙트로스코피

금속의 대부분은 다결정 집합체이고 초음파가 이들 재료에 입사하고 전파하면 감쇠하여 그 크기도 감소한다. 일반적으로 다결정 재료의 초음파 감쇠 계수 α는 결정립의 크기를 D라 하면 다음 식으로 주어진다.

$$\alpha = k\left(\frac{\pi D f}{C}\right)^n$$ ···(8.7)

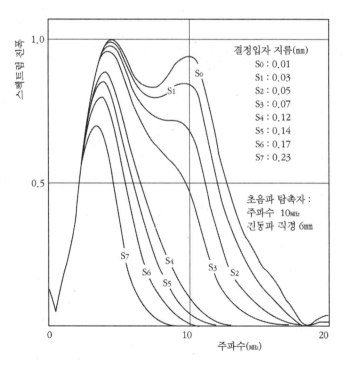

〔그림 8.3〕 결정립도가 다른 스테인레스강(SUS 304)의 저면에코의 스펙트럼

여기서 k와 n은 정수이고 이론적으로 주어지나 실제 실험에 의해 결정하는 것이 가능하다.

그림 8.3는 결정립이 다른 경우의 초음파의 스펙트럼 특성으로 실험으로부터 정수 k와 n을 결정하고 계산에 의해 보정을 한 것이다. 결정립이 크게 될수록 주파수 스펙트럼의 피크값은 낮아지고 주파수도 저주파수 쪽으로 이동함을 알 수 있다. 이 경우 탐촉자와 탐상기의 주파수 특성이 포함되어 있다. 이를 제외하기 위해서는 주파수 응답 해석의 기법의 적용이 필요하다. 그림 8.4는 주파수 응답 해석의 기법을 적용한 결과이다. 초음파 감쇠는 결정립의 크기에 대해 주파수 응답이 어떻게 되는가를 명료하게 보여주고 있다. 이 그림으로부터 임의의 주파수에서 감쇠계수를 직접 알 수 있다.

초음파 스펙트로그래피는 이 외에도 재료의 미세조직 변화로 피로손상이나 크리프손상또는 수소침식 등의 각종 손상 및 복합재료 강화재의 분포 상태 등에 응용되고 있다.

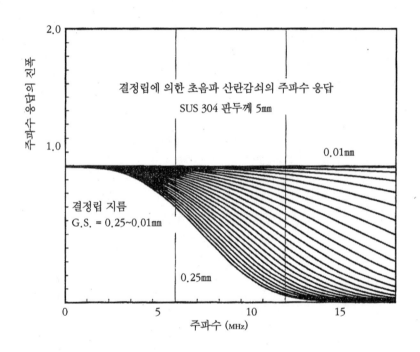

〔그림 8.4〕 결정립에 의한 초음파 산란 감쇠를 주파수 응답으로
나타낸 초음파 스펙트로그래피

8.3 펄스 압축 기술

초음파탐상기의 송신부에서 발생한 펄스가 좁은 송신 펄스(**Spike** 또는 **Square**)에 의해 초음파 탐촉자를 가진하는 종래의 초음파탐상검사의 경우와 비교하여 펄스 압축 기술을 사용한 초음파탐상검사에서는 종래와 동등한 거리분해능을 가지면서 신호대잡음비(S/N비)를 대폭적으로 향상시킬 수 있다. 다시 말해 탐상 감도를 대폭적으로 향상시킬 수 있는 이점이 있다.

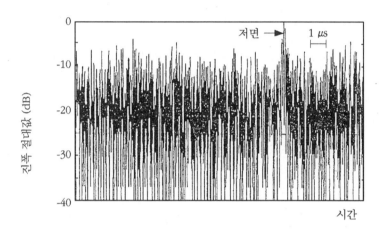

(a) 종래 기술

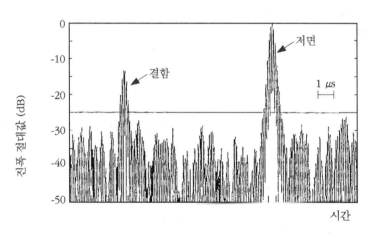

(b) 펄스 압축 기술

〔그림 8.5〕 탐상감도의 비교 실험 예

펄스 압축 기술을 이용한 탐상검사에서는 펄스 내에 특수한 변조를 한 폭이 넓은 송신 펄스에 의해 초음파 탐촉자를 가진한다. 종래에 비해 폭이 넓은 송신펄스를 사용하기 때문에 송신 전력이 크게 된다. 이것에 의해 S/N비 향상이 가능해진다. 한편 초음파 탐촉자에 수신되는 에코 신호는 송신 펄스와 동일하게 폭이 넓으나 상관처리라 불리는 신호처리에 의해 폭이 좁은 펄스로 변환된다. 이 폭이 좁은 펄스가 최종 결과로 표시된다. 이것에 의해 종래의 폭이 좁은 송신펄스로 초음파 탐촉자를 가진한 경우와 동등한 거리분해능이 얻어진다. 송신펄스의 변조 방식은 주파수 변조방식과 부호변조방식으로 대별되고 후자는 다시 진폭변조방식과 위상변조방식으로 나누어진다.

그림 8.5은 전기 잡음이 큰 경우의 탐상감도 향상의 예이다. 송신펄스 폭이 좁은 종래의 경우(그림 8.5(a))에 비해 펄스 압축 기술을 이용한 경우(그림 8.5(b))에는 대폭적으로 감도가 향상한 것을 알 수 있다. 펄스 압축 기술을 이용한 초음파탐상검사는 외래 잡음이나 초음파탐상기 내부에서 발생하는 전기 잡음을 크게 억제할 수 있고 높은 탐상감도와 거리분해능(시간축분해능)을 동시에 확보할 수 있는 검사방법이다.

8.4 시뮬레이션과 가시화 기술

8.4.1 컴퓨터 시뮬레이션

초음파탐상은 고체 중에 전파하는 초음파 결국 탄성파를 이용하고 있다.

실제 시험체에서 탄성파의 거동은 항상 명확하지 않기 때문에 초음파탐상 현장에서는 문제가 생기는 경우가 적지 않다. 탄성파의 거동을 관찰하기 위한 실험으로는 예를 들어 다음 절에 나오는 광학적인 기법을 이용한 가시화(*visualization*) 기술이 개발되어 있으나 대상은 유리와 같은 광학적으로 투명한 고체 매질에 한한다. 한편 탄성파의 이론적인 해석은 단순한 형상의 매질을 제외하고는 보통 쉽지 않다.

그러나 시뮬레이션 방법의 타당성을 검토하기 위해 또 측정 장치나 탐촉자 등의 검정을 위해 실험적인 초음파 전파 관찰법이 유용하다. 실험적인 초음파 전파 관찰법으로는 위상차를 이용하는 것과 편광을 이용하는 것이 있고 각각의 대표적인 기법으로 슈리렌법(*Schlieren's method*)과 광탄성법(*photoelasticity*)이 이용되고 있다. 이 두 기법 모두 연속파인 정상파의 관찰 또는 광원으로 스트로보광을 이용하는 것으로 진행파의 관찰 등에 이용되고 있다.

이와 같은 실험과 이론 분석으로 충분히 파악할 수 없는 현상을 명확히 하기 위한 수단으로 수학적 모델을 구축하고 컴퓨터로 수치계산을 하는 컴퓨터 시뮬레이션(*computer simulation*)이 있다. 종래에는 컴퓨터의 메모리나 속도의 제한으로 초음파탐상 시뮬레이션에서 임의 형상의 매질이나 반사원에 대해 충분히 정밀한 해를 얻는 것이 곤란했다. 그러나 최근의 컴퓨터 기술의 진보로 상당히 실제 가까운 시뮬레이션도 가능하게 되었다. 시뮬레이션의 결과로 얻어지는 탄성파의 변위 벡터 선도에 대해 종파 성분과 횡파 성분을 색으로 구분하고 여기에 시간을 추종하는 동영상으로 TV화면상에 재생할 수 있도록 한 컴퓨터 애니메이션도 작성이 가능하여 직접 보는 것이 불가능한 고체 매질 내부의 탄성파의 거동을 보다 구체적으로 파악하는 것이 가능해졌다. 컴퓨터 시뮬레이션은 지금도 그렇고 초음파탐상의 분야에서도 새로운 탐상법의 검토나 에코의 해석 더 나아가서 검사원의 교육을 위한 유력한 수단이 될 것으로 기대한다.

8.4.2 차분법

탄성파의 거동은 파동방정식(*wave equation*)이라 불리는 편미분방정식에 의해 기술된다. 컴퓨터 시뮬레이션에서는 이 지배방정식에 주어지는 경계조건을 만족하는 수치해를 구한다. 이 수법에는 다양한 방법이 있으나 차분법(*Different Element Method; DEM*), 유한요소법(*Finite Element Method; FEM*) 그리고 경계요소법(*Boundary Element Method; BEM*) 등이 있다. 이 세 가지 방법 중 차분법이 가장 오래 사용되었고 특히 지진학의 분야에 지진 파동의 해석에 널리 이용되어 왔다. 지진파도 지구를 전파하는 탄성파로 그 해석의 수법은 큰 스케일이나 주파수 영역은 달라도 초음파탐상에 적용 가능하다.

차분법은 지배방정식을 미분 형식대로 차분 근사하여 차분방정식으로 이것을 대수방정식으로 하여 수치적으로 푸는 방법이다. 예를 들면 1차원적인 종파의 파동방정식에 대해서는 다음과 같다.

$$\frac{\partial^2 u(x,t)}{\partial x^2} = \frac{1}{c^2} \cdot \frac{\partial^2 u(x,t)}{\partial t^2} \quad \cdots\cdots\cdots\cdots\cdots\cdots\cdots\cdots(8.8)$$

여기서 $u(x,t)$는 위치는 x이고 시각 t일 때 종파의 변위, c는 전파속도이다. 이 식의 편미분 항을 테일러급수로 근사화하여 다음의 차분방정식을 얻는다.

$$\frac{u(x+\Delta x,\, t) - 2u(x,t) + u(x-\Delta x,\, t)}{\Delta x^2}$$

$$= \frac{1}{c^2} \cdot \frac{u(x,\, t+\Delta t) - 2u(x,\, t) + u(x,\, t-\Delta t)}{\Delta t^2} \quad \cdots\cdots\cdots\cdots\cdots(8.9)$$

여기서 현재 및 그 이전의 시간 단계 t 및 $t-\Delta t$에서 변위 u가 주어지면 이것을 위 식에 대입하여 다음의 시간 단계 $t+\Delta t$에서의 변위 $u(x,\, t+\Delta t)$가 구해진다. 이것을 반복하는 것에 의해 변위 u의 변화를 Δt 마다 시간 을 추종하여 정할 수 있다. 이상은 가장 간단한 1차원의 예로 실제의 시뮬레이션에서는 매질 및 반사원 등의 형상에 따라 2차원 또는 3차원 모델로 확장하는 것과 함께 경계조건 등을 대입한 차분방정식을 구성하여 그 수치해를 계산한다.

8.4.3 크리핑파의 시뮬레이션

고체의 표면을 따라 전파하는 종파, 결국 크리핑파(*creeping wave*)는 재료 표면 및 그 근방의 결함 검출에 이용되는 것이라 생각되고 그 특성에 대해서는 아직 명확하지 않는 점이 많다. 2차원 모델에 의한 차분법 시뮬레이션으로 크리핑파의 전파와 반사 형태를 관찰해보면, 그 예로서 진동자의 높이가 약 6.5 ㎜ 의 종파사각탐촉자를 이용하여 5 MHz, 4개 사이클의 톤버스트(*tone burst*)파를 강재 매질의 윗면을 가진했을 때 시간에 따라 매질 내의 탄성파의 변화를 변위 벡터로 나타낸다. 매질의 윗면을 따라 오른쪽으로 이동하는 크리핑파의 전파와 함께 매질 표면에서 종파-횡파의 모드 변환으로 횡파가 생기고 그 직선형의 파면이 시간의 경과와 함께 오른쪽 아래 방향으로 이동해 가게 된다.

8.5 역 문제 해석

음향계의 어떤 매질 중에 음원이 만드는 그 전방의 음장을 구하는 문제를 순문제라 부르고, 음원으로부터 거리가 떨어져 있는 점의 음원을 구하는 문제가 일반적이다. 역으로 음장을 알고 (이론적 또는 계측에 의해) 음원이 미지인 경우 음장의 정보를 이용하여 음원의 크기·형상을 구하는 문제를 역문제(*inverse problem*)라 부른다. 또 ISP(*inverse source problem*)라 부르는 경우도 있다. 초음파탐상에서는 음원 대신에 반사원(반사음원)이라 생각하는 것이 가능하다.

8.5.1 파동방정식

일반적으로 x-y-z 좌표로 유체의 임의 점에서 음압 $P(r, t)$와 음원의 음압 $Q(r, t)$에 관한 파동방정식은 다음의 편미분방정식으로 주어진다.

$$\left[\nabla^2 - \frac{1}{c}\frac{\partial^2}{\partial t^2} \right] P(r, t) = Q(r, t) \quad \cdots\cdots\cdots\cdots\cdots\cdots\cdots (8.10)$$

여기서

$$\nabla^2 = \frac{\partial^2}{\partial x^2} + \frac{\partial^2}{\partial y^2} + \frac{\partial^2}{\partial z^2}$$

t는 시간, r은 거리, c는 액체 매질 중의 음속이다.

음파의 전파 거동은 파동방정식을 따르지 않으면 안 된다. 파동방정식의 차분법에 의한 수치시뮬레이션은 매질 중의 음속의 전파거동은 순문제에 충실한 예이다.

8.5.2 역 문제 해석의 예

역 문제는 식 8.10을 풀어 음원 $Q(r, t)$를 구하는 것이다. 지금 그림 8.6에서와 같이 액체 매질 중을 전파해 온 음압 $P(r, t)$인 음원이 불균질한 고체매질의 표면에 경사 입사·반사하고 음압 $P(r, t)$가 된 경우를 생각한다. 이 경우의 제 2음원으로 반사 음원 $Q(r, t)$는 다음 식으로 주어진다.

$$Q(r,\ t) = \rho \frac{\partial}{\partial t} U(x,\ y,\ t)\delta(z) \quad \cdots\cdots\cdots\cdots\cdots\cdots\cdots\cdots\cdots\cdots\cdots(8.11)$$

여기서 ρ는 액체 매질의 밀도, $\delta(z)$는 델타 함수이고, $U(x,\ y,\ z)$는 경계면(x-y면) 상 임의의 점에서 z방향의 변위이다.

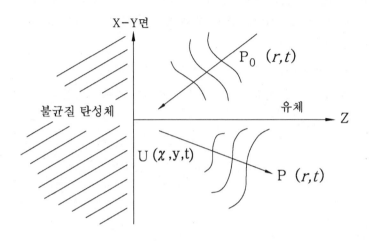

〔그림 8.6〕 불균질탄성체와 유체의 경계에 발생하는 제 2 음원

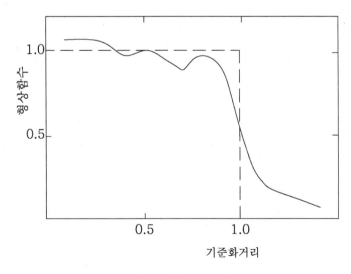

〔그림 8.7〕 금속 중 구형 보이드의 후방산란 데이터에 의한 역문제 해석 결과

이 문제에는 반사에 의해 경계면에 발생한 위상 변화, 변위의 변화가 음원으로 취급되는 예이다. 경계면 대신에 결함을 생각하는 것이 가능하다. 고체 탄성체 중의 파동에는 종파, 횡파, 표면파가 있고 파동방정식은 복잡하지만 역문제의 기본적인 개념은 동일하다. 그림 8.7은 금속 중의 구형 보이드(*void*)로부터의 초음파 산란의 계측에 의해 역문제 해석, 다시 말해 반사 음원의 형과 크기를 추정한 장파장 초음파 산란의 예이다. 그림 중의 점선은 이론적으로 구한 보이드의 형상 함수이고 1을 나타내는데 비해 계측에 의한 역문제 해석(실선)에는 반경에 의한 기준화 거리에 대한 형상 함수는 거의 1을 나타내어 역문제 해석의 유용성을 알 수 있다.

음향계에서 역문제는 이론 계산이 주류이고 음장 계측으로부터 음원 또는 반사원을 알아내는 기술이므로 반사원을 추정하는 초음파탐상 기술과 목적이 동일한 기술이라 할 수 있는 것이다.

8.6 패턴 인식법

비파괴검사의 목적은 기기, 구조물을 구성하는 부재의 결함이나 부재의 재료 특성의 변화를 검출하고 그 건전성을 평가하여 안전한 운용을 꾀하는데 있다. 그러기 위해서는 결함 검출이나 크기 평가와 함께 결함의 종류, 성질과 상태를 식별하는 일이 중요한 과제이다.

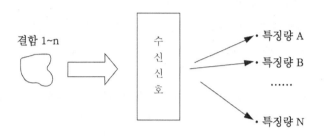

(a) 특징량의 추출

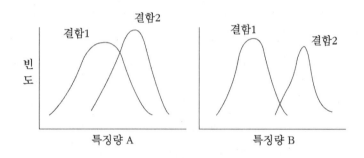

(b) 결함종류와 특징량의 상관분석

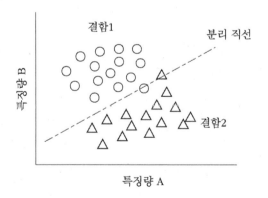

(c) 특징량의 다차원 공간에서의 해석

〔그림 8.8〕 패턴인식법의 개념

예를 들면 강재 용접부의 초음파탐상검사에서 검출된 결함지시가 기공이나 슬래그 혼입인지 또는 융합불량이나 균열과 같은 면상 결함인지 등을 식별하는 것은 그 결함의 진전성과 유해도를 평가하는데 매우 중요하게 된다. 이 평가는 종래에는 숙련된 검사원의 정성적 판단에 의존해 왔으나 결함으로부터의 신호가 보유하고 있는 복수의 강한 특징량(*strong features*)을 분석·평가하는 것으로부터 이 판단을 정량적인 동시에 인간의 판단을 지원하고 또는 대체·자동화한다고 하는 패턴인식(*pattern recognition*)법의 기술 개발이 초음파탐상검사 만이 아니고 방사선이나 적외선에 의한 영상인식에 의한 검사, 파면 해석을 위한 재료 기술 등 여러 종류의 분야에서 활용되고 있다. 여기서는 패턴인식법의 원리 또는 일반적인 기법의 개념에 대해 기술하며 그 응용 예를 소개한다.

패턴인식법의 개요는 그림 8.8과 같이 결함이 종류별로 구분되어 있는 결함 1과 결함 2로부터 수신 신호에 대해 특징량 A 및 B를 분석하고 결함 1과 결함 2의 발생 빈도가 그림 8.9와 같이 얻어졌다고 한다. 이 경우 특징량 A에서는 결함 1과 결함 2는 다수의 데이터가 중첩되어 있어 식별이 어렵다고 말할 수 있으나 특징량 B는 결함 1과 결함 2는 상당히 잘 구분되어 있다. 따라서 특징량 A 및 B를 각각 축으로 하는 2차원 평면에 플롯하면 결함 1과 2는 그림 8.8과 같이 2개의 영역에 구분하여 존재하는 것이 된다.

이 예와 같이 구별이 어려운 결함으로부터의 수신 신호를 복수개의 특징량을 이용하여 다차원 공간상에서 해석함으로써 결함의 성질과 상태 등을 식별하는 수법이 패턴인식법이다. 그림 8.8의 결함 1과 결함 2의 영역을 구분하는 선분은 분리 직선 또는 식별 직선이라 불린다.

이상과 같이 패턴인식법을 이용하는 경우는 결함의 성질과 상태가 다름으로 인한 복수개의 특징량의 차를 미리 알고 있는 기지의 결함에 대해 조사·분류하고 그림 8.9와 같이 결함의 성질과 상태마다 특징량의 공간에 상호 중첩되지 않는 집단(데이터베이스)를 형성해 놓을 필요가 있다. 형성된 집단이 그림 8.9와 같이 3개인 경우에 성질과 상태가 미지의 결함 데이터가 그림 중의 X점에 존재하는 사례로 이 점이 어느 집단으로 분류되는가를 결정하는 수법으로는 최근 접근법이 잘 이용된다. 다시 말해 X점과 기지의 그룹 1, 2, 3의 대표점과의 거리를 구하고 이 값이 가장 작은 집단에 미지의 데이터가 귀속하는 것으로 식별면(선)은 각각의 집단으로부터 등거리에 위치한다.

패턴인식법의 응용으로는 초음파탐상, 음향방출검사, 소음해석, 와류탐상 등에서와 같이 신호파형을 이용하는 것과 방사선투과검사, 적외선영상, 광학검사 등과 같이 영상 정보 등에 관한 사례가 많다. 신호 파형을 이용하는 경우의 특징량으로는 시간축 영역의 신호의 상승 시간이나 지속 시간 또 주파수 영역의 중심주파수나 밴드 폭 등이 이용되는 경우가 많다. 또한 영상 정보를 이용하는 경우도 농도나 색에 착안한 특정 정보가 존재하는 간격이나 그 분포의 공간주파수 등이 특징량으로 이용되고 있다. 어느 경우도 해석 대상에 따라서 최적의 특징량을 이용하는 것이 중요하다.

그림 8.10(a) 및 (b)는 초음파탐상에 의한 수신파형을 패턴인식법으로 해석하고 균열에코와 의사에코를 식별한 예이다. 다시 말해 그림 8.10(a)와 같이 수신파형을 주파수 해석하고 스펙트럼의 피크의 수와 중심주파수를 특징량으로 하여 2차원 평면에 플롯하면 균열에코와 의사에코는 명료하게 식별 가능함을 보여주고 있다.

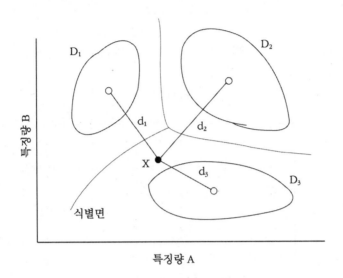

〔그림 8.9〕 패턴인식법에 의한 결함식별법

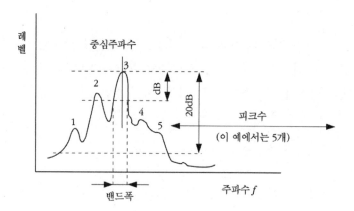

(a) 특징량

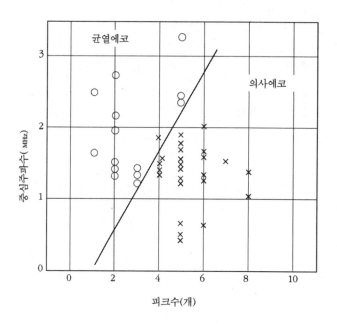

〔그림 8.10〕 초음파탐상에서 균열에코와 의사에코의 식별

8.7 초음파 영상화 기술

저가격의 대용량 컴퓨터와 선명하고 얇은 액정 표시판 그리고 고속·고정밀도의 스캐너의 출현으로 초음파를 이용한 영상화 기술(*imaging technique*)이 큰 발전을 거듭하고 있다. 초음파 영상법은 주로 수침법이 많이 이용되는데 그 이유는 비접촉 주사로부터 안정된 전달효율의 확보로 탐상이 가능함과 동시에 음향렌즈에 의해 초음파 빔을 가늘게 할 수 있어 방위분해능을 향상시킬 수 있어 미소 결함 검출능이 좋기 때문이다.

탐촉자의 위치나 주사범위, 게이트 폭 및 게인값 등은 컴퓨터 제어로 자유롭게 설정 할 수 있다. A-Scope 파형은 고속 A/D변환에 의해 에코높이와 빔진행거리에 의해 영상표시가 가능해진다.

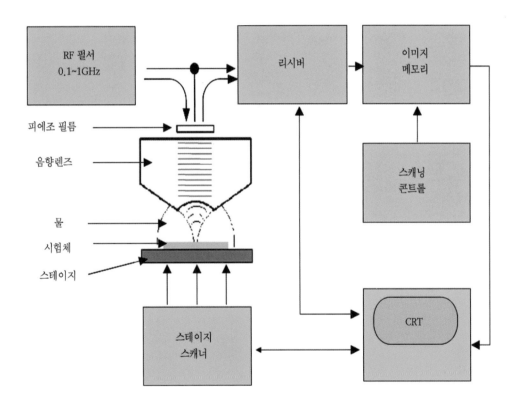

〔그림 8.11〕 초음파 영상장치 블록선도의 예

영상의 표시방법으로는 B-Scope, C-Scope 그리고 D-Scope 등이 많이 이용된다. D-Scope 는 B-Scope와 C-Scope의 영상을 합성하여 3차원적으로 입체 표시하는 방법이다.

8.8 전문가시스템

초음파탐상검사나 방사선투과검사 등 여러 비파괴검사 분야에서 검사 방법의 결정이나 얻어진 검사 결과 등의 평가는 예전에는 전문가의 경험이나 지식에 의존해 실시되어 왔으나 검사 대상 기기의 사용 조건의 가혹화, 고강도, 고기능을 목적으로 한 복잡한 조성을 갖는 재료의 사용 및 비파괴검사기술의 진보로 다양화·복잡화하는 경향이 있어 검사 결과만이 아니라 재료의 열화 상태를 포함하여 정기적으로 평가하는 것이 요구되고 있다.

이러한 상황에서 주목받고 있는 것이 비파괴검사에 대한 전문가시스템(*expert system*)의 도입이고 검사 방법이나 검사 결과, 검사 대상 기기의 운전 이력 등도 총합적으로 관리하고 전문가의 지식베이스와 조합시켜 고도의 전문성을 갖는 판단을 만들어 내는 시스템이 개발되고 있다. 여기서는 전문가시스템의 개요를 소개하는 것과 함께 시스템 구축의 중요한 문제인 지식 데이터베이스에의 지식의 습득이나 데이터베이스로부터의 추론에 효과적인 신경망이론(*neural network*)에 대해 구체적인 실시 예를 소개한다.

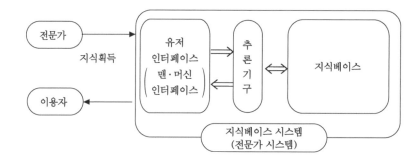

〔그림 8.12〕 전문가시스템의 기본 구성

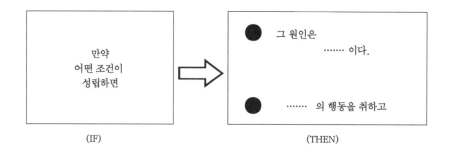

〔그림 8.13〕 지식베이스 표현법의 예

전문가시스템은 기본적으로는 그림 8.12과 같이 구성하고 있다. 비파괴검사에 관한 시스템을 구축하는 경우에는 결함 검사결과로 얻어진 여러 종류의 판단 재료(데이터)와 이것에 대한 전문가의 판단 결과나 판단하는 경우에 필요하게 되는 검사 방법이나 기기 운전 이력 등의 요인을 지식베이스로 분류해 놓을 필요가 있다. 이 지식베이스의 구축에도 여러 종류의 방법이 제안되어 있으나 그 중에서 일반적으로 이용되고 있는 ***production rule***에 대해서는 가정과 결과를 결부한 룰을 지식으로 저장해 놓는다.

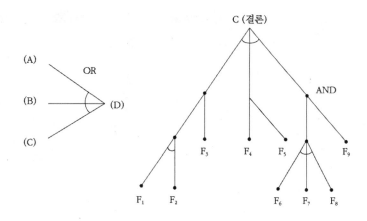

〔그림 8.14〕 추론 과정의 AND/OR 트리

다음에 이들 데이터의 상호 관계로부터 결론을 유도하기 위한 추론 방법을 정해 놓는 것이 필요하다. 이 추론 방법의 하나가 그림 8.14의 예에서 보여주고 있는 AND/OR 시리즈로 표현된 추론법이다. 다시 말해 얻어진 사실·데이터로부터 추론을 중첩하여 새로운 결론을 얻는 방법으로 전향추론법이라 불린다. 역으로 목표의 상태로부터 출발 결국 결론을 미리 가정하고 그것을 성립시키기 위한 조건을 사실·데이터로부터 찾는 후향추론법 등이 있다.

전문가시스템의 구축에 관련이 깊은 데이터처리 기술에 신경망이론이 있다. 예를 들면 초음파탐상 결과를 평가하는 전문가시스템을 구축하려면 파형으로부터 적절한 특징량을 추출하는 룰이 필요하나 실제로는 특징량의 추출이 곤란한 경우도 있다. 신경망이론은 이러한 경우에 학습을 반복시켜 특징량을 추출하기 위해 이용하기도 하고 탐상 결과의 분류·평가에도 이용하는 것이 가능하다.

그림 8.15에 초음파의 파형 정보 및 주파수 정보로부터 피검체의 내부표면에 수직한 균열의 크기를 평가한 예를 이용하여 신경망이론의 개념을 설명한다. 다시 말해 왼쪽 입력 부분에는 파형이나 주파수에 관한 정보 n개의 파라미터가 추출되고, 다음에 상호 관련이 있는 이들 파라미터의 영향 정

도를 고려한 중간층으로부터는 결과의 평가에 필요한 m개의 파라미터가 도출된다. 이러한 과정을
반복하는 것으로부터 입력 신호를 정확히 식별하기 위한 최적 조건을 학습하는 것이 가능한 것이 신
경망이론의 특징이고, 앞 장에서 기술한 패턴인식법에서 특징량의 추출이나 전문가시스템의 지식베
이스 구축·결과에 대한 원인의 추론 등이 이용된다.

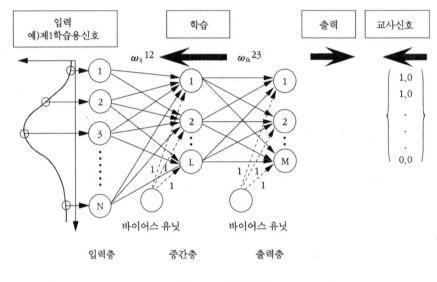

〔그림 8.15〕 신경망이론

8.9 초음파 홀로그라피

　연못 가운데에 돌을 던져 떨어뜨리면 물결파가 동심원을 그리며 퍼져 나가게 된다. 연못가의 각 점에 도달하는 파를 관측하고 그 관측한 파와 동일한 파를 연못가의 각 점에서 발생시키면 각 지점에서 발생한 파가 간섭하게 된다. 돌이 떨어진 위치와 동일 지점에 파가 모이게 된다. 이것이 홀로그라피(*holography*)의 원리이다.

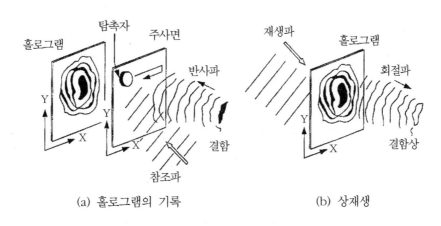

(a) 홀로그램의 기록　　　　　　　(b) 상재생

〔그림 8.16〕 초음파 홀로그래피의 원리

　연못가에서 파를 관측하고 파의 위상이나 강도를 기록하는 것이 홀로그램(*hologram*) 기록, 연못가에서 기록한 파의 정보로부터 파의 발생원을 역산하는 것이 상재생의 과정이다. 실제의 탐상에서 홀로그램 기록과 상재생의 2개의 과정을 각각 그림 8.16에 모식적으로 나타낸다.

　홀로그램의 기록에는 초음파 탐촉자를 시험체 표면을 따라 2차원 주사하면서 초음파를 발신하고 시험체 중의 결함으로부터 반사파를 수신한다. 이 수신 시각의 초음파 발신에 동기된 클록 펄스(*clock pulse*) 출력 레벨 "0", "1"을 각각 +부호로 한 반사파 강도를 홀로그램으로 디지털 기록한다. 이 홀로그램이 형성되는 홀로그램 면은 탐촉자 주사면이 아니고 초음파 빔 초점의 주사면이 된다.

　재생성에서는 홀로그램 강도를 갖는 재생성을 홀로그램 각 점으로부터 발신한다. 각 재생파가 간섭하여 집속하는 것으로부터 실제로 반사체가 존재하는 위치에서 반사체 상을 완성시킨다. 이 완성된 상의 현상은 컴퓨터를 사용한 계산기 상재생(3차원 간섭 계산)으로 얻어진다.

　이제까지 반사파 강도만을 사용한 C-Scope, B-Scope 등의 초음파탐상법에서는 결함의 상세한 형상을 관측하는 것이 곤란하였다. 초음파 홀로그라피는 영상재생을 위한 결함 상의 실시간 표시가 어려운 단점이 있으나 고해상도의 결함 상을 나타낼 수 있고 그 결함 형상을 3차원적으로 파악할 수 있는 장점이 있다. 또한 고주파 클록 펄스를 사용하면 여러 단계의 정밀한 홀로그램이 기록되고 그 만큼 고해상도의 결함 상을 얻을 수 있다.

8.10 초음파 CT

CT(*computed tomography*)는 물체의 단면상을 그 표면 위에 관측할 수 있는 물리량으로부터 가시화하는 기술의 총칭이다. 통상의 X선 CT는 X선 강도 촬영상으로부터 얻어진 흡수계수의 분포를 역연산하여 영상화한 것이다.

한편 초음파 CT는 예를 들면 음속에 의한 CT상은 음속의 역수의 분포를 그 전파시간의 촬영상으로 구한다. 실제로 초음파에 의해 CT상을 구성하기 위해서는 가시화하려 하는 단면 주위의 다수의 점간의 측정이 필요하다.

그림 8.18은 기본적인 초음파 CT의 주사방식을 나타낸 것이다. 물속에 놓인 시험체를 가까이서 송·수신용의 탐촉자를 대향시켜 회전을 하면서 탐촉자의 대향을 평면상에 주사하는 것에 의해 여러 점에서 촬영 데이터를 채취한다. 촬영 데이터로는 일반적으로 음속(전파시간) 및 감쇠(진폭)가 이용되고 이들 정보를 기본으로 하여 영상화된다.

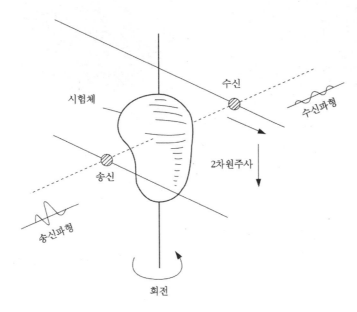

〔그림 8.17〕 기본적인 초음파 CT의 주사방법

그림 8.17은 음속 CT법에 의한 목재 불균질부를 검출한 한 예이다. 주파수 78 kHz를 이용하고 그림 8.18(a)와 같이 송수신 탐촉자를 배치시켜 전파시간을 측정한다. 불균질부는 공극으로 되어 있어 초음파는 직접 투과하지 못하나 파장이 길기 때문에(약 2 ㎝) 그림 8.18(b)와 같이 회절에 의한 우회한 신호가 얻어진다. 따라서 이 측정점에서의 전파시간은 길어진다. 이와 같이 하여 여러 점에서의 촬영 데이터를 모아 CT 재구성상을 구한 예가 그림 8.18(d)이다. 그림 8.18(c)에 실제의 단면 사진을 나타내나 CT 영상은 실제 단면과 거의 근사한 상을 나타내고 있다.

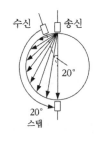

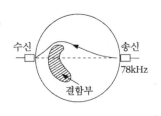

(a) 송신 수신의 방법   (b) 목재 결함부의 검지

(c) 단면사진   (d) CT 재구성상

〔그림 8.18〕 음속 CT법에 의한 목재 불균질부의 검출 예

8.11 유도초음파 탐상

8.11.1 개요

유도초음파(*ultrasonic guided wave*)법은 그림 8.19과 같이 구조물의 기하학적인 구조를 따라 전파하는 파로서, 장거리(*long distance*) · 광범위 비파괴탐상을 효율적으로 수행할 수 있다는 점에서 여러 분야에 적용될 수 있고, 기존의 종파나 횡파를 사용한 국부검사(*point by point*)법에 비해 탐촉자의 이동 없이 고정된 지점으로부터 대형 설비 전체를 한번에 탐상할 수 있을 뿐만 아니라 절연체나 코팅재의 제거 없이 구조물이 설치된 그대로 검사를 수행할 수 있어 기존의 비파괴기법에 비해 시간적, 경제적 효율이 뛰어나다. 또한 보온재나 제한된 공간으로 인하여 검사자의 접근이 곤란하고 복잡하다든가, 다양한 피검사체의 형상을 따라 원거리 초음파탐상이 어려운 발전설비의 보수검사에 적극 활용되고 있다.

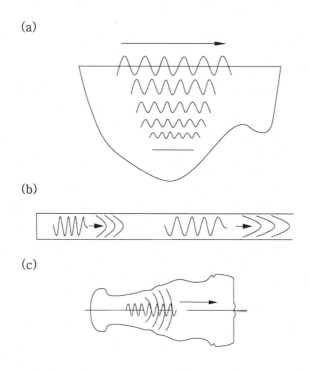

〔그림 8.19〕 유도초음파의 형태 : (a) 레일리파(*Rayleigh(surface)*waves)

(b) 램파(*Lamb waves*)

(c) 스톤리파(*Stonely waves*)

반면 유도초음파는 상기와 같은 장점을 가지고 있음에도 불구하고 발전설비의 보수검사 등에 적용하는데 아직 해결되어야할 어려움이 남아있다. 이는 유도초음파가 전파해가는 모드가 무한히 많이 존재함으로 인해 다양한 모드의 선택을 통한 측정 민감도를 향상시킬 수 있는 장점도 있지만, 여러 개의 모드가 동시에 수신될 때 신호해석과 모드확인(***mode identification***)이 어렵다는 것이다.

그러나 이러한 문제를 극복하기 위한 노력으로 1990년대에 열 교환기 튜브나 파이프에 비파괴검사에 적용하기 위해 이론적 연구와 실험적 연구가 진행되었고 배관에서 유도초음파를 적용한 연구로는 미국의 Penn State와 영국의 Imperial College에서 comb transducer나 array transducer를 이용한 장거리 배관을 신속히 탐상하고 유도초음파의 해석을 단순화하기 위해 저주파 영역의 모드를 선택하고, 초음파 신호의 효율적 해석을 위한 전용프로그램을 자체적으로 개발하였다. 미국 텍사스에 위치한 연구소인 SWRI(***Southwest Research Institute***)에서는 배관에서 유도초음파를 발생시키기 위해 자왜 센서(***magnetostrictive sensor***)를 채택하고 있는데, 시스템 또한 자체적으로 개발하여 장거리 배관의 결함을 신속하게 탐상하고자 노력하고 있다.

8.11.2 분산선도

유도초음파의 분산성(***dispersity***)은 기존의 무한체내 종파나 횡파와는 달리 유도초음파의 전파속도가 재료상수로서 고정된 값이 아닌 검사 시 교정과 선택이 필요한 변수임을 나타낸다. 아울러 시간영역상에서 수신된 초음파신호는 여러 주파수성분에 해당되는 시간조화(***time harmonic***)신호의 합으로 이루어진 군집형(***group-type***) 신호이며 이들 개별 시간조화신호가 진행하는 속도인 위상속도가 주파수별로 각기 다르다는 점을 고려할 때, 오실로스코프상의 시간영역에서 수신된 군집형 신호의 전파속도를 위상속도와 물리적으로 다르게 정의할 필요가 생기게 된다. 이를 유도초음파에서는 군속도(***group velocity***)라 정의하며 실제 비파괴검사 시 수신된 다중 주파수성분의 유도초음파 신호의 에너지가 피검사체내로 전파되는 속도를 의미한다는 뜻에서 에너지속도(***energy velocity***)라고 하기도 한다. 이에 비해 군집형 신호의 개별 신호가 진행하는 속도를 위상속도(***phase velocity***)라고 한다.

그림 8.20는 얇은 강판에서의 발생 가능한 유도초음파의 위상속도와 군속도로 표시되는 분산선도(***dispersion curve***)를 나타낸다. 그림에서 제시된 유도초음파모드 중, 영문자 A는 비대칭형(***Anti-symmetric***)모드를 의미하며 이는 파동 전파 시 박판내의 입자변위 중 두께방향의 변위성분의 분포가 파동전파면상의 박판 내 중심축에 대해 비대칭형상을 이루게 되어 굽힘형(***bending***)변형이 전파됨을 의미한다. 영문자 S는 판재의 중심축에 대해 대칭형(***Symmetric***)변형을 나타내는 유도초음파모드를 나타내며 이에 따라 두께방향의 입자변위분포는 두께방향으로 크기는 대칭이나 부호가 반

대가 되는 skew-대칭형분포를 갖게 된다.

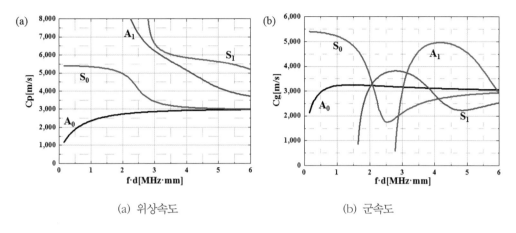

(a) 위상속도   (b) 군속도

〔그림 8.20〕 박판에서의 분산선도

유도초음파의 각 모드는 해당 주파수×두께($f \cdot d$) 범위에 따라 차이는 있으나 일반적으로 위상속도가 주파수에 따라 변화하는 분산성을 갖고 있으며, 그 분산적 특성이 주파수나 구조물의 두께에 대해 매우 민감하게 변화하게 된다.

유도초음파의 진행이 관의 길이방향인 경우 유도초음파 모드를 나타내기 위해서 두 개의 첨자 원주방향 차수와 모드수를 사용하고 있다. 원주방향 차수가 0인 경우에는 관의 축에 대해 대칭이고 0이 아닌 경우에는 비축대칭 모드를 나타내는데, 축 대칭인 모드는 다시 종형 모드와 비틀림형 모드로 파가 관내에서 진동하는 양상에 따라 구별되어진다. 종형 모드는 파의 진동하는 성분이 관의 길이방향과 반지름방향으로만 있는 경우로서 L(0, n)으로 나타내며, 비틀림형 모드는 파의 진동성분이 원주방향으로만 있을 경우로서 T(0, n)으로 나타낸다. 그리고 원주방향 차수가 1, 2, 3…인 경우에는 비축대칭인 모드를 나타내는데 굽힘형(***Flexural***) 모드로 부르며 F(M, n)으로 표시한다. 굽힘형 모드의 경우에는 관의 벽 속에서 파의 진동성분이 세 방향(반지름, 원주 그리고 길이방향)으로 모두 존재한다.

종형 모드   : L(0, n)   축대칭 모드
비틀림형 모드 : T(0, n)   축대칭 모드
굽힘형 모드   : F(M, n)   비축대칭 모드

종형(*Longitudinal*) 모드와 비틀림형(*Torsional*) 모드는 원주방향 차수가 0에서 무한한 수의 모드를 가지고 있고, 원주방향 차수가 1, 2, 3…에서도 원주방향 차수에 대해 무한한 수의 굽힘형 모드를 가지고 있다.

　　유도초음파가 관을 전파할 때는 그림 8.21과 같이 종형 모드, 굽힘형 모드, 비틀림형 모드의 세 종류의 모드가 존재할 수 있다. 실험적으로 주로 사용되는 모드는 축 대칭인 종형 모드이다. 그 이유는 일반적인 초음파 센서로 잘 발생될 수 있으며, 축 대칭으로 분석이 간단하기 때문이다. 그러나 비축대칭 센서의 사용 또는 비축대칭 결함으로부터의 반사 등으로 인하여 비축대칭인 모드, 즉 굽힘형 모드가 생성될 수 있기 때문에 비축대칭 모드에 대한 연구가 필수적이다. 그리고 비틀림형 모드는 실험적으로 발생·수신하는데 일반적인 초음파 센서로는 효율이 떨어져서 잘 사용되지 않고 있다.

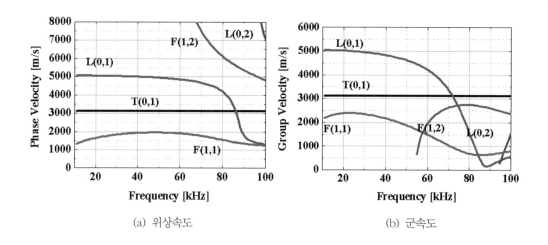

(a) 위상속도　　　　　　　　　　　(b) 군속도

〔그림 8.21〕 티타늄 튜브에서의 분산선도 (바깥지름: 19.05 mm, 두께 : 0.9 mm)

8.11.3 모드 식별과 선택

　　유도초음파는 적절한 모드와 주파수를 선정하면 유도체를 따라 장거리로 전파하기 때문에 재료 내부에 존재하는 불연속부를 신속하게 검사하는데 유리하다. 그러나 유도초음파는 유도체의 형상에 따라 복잡한 다중의 모드가 존재하고 분산하는 특성으로 인해 파의 전파특성이 복잡하여 해석하는 것이 어렵다.

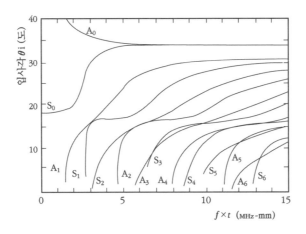

〔그림 8.22〕 얇은 강판에서의 램파 모드

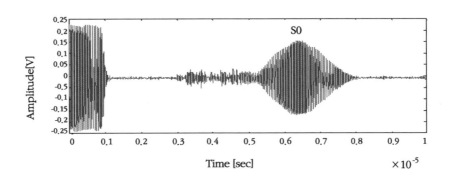

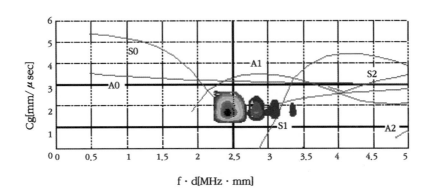

〔그림 8.23〕 STFT에 의한 모드 식별의 예

그림 8.22는 얇은 강판에 유도초음파를 송·수신할 때의 램파 모드와 입사각 θ_i 및 $f \times t$와의 관

계를 나타내고 있다. 하나의 판 두께에 대하여 복수의 모드가 존재함을 알 수 있다. 초음파 신호의 주파수 분석에는 일반적으로 고속푸리에변환(*Fast Fourier Transform; FFT*) 을 이용하는데, 유도초음파의 경우는 시간영역에서 신호가 분산되거나 두 개 이상의 모드가 중첩된 경우에는 푸리에 변환한 분석 결과로는 어느 시점에서 특정 주파수 성분이 분포되어 있는지 분석하는 것이 불가능하다.

대부분의 유도초음파가 분산 신호이기 때문에 모드 식별(*mode identification*)을 하기 위해서는 2D-FFT(*two dimensional fast Fourier transform*)나 시간-주파수 신호해석법인 단시간 푸리에변환(*Short time Fourier transform; STFT*), 웨이블릿변환(*wavelet transform; WT*) 등이 흔히 이용되고 있다. 그림 8.23은 STFT에 의한 유도초음파의 모드 식별 예를 보여주고 있다.

모드의 선택에는 결함의 판 두께 방향으로의 위치에 따른 최적 모드를 선택하기 전에 유도초음파의 송수신에 대해 (a) 송수신 효율이 좋고, 충분히 큰 진폭의 에코를 얻을 수 있는 것, (b) 에코 형상이 날카롭고 시간 분해능이 높은 것 등이 모드 선택의 조건이 될 수 있다.

유도초음파모드의 전파 속도는 주로 군속도로 결정되지만 모드의 분산이 크면 전파 중에 파형의 왜곡이 일어나기 때문에 날카로운 에코 형상을 얻기 위해서는 분산의 영향이 적은 모드를 선택하는 것이 중요하다.

8.11.4 탐상장치 및 탐상방법

얇은 강판이나 배관 등의 내부 결함의 탐상에는 유도초음파 탐상이 유용하게 사용되고 있다. 얇은 강판은 한 방향으로 길게 생산되기 때문에 그림 8.24에 나타내듯이 얇은 강판을 길이 방향으로 이송하면서 고정 위치에 설치된 타이어 탐촉자를 사용하여 판파를 판 폭 방향으로 전파시키면 얇은 강판의 전 길이에 걸친 자동 탐상에 적합하다.

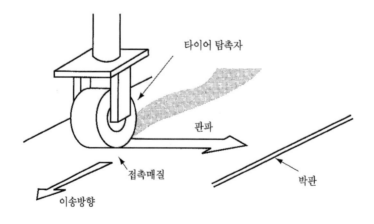

〔그림 8.24〕 유도초음파 탐상 방법

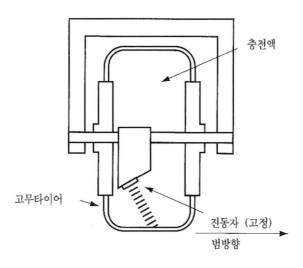

충전액

고무타이어

진동자 (고정)

범방향

〔그림 8.25〕 타이어 탐촉자의 구조

자동 탐상에서 유도초음파의 송수신에는 일반적으로 그림 8.25에 나타내는 타이어 탐촉자를 사용한다. 타이어 탐촉자는 고무 타이어의 내부에 진동자가 설치되어 있고, 또한 물 및 알코올을 주성분으로 하는 충전액으로 내부가 채워져 있다. 고무 타이어는 시험체의 이동에 맞추어 회전하지만 진동자는 축에 고정 설치되어 일정한 방향을 유지하도록 되어 있다. 초음파의 시험체에의 입사각 θ_i를 변경할 수 있도록 되어 있으며 펄스 모터를 사용하여 원격으로 임의의 입사각을 설정할 수 있다. 고무 타이어와 시험체와의 사이에는 접촉 매질이 필요하며 일반적으로 기름, 물, 알코올 등이 사용된다.

일반적인 유도초음파시스템은 다양한 검사 대상체에 적절하고 적합한 모드를 발생시키기 위해서 기하학적인 형상을 고려하여 가진주파수를 조절할 수 있어 선택적으로 여러 모드들을 발생할 수 있도록 구성되어 있다. 그러나 유도체 내에서 발생하는 수많은 유도초음파 모드는 각각 고유한 특성을 가지고 있어 적합한 모드를 선택적으로 발생시키는 것이 중요하다. 또한 많은 모드들이 서로 다른 분산특성을 가지고 함께 발생되기 때문에 각각의 모드들이 중첩하고 간섭하여 신호 해석하는데 어려움이 있다. 이러한 문제의 해결방법으로 매우 좁은 주파수 대역을 사용하여 특정 모드를 선택적으로 발생시키는 방법을 사용하며, 주로 톤 버스트(*tone burst*) 시스템이 적용되고 있다.

그림 8.26은 열교환기 배관 검사용 유도초음파탐상시스템의 한 예를 나타내고 있다. 이 시스템은 다른 초음파 장비보다 높은 출력뿐만 아니라 다양한 주파수로 초음파를 가진 시켜줄 수 있으며, 크게 연속파신호발생기, 게이트증폭기, 수신필터기 및 수신증폭기의 세부 장치로 구성되어 있다. 연속파신호발생기에 의해 원하는 사이클 수에 맞게 게이트증폭기로 잘라내어 톤 버

스트파를 발생시킴으로써 단일 사이클을 갖는 일반적인 펄스형 초음파신호에 비해 협대역(주파수성분이 특정 중심주파수로 집중되는) 신호의 송수신이 가능하다. 따라서 유도초음파실험과 같이 주파수에 따라 초음파모드가 민감하게 변화하는 초음파실험에서 특정의 초음파모드신호를 선택적이고도 효율적으로 송수신하는데 매우 효과적이다. 또한 최대 전기출력이 1 kW까지 가능한 고출력장비로 일반 펄스형 초음파탐상기보다 큰 진폭의 초음파신호를 발생시켜 신호 대 잡음비를 개선시켜 민감한 신호를 송수신할 수 있다.

이 시스템에서 중요한 파라미터는 출력신호의 중심주파수, 톤 버스트형 신호의 사이클수, Gated 진폭, 펄스반복주기, 수신신호의 주파수필터링을 위한 주파수 상하한 필터(**Low/High pass filters**) 등이다. 이중에서 특히 사이클수는 Gated 진폭과 함께 장비의 전기출력을 결정하는 인자로 초음파탐촉자에 지나친 부하가 걸리지 않도록 조심스럽게 선정하여야 한다. 사이클수의 증대는 유도초음파신호의 진폭을 증가시켜주나 가진 주파수에 따라 최적의 사이클수는 차이가 있을 수 있기 때문에 적절하게 선정해야 한다.

〔그림 8.26〕 열교환기 배관 검사용 유도초음파탐상시스템

그림 8.27은 급수가열기 튜브에 인공적으로 가공된 결함을 기존 검사방법인 와전류탐상검사 (**ECT**)와 유도초음파탐상검사 결과를 비교 검증하기 위한 것이다. 튜브는 곡관부를 포함하고 길이는 약 8 m이며, 외경은 15.88 mm, 두께는 1.2 mm 이다. 열교환기 튜브에서는 주로 pitting, 크랙, 마모결함 등이 발생하기 때문에 그 중에 하나인 마모결함을 모의한 인공결함이 가공되어 있다. 유도초음파 결과로부터 곡관부에 위치한 마모결함뿐만 아니라 끝단부 신호 등을 확인할 수 있지만 ECT 결과는 결함신호와 비슷한 신호가 발생하여 결함을 구별하는데 어려움이 있다. 이는 검사자의 주관적인 판단과 검사 숙련도에 의존하게 되어 객관적이고 신뢰성이 있는 결과를 얻는데 어려움이 있다. 이러한 비슷한 신호는 주로 열교환기 튜브의 지지대에서 발생하게 되는

데, 그 이유는 튜브와 지지대의 재질 차, 즉 투자율의 변화로 인해서 발생하게 되므로 주의 깊게 신호해석을 수행해야 한다. 또한 일반적인 와전류탐상검사는 곡관부 특히 반지름이 작은 경우에는 검사를 수행하는데 어려움이 있는 반면에 유도초음파는 튜브를 따라 전파하게 되어 쉽게 곡관부를 투과하여 이상부위를 검출하는 것이 가능하여 그 활용이 기대된다.

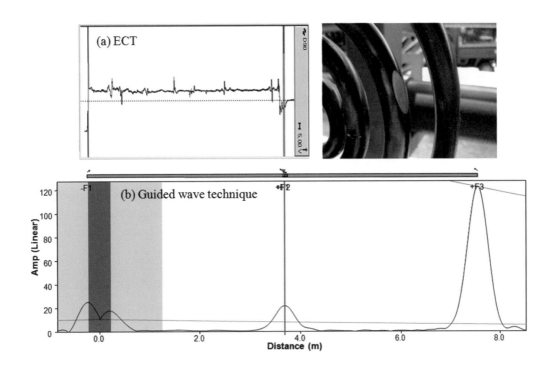

〔그림 8.27〕 급수가열기 튜브의 인공결함에 대한 (a) ECT와
(b) 유도초음파 탐상에서의 탐상지시의 비교 예

8.12 전자기초음파 탐상(EMAT)

8.12.1 개요

　　일반적인 초음파탐상에서는 초음파탐촉자를 이용하여 초음파를 송수신하는데, 그 원리는 압전 재료로 구성된 진동자에 전기를 가하면 기계적으로 진동하게 되어 시험편내로 초음파가 전파되고 저면이나 결함 등으로부터 반사된 초음파가 진동자에 전달되어 전기적인 신호로 변환되어 초음파 를 수신하게 된다. 이러한 방법은 초음파를 전달하기위해 불가피하게 접촉매질을 사용해야한다. 이에 비해 전자기초음파탐촉자(*electromagnetic acoustic transducer;*이하 *EMAT*이라 함)를 사용하는 초 음파탐상법은 그림 8.28과 같이 탐촉자와 시험체가 전자기적으로 결합하기 때문에 기계적으로 접 촉할 필요가 없어 접촉매질이 필요 없는 것이 종래 초음파탐촉자와 가장 크게 다른 점이다. 압전 진동자를 이용하는 탐상법에 비해 전기, 음향변환 능률이 떨어지고 탐상감도가 약간 저하되지만 비접촉이라는 장점이 있어 이러한 특징을 살려 열간 압연재나 표면이 거친 시험체의 탐상이나 두 께 측정 등이 가능하다. 그리고 접촉매질의 두께의 영향을 받지 않기 때문에 정밀한 두께 측정이 나 음속측정에 적합하다.

　　EMAT는 전자석과 송신부의 와전류를 발생시키는 발생코일 및 수신부의 검출코일로 구성되어 있다. 이 탐촉자를 금속 시험체에 접근시키면 시험체 내부는 전자석에 의해 정자기장에 영향을 받 게 되고 탐촉자내부의 발생코일에 흐르는 교류전류에 의해 시험체 표면에 와전류가 형성하게 된 다. 이 와전류와 자력선 사이에 로렌츠힘(*Lorentz Force*)이 발생하여 시험체 표면에 기계적 변위 가 발생, 즉 초음파가 발생하게 된다. 그리고 역과정에 의해 초음파를 수신하게 된다. 이 때문에 측정 대상은 전도체에 한정되지만, 비접촉 측정이 가능한 장점이 있다. 하지만 비접촉방식으로 음 향결합을 위한 접촉매질의 사용이 필요하지 않지만 시험체의 표면과의 간격, 리프트 오프(*lift-off*) 에 초음파 송수신 감도가 크게 영향을 받는 단점이 있다. 또한 기존 압전진동자를 이용하는 탐상 법에 비해 전기, 음향변환능률이 떨어져 탐상감도가 약 40 dB ~ 60 dB 정도 낮아 상대적으로 S/N 비가 낮기 때문에 높은 송신 펄스 전압이 요구되며 고성능 수신증폭기를 사용하여 S/N 비를 높여 주고 있다.

　　두 번째 장점으로는 송·수신 코일 형식 및 자석의 배열 등을 적절히 바꿈에 따라 여러 종류 모드의 초음파를 송·수신할 수 있다. 예를 들면 보통 탐촉자에서는 SH파를 발생시키기가 어려운 데 그 이유는 초음파를 시험체로 전달시키기 위해 매우 큰 점성을 가지는 접촉매질을 사용해야 하 기 때문이다. 이와 달리 EMAT는 자석과 코일의 기하 형상을 적절히 구성하면 비접촉으로 손쉽게 SH파를 송·수신할 수 있다.

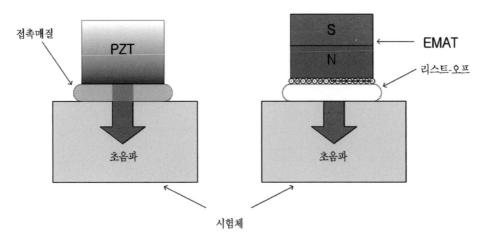

접촉매질

PZT

초음파

S

N

EMAT

리스트-오프

초음파

시험체

〔그림 8.28〕 PZT와 EMAT센서의 비교

8.12.2 초음파 발생 메커니즘

　그림 8.29는 EMAT에 의한 각종 초음파 모드의 발생 원리를 나타내고 있다. 그림에서 (a)는 횡파의 발생을 보여주고 있다. 시험체 위에서 송신코일에 발생하고자 하는 초음파의 주파수를 갖는 고주파 전류를 흘리면 시험체 표면 근방에는 송신 코일에 의해 발생한 자계에 역방향의 와전류가 흐른다. 그것에 시험체 표면에 수직한 정자기장이 작용하면 와전류와 정자기장의 양자 사이에 직교하는 시험체 표면에 평행한 로렌츠힘이 발생한다. 이 힘은 와전류 다시 말해 송신전류와 동일 주파수이고 와전류가 발생하는 표면부에만 발생하기 때문에 시험체 표면부가 횡파 (*shear wave*)의 발생원이 되고 시험체 중을 횡파가 전파해 간다. 되돌아 온 횡파는 표면을 진동 시켜 그것과 자장과의 상호 작용으로 전압이 유기되어 와전류가 발생한다. 이 와전류에 의해서 자장을 수신코일로 수신하는 것으로 횡파 수신이 가능하게 된다.

　SH파를 발생시키기 위해 로렌츠힘을 이용한 경우 초음파 진행 방향에 대해 수직으로 그림 8.30와 같은 주기적으로 배열된 자석이 필요하다. 또한 구조물 표면에 근접하여 위치하는 코일에는 교류전류에 의해 힘의 방향이 전환되며 이는 초음파 발생의 구동력이 되어 SH파를 송수신한 다. 이때 발생되는 SH파의 파장은 자석간격의 2배가 된다. 로렌츠힘에 의한 SH파는 진행 방향에 대한 수평 방향으로 진동하는 힘 성분을 이용하기 때문에 수신 신호 강도는 램파와 비교해서 약 해지는 경향이 있다.

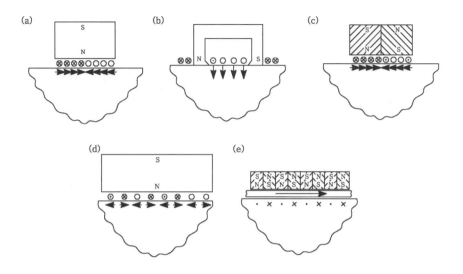

〔그림 8.29〕 EMAT 단면 형상,
(a)와 (c) 횡파, (b) 종파, (d) 표면파 또는 램파 (e) SH파 발생 원리

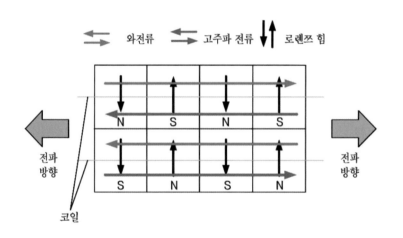

〔그림 8.30〕 로렌츠 형 SH파 EMAT 구조

EMAT에 의해 전파되는 램파와 표면파는 다른 모드지만 각 모드의 발생 원리는 동일하다. 그래서 동일 구조의 EMAT를 박판에 적용하면 램파가 발생하고, 두꺼운 판재에는 표면파가 발생하게 된다. 따라서 램파·표면파용으로 EMAT를 구별하지 않는다. 다만, 가진 주파수 등의 변경은 필요하다.

로렌츠힘을 이용하는 그림 8.31의 Lamb-EMAT는 교류전류에 의해 힘의 방향이 전환되며 이는 초음파 발생의 구동력이 되어 램파를 송수신한다.

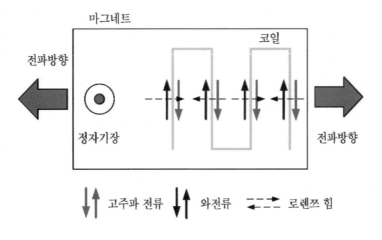

마그네트

코일

전파방향

정자기장

전파방향

↓↑ 고주파 전류   ↓↑ 와전류   ⌐¬→ 로렌쯔 힘

〔그림 8.31〕 로렌츠 형 램파 EMAT 구조

8.12.3 탐상장치

그림 8.32는 유도초음파를 이용하여 알루미늄 얇은 판의 두께변화를 평가하기 위해 구성된 EMAT 시스템이다. 한 쌍의 EMAT으로 구성되어 유도초음파를 송수신하기 위해 초음파 펄서/리시버를 사용하였다.

펄서/리시버에 의해 발생된 초음파 펄스는 임피던스 매칭박스를 통해 송신 EMAT에 보내져 초음파를 발생시킨다. 그리고 발생된 SH파는 동일한 형태의 EMAT으로 수신되어 프리앰프에서 증폭된 후 신호처리를 위해 디지털 오실로스코프와 연결되어 신호처리를 수행할 수 있도록 구성된다. 그림 8.33는 SH-EMAT 센서와 EMAT의 구성품 중 하나인 영구자석이다.

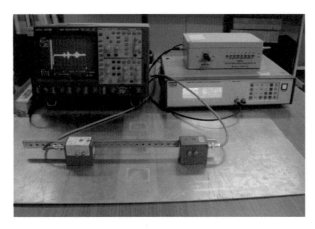

〔그림 8.32〕 EMAT 시스템 구성 예

〔그림 8.33〕 EMAT와 영구자석

8.12.4 탐상 방법

알루미늄 박판에서 두께변화를 평가하기 위해 EMAT을 이용하여 비접촉으로 초음파를 송수신하였다. 이때 초음파 펄서/리시버의 주파수 범위는 0.1 ~ 5 MHz 이다. 유도초음파의 가진 주파수는 이론적인 분산선도에서 파장과 위상속도의 관계로부터 그림 8.35 에서 확인할 수 있다. 예를 들어 파장이 4.30 mm 인 유도초음파 모드를 발생하기 위한 가진 주파수는 2.17 MHz 이다. 한 쌍의 EMAT을 사용하여 초음파를 송수신하였으며 탐촉자의 위치는 결함의 양쪽에 배치하는 방법을 사용한다.

8.12.5 탐상결과

그림 8.34는 유도초음파 모드가 두께감육 결함 부위를 지나 수신된 신호로 두께 변화에 따른 초음파 모드의 전파시간차 변화를 나타낸다. 이 결과로부터 두께감육이 증가할수록 전파시간차가 증가함을 확인할 수 있다. 이는 이론적인 군속도 분산선도에서 두께 d가 감소하면 모드의 군속도가 감소하는 결과와 일치한다. 또한 파장이 4.30 mm 일 때 두께변화가 30%인 결함으로부터 수신된 모드에서 신호가 사라짐을 확인할 수 있는데, 이에 대한 이유는 두께가 변화하면 분산선도의 가로축인 f·d가 감소하게 되고 모드가 사라지게 되는 모드컷오프 현상이 발생하게 된다.

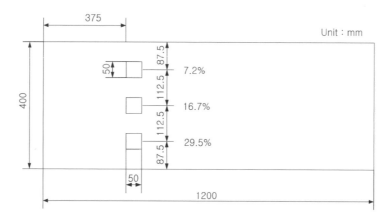

〔그림 8.34〕 알루미늄 시험편

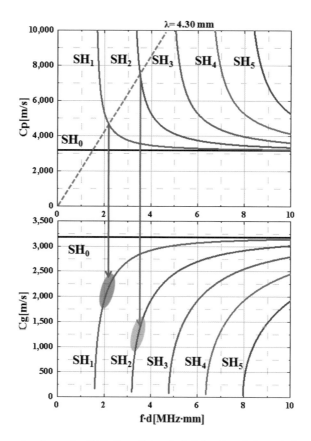

〔그림 8.35〕 알루미늄 얇은 판에서의 이론적인 분산선도

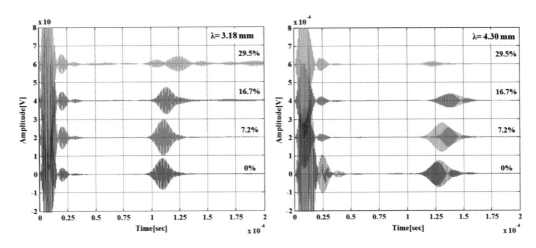

〔그림 8.36〕 유도초음파를 이용한 두께감육 평가 적용 예

　　그림 8.36과 같이 두께변화가 발생하면 모드의 분산성으로 인해 전파시간차가 발생하게 된다. 전파시간차의 변화, 즉 군속도 변화는 두께변화를 나타내기 때문에 군속도를 정확하게 측정할 수 있다면 두께 변화의 정량적인 평가가 기대된다.

8.13 전자기음향공명법

비접촉 초음파법으로 알려진 전자기음향공명(*electro magnetic acoustic resonance*)법의 원리는 코일을 이용해 재료 표면에 와전류를 발생시킨 후 자계를 중첩시켜 로렌츠힘을 발생시킴으로써 초음파를 발생시키는 것이다. 그러나 이 방법은 전기에너지로부터 초음파에너지의 변환효율이 매우 낮기 때문에 3 MHz 까지의 저주파수에 이용이 제한되어 왔다.

이 문제를 해결하기 위해 전자파의 주파수를 조절하여 판, 막, 코팅상의 재료 중에 초음파의 공진을 일으켜 신호강도를 비약적으로 높이는 방법이 개발되고 있다. 자동차 차체의 재료로 사용되고 있는 박강판의 종탄성계수 등을 측정 시 응용되는 것 외에도 판, 상자, 관형의 금속재료나 코팅의 비파괴검사에 적용이 기대되고 있다.

8.14 레이저-초음파탐상

레이저-초음파(*laser based ultrasonic; LBU*)는 레이저광을 이용하여 비접촉으로 초음파 진동을 발생시키고 검출하는 기술이다. 광을 이용하여 완전 비접촉으로 초음파를 송·수신하는 것이 가능하기 때문에 압전소자 등을 이용하는 종래의 초음파 송·수신법에서는 적용이 어려웠던 고온 중의 재료, 물이나 기름 등에 대해 비파괴검사나 초음파계측이 가능하게 되었다.

비접촉으로 초음파를 송·수신할 수 있는 레이저-초음파법의 장점으로는 다른 비파괴평가방법에 비해 (a) 비접촉 측정, (b) 1600℃ 이상의 초고온영역에서도 측정이 가능, (c) 종파와 횡파의 송·수신이 가능하기 때문에 재료의 종탄성계수와 푸와송비를 동시에 측정하는 것이 가능하다는 장점을 가지고 있어 고온 구조물의 탄성계수의 측정에 대한 적용이 예상된다.

시료 표면에 펄스 레이저광을 조사하는 방법으로 초음파를 발생시킨다. 발생된 초음파의 펄스 시간 폭에 레이저 펄스의 시간 폭이 비례하고 또한 초음파 진폭은 조사광 강도에 비례하기 때문에 통상 펄스폭과 강도 면에서 Nd-YAG 등의 Q-Switch pulse laser가 사용된다.

탄성파 발생의 메커니즘은 주로 열응력(*thermal stress*)과 용융기화(*ablation*) 2가지 모드로 나누어진다. 그림 8.37에 그 모식도를 나타낸다. 레이저광의 강도가 낮은 경우 광 흡수에 의한 재료 표면은 급가열되어 열응력이 생긴다. 가열 부분은 표면에 한정되기 때문에 열응력에 의한 팽창은 표면에 대해 평행한 방향으로 국한되며, 이것이 초음파의 발생원이 된다. 한편 레이저의 에너지 밀도를 증대시키면 표면 물질의 용융 증발이 생기고 기화 팽창에 수반하는 압력이 표면에 대해 수직 방향으로 생겨 이것이 주된 초음파 발생원이 된다.

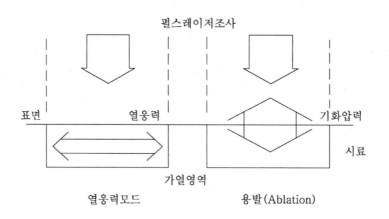

〔그림 8.37〕 펄스 레이저 조사에 의한 초음파 발생의 대표적 모드

그림 8.38은 루비-레이저 펄스광의 조사에 의해 발생된 탄성파의 진동 변위를 마이켈슨형 레이저간섭계로 수신한 파형이다. 초음파 발생 모드와 완전히 다른 파형이 되고 종파, 횡파가 동시에 발생한다. 열응력 모드에서는 신호강도는 미약하지만 용융기화 모드에서는 표면 손상이 생길 정도로 신호강도가 크다.

레이저-초음파에서는 지향성이나 주파수 등을 제어하는 것이 시도되고 있다.

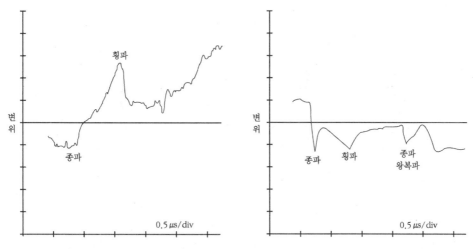

〔그림 8.38〕 스테인레스 강판에 조사한 루비 레이저 펄스광으로부터 발생한
초음파의 변위 파형의 예

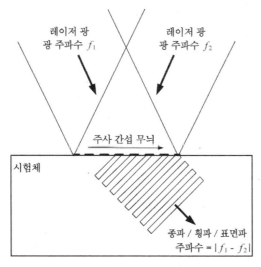

〔그림 8.39〕 레이저 간섭무늬 주사에 의한 사각초음파 · 표면파 발생의 원리도

그림 8.39와 같이 레이저-간섭무늬를 이용한 표면파나 종파, 횡파의 발생을 그 예로 들수 있다. 광 주파수가 다른 2개의 레이저 광을 시료 표면에 교차시키면 시료 표면에 생기는 간섭무늬는 광주파수가 다르기 때문에 일정 속도로 이동한다. 교차각이나 광주파수 차를 조정하여 간섭무늬의 이동 속도를 표면파에 일치시키면 표면파가, 종파나 횡파 보다 더 빠른 속도가 되면 위상속도가 주사속도에 일치하는 경사 입사의 종파나 횡파가 발생한다. 또 특정 주파수의 초음파를 발생시키는 것이 가능하다.

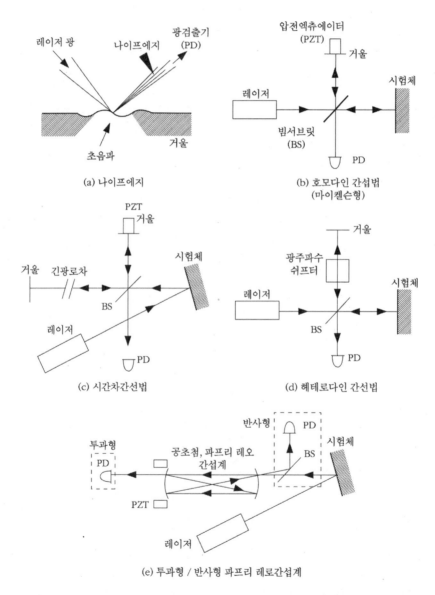

〔그림 8.40〕 레이저-초음파에서 대표적인 초음파 진동 검출법

그림 8.40은 레이저-초음파에서 초음파 검출 기술의 대표적인 기법을 나타내고 있다. 레이저 간섭에 의하지 않는 방법으로는 시료 표면의 거칠기에 의한 반사광의 각도 변화를 이용하는 나이프에지(*knife edge*)법이 대표적이나 원리 상 실험적 이용으로만 제한되기 때문에 광간섭에 의한 방법이 레이저-초음파 실용화에의 주류라고 볼 수 있다. 가장 기본적인 것은 호모다인(*homodyne*)간섭법이다. 시료 표면에서 반사한 프로브 광을 참조광으로 중첩하여 간섭시키고 그 간섭광의 강도 변화로부터 초음파 진동 파형을 얻는 방법이다. 참조광 용 거울은 정밀한 위치 제어가 필요하나 그림 8.38과 같이 변위 파형이 얻어지고 수신주파수 대역은 원리상으로는 무제한이 된다. 시간차 간섭법은 반사해 온 레이저 광을 둘로 나누어 한쪽의 광로길이를 크게 하여 중첩시키는 방법이다. 얻어진 신호는 속도 파형이고 호모다인법에 비해 저주파의 기계 진동에 영향이 적고 거울-위치제어가 용이한 장점이 있다. 그러나 광로차를 수 m로 크게 할 필요가 있기 때문에 광섬유(*fiber*)의 이용도 검토되고 있다.

광 헤테로다인(*heterodyne*) 간섭법은 광주파수가 다른 2개의 레이저 광을 이용하고 도플러(*Doppler*)효과에 의한 광의 주파수 변화를 광 검출기에 의해 검출하는 것으로 반사광량의 변화에 의한 감도 변동을 주파수 검출로부터 피하는 방법이다. 기계 진동의 검출에 잘 이용되는 방법으로 수신 주파수의 고주파 변화에 대한 연구가 추가적으로 필요하다. 시료 표면에 2개의 레이저 광을 교차하도록 조사하고 그 산란광의 비트 신호를 이용하면 시료 표면의 면내 진동도 검출 가능하다.

페브릿 페롯 간섭계(*Fabry-Perot interferometer*)는 투과율이 작은 2개의 반사 거울을 대향시킨 구조로 되어 있고, 협대역의 광 대역필터(*band pass filter*)의 역할을 하는 분광용의 광학계이다. 반사 거울의 간격 조절로 투과하는 광 주파수 대역을 조절하는 것이 가능하고 도플러 효과에 의한 레이저 광의 주파수 변조를 투과광량 변화로 얻을 수 있게 한다. 거울-간격의 제어가 필요하나 공초점용 페브릿 페롯 간섭계(*confocal Fabry-Perot interferometer*)는 레이저 광의 파면의 산란에 관계없이 간섭성이 보존되고 시료로부터의 반사광량이 유효하게 이용될 수 있는 장점을 가지고 있다. 또한 간섭계로부터 투과광에서는 아니나 반사광을 이용하는 것으로부터 고주파 대역에서의 검출 감도를 얻는 것이 가능하고 실용적인 면에서 주목 받고 있다. 레이저 초음파에서는 시료 표면의 거칠기 등의 상태에 의한 초음파 검출 감도나 S/N비 열화가 실용화 부분에 과제가 되고 있고 그 해결법으로 비선형광학소자를 이용하는 기술이 검토되고 있다.

레이저에 의한 초음파의 검출은 단순히 비접촉인 것 이 외에도 몇 가지의 장점을 생각할 수 있다. 우선 측정 대상에 영향을 주지 않는 것이다. 초음파 탐촉자를 접촉시키는 방식에서는 시료와의 접촉으로부터 초음파 진동의 진폭이나 음압의 변화를 발생하나 레이저에 의한 검출에는 검출하는 초음파에 영향을 주는 것이 거의 없고 세라믹 용사 피막이나 거친면의 시료 등에도 레이저의 간섭 신호가 얻어지기만 하면 초음파 진동을 정량적으로 검출할 수 있다. 집광에 의한 미소 점에서의 측정이 가능하고 작은 시료에서도 간단히 초음파 신호를 얻을 수 있다.

레이저-초음파의 비파괴계측에의 응용에 대해서는 접착된 재료나 FRP의 박리 검출, 표층 결함 검출, 수신의 관점에서는 초음파 변위 파형 검출, AE검출 등의 예가 있고 고온 재료에의 응용은 레이저-초음파의 중요한 응용 분야이다. 예를 들면 노내에 시료를 놓고 시료 온도를 올리면서 시료의 양면에서 초음파를 송·수신하면 초음파 위상 파형이 얻어지고 종파와 횡파의 음속의 온도 의존성을 쉽게 알 수 있다. 밀도 측정과 조합하여 탄성율의 온도 변화를 아는 것이 가능하다.

8.15 전자 주사형 초음파탐상

8.15.1 리니어 주사 방식

가동중검사인 인라인 검사(*in-line inspection*) 등에서 피검체 내의 평면상(C-Scope)을 고속으로 얻는 방법으로 그림 8.41과 같이 리니어 주사(*linear scanning*)방식이 유효하다. 이 방식은 X 방향으로 여러 개의 진동자를 배열한 배열형 탐촉자(*array search unit*)를 이용하여 초음파를 집속하는 방식으로 전자 리니어 주사를 한다. Y방향은 기계 주사로 전자 주사 속도가 고속 4 ~ 8 m/s 이므로 배열형 탐촉자를 Y 방향으로 일정 거리만큼 기계 주사하면서 C Scope 이미지를 동시에 실시간(*real time*)으로 이미지화할 수 있다. 또한 집속 빔 형성에는 16 ~ 24개의 진동자를 이용하고 X 방향은 각 진동자의 가진 타이밍의 지연 제어에 의한 전자집속(그림 8.42)을, Y 방향은 선집속(*line focusing*) 음향렌즈(*acoustic lens*)에 의한 렌즈 집속을 수행한다. 초음파 주파수는 2 MHz ~ 10 MHz 의 범위가 많이 사용되고 최근에는 고분해능화를 위해 25 MHz 의 고주파수도 이용되고 있다.

전자주사 범위 이상의 폭으로 검사를 하는 경우에는 그림 8.43과 같이 전자주사 방향(X방향)의 기계주사도 복합하여 이용함으로써 X 방향의 각 전자주사 범위를 상호 맞추는 방법을 이용한다. 이로부터 X 범위의 주사범위를 자유롭게 확대할 수 있다.

그림 8.44에 장치의 블록선도의 예를 나타낸다. 스캐너에 의해 배열형 탐촉자의 기계 주사를 수행하고 일정 거리(검사 피치) 이동하면서 1 라인분의 전자주사를 동시에 수행한다. 이 때 수신된 RF 신호를 피크검출기 및 A/D변환기를 거쳐 디지털 데이터로 컴퓨터에 입력되고 어드레스 변환 후 컬러 모니터 상에 256색조로 실시간(*real time*)으로 표시된다.

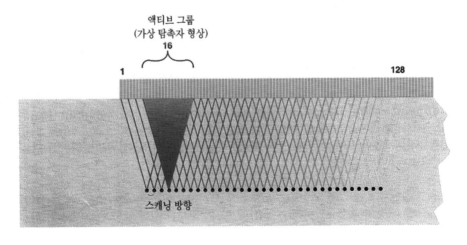

〔그림 8.41〕 리니어 주사 방식

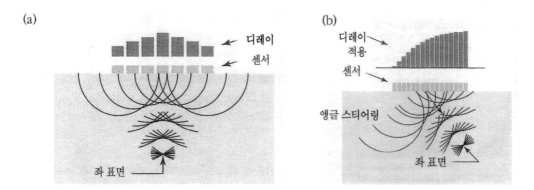

〔그림 8.42〕 전자 집속의 원리

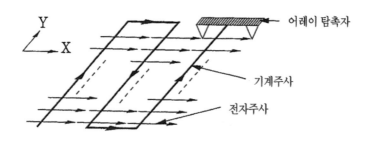

〔그림 8.43〕 광범위 주사 방법

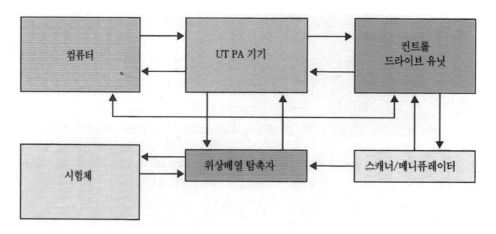

〔그림 8.44〕 전자주사형 초음파 탐상장치의 블록선도

8.15.2 섹터 주사 방식

아크 배열형 탐촉자를 이용하여 전자적으로 초음파 빔을 부채형으로 주사가 가능한 전자 섹터주사(*sector scanning*)방식의 개념도를 그림 8.45에 나타낸다. 아크 배열형 탐촉자(5 MHz)는 다수의 초음파 송·수신 진동자(최대 64채널)를 원호 형태로 배열하고 그 복수개의 배열형 다발(15개 또는 16개)의 진동자 군을 동시에 송·수신시켜 하나의 초음파 빔을 형성시 킨다. 이 때 초음파 빔은 각 진동자의 송·수신 타이밍을 제어하여 피검체 내의 원하는 위치 (깊이)에 집속하는 것이 가능하다. 그리고 상기 진동자 군의 동작을 전자적으로 절환 주사함 으로써 초음파 빔의 전자적 섹터주사(*sector scanning*)가 가능하게 된다.

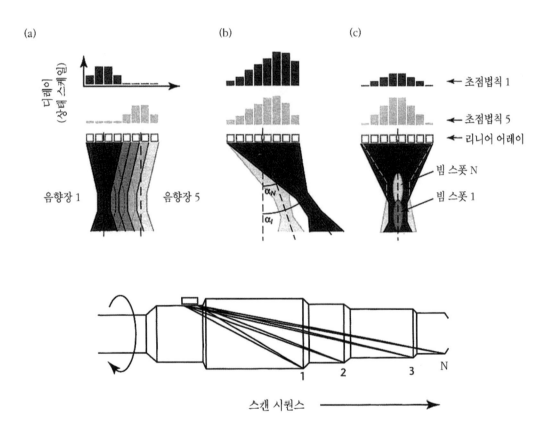

〔그림 8.45〕 전자 섹터 주사방식과 터빈 로터에의 적용 방법

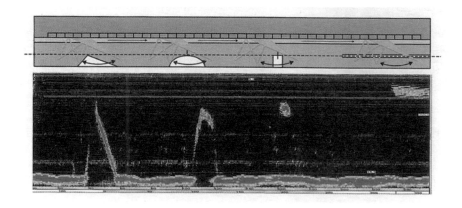

〔그림 8.46〕 탐상 패턴(위)과 인공 결함 이미지 결과(아래)를 나타내는 B-스캔 이미지

8.16 초음파현미경

8.16.1 구성

집속된 초음파 빔을 시료에 대해 2차원적으로 조사하고 반사 초음파를 신호 처리하여 영상을 얻는 초음파현미경(*scanning acoustic microscopy; SAM*)이 실용화되었다. 초음파현미경 구성의 개요를 그림 8.47에 나타낸다.

송신부로부터 전기신호는 음향렌즈의 진동자에서 초음파로 변환되고 음향렌즈로 집속되어 시료에 조사된다. 시료로부터의 반사 초음파는 거의 동일한 역 경로로 진동자에 도달한다. 여기서 다시 전기신호로 변환되어 화면의 휘도 변조 신호로 이용된다. 1회의 초음파의 송·수신으로 화면상의 아주 작은 1개의 화소가 메워지게 된다. 이 조작을 시료의 2차원 주사와 동기로 반복하면 한 장의 영상이 얻어진다. 음향렌즈와 시료와의 사이에는 음파 전달 매체가 필요하고 일반적으로는 증류수가 이용되고 있다. 사용되는 초음파의 주파수는 수 MHz 로부터 수 GHz 까지이나 피검체의 검출 사이즈나 깊이에 따라서 최적의 주파수를 선택한다. 이 장치의 특징은 물질 내부 구조의 관찰이나 탄성 표면파의 음속을 추정할 수 있기 때문에 비파괴검사나 재료의 특성 평가에 이용되고 있다.

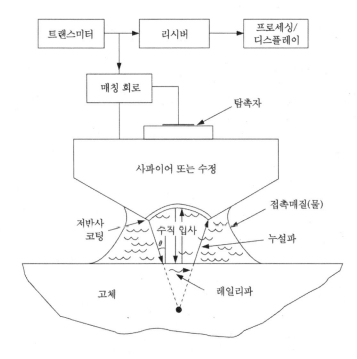

〔그림 8.47〕 초음파현미경의 기본 구성

8.16.2 내부 측정

시료에 입사한 초음파가 내부를 전파하는 과정에서 음향임피던스 차가 있는 경계에서는 초음파의 반사나 산란이 생긴다. 이 변화를 검출하여 영상으로 표시하면 내부 구조를 관찰할 수 있다. 측정 가능한 깊이는 초음파의 반사, 굴절, 산란, 감쇠 등이 관계하기 때문에 정확히는 산출할 수 없다.

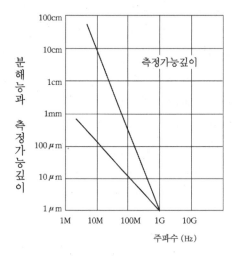

〔그림 8.48〕 초음파의 주파수와 측정 가능한 깊이·분해능과의 관계

그림 8.48은 각종 재료의 측정 결과를 참고하여 추정한 주파수와 측정 가능한 깊이의 관계이다. 주파수를 높이면 분해능이 향상되어 미세 구조의 측정이 가능하게 되나 측정 가능한 영역은 표면 근방으로 이동하게 된다.

8.16.3 V(z)곡선과 음속측정법

음향렌즈와 시료와의 상대적인 위치 관계를 그림 8.49에 나타낸다. 개구각이 넓은 음향렌즈로 방사된 초음파 중에는 시료에 수직 입사하고 경계면에서 반사하여 음향렌즈로 되돌아오는 성분(E-O-E의 경로)과 임계각 근방으로부터 입사하여 탄성표면파로 모드 변환된 파의 일부가 수중으로 누설되어 음향렌즈로 되돌아오는 성분(A-B-C-D의 경로)이 있다.

이 2개 파의 경로 차는 음향렌즈의 De-focusing양 Z에 따라 변화하기 때문에 음향렌즈를 Z축 방향으로 이동하면 2개의 파가 서로 간섭하여 출력 신호가 주기적으로 변화하는 곡선(V(z) 곡선)이 얻어진다. 그림 8.50과 같은 이 V(z) 곡선의 주기로부터 탄성표면의 음속을 정밀하게 구할 수 있기 때문에 미소 영역의 음속계측법으로 이용되고 있다.

따라서 통상의 점집속형 음향렌즈에서는 재료의 음향이방성을 측정할 수 없다. 그것은 측정된 음속이 조사 영역의 평균적인 값이 되기 때문이다. 음향이방성의 측정을 가능하게 하는 것은 비대칭으로 집속된 초음파 빔을 이용하여 일축 방향의 탄성 표면파의 음속을 측정할 수 있어야 한다. 이것을 실현하는 방법으로 음향렌즈 선단(先端)에 슬릿을 삽입하고 미소 영역의 음향이방성의 측정을 가능하게 한 슬릿형 음향렌즈가 개발되었다.

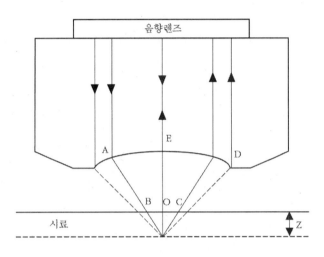

〔그림 8.49〕 음향렌즈와 시료와의 위치 관계

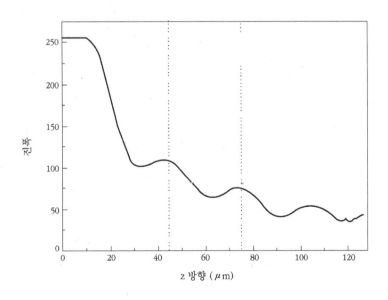

〔그림 8.50〕 V(z) 곡선의 예

8.16.4 탄성표면파 영상의 관찰

일반적으로 초음파현미경의 신호파형에는 버스트파(**burst wave**) 신호가 이용되고 있다. 이 신호파형을 이용하여 상(像) 관찰을 하면 초점위치의 이동으로부터 상의 콘트라스트가 다양하게 변화하기 때문에 상의 해석이 어려워진다. 이것은 시료 표면으로부터의 반사파와 누설탄성표면파와의 간섭이 생겨 상의 콘트라스트가 형성되기 때문이다.

이 간섭에 의해 생기는 콘트라스트를 제거하기 위해 음향렌즈에 입사하는 초음파 신호를 시간상으로 식별하여 영상 표시하는 방법이 시도되고 있다. 그림 8.49에서 A-B-C-D의 경로를 거쳐 음향렌즈에 되돌아오는 파의 시간차 Δt_R을 모식적으로 그림 8.51에 나타내었다. 신호를 받아들이는 시간(게이트 폭)을 시간차 Δt_R 보다도 더 짧게 설정하고 게이트 위치를 a영역, b영역, c영역으로 각각 이동하여 각 영역의 신호를 취득한 상을 나타내면, a영역에서는 표면반사파상, b영역에서는 표면 반사파와 탄성표면파의 간섭상 그리고 c영역에서는 탄성표면파상이 얻어진다. 이 결과 명확한 영상 콘트라스트가 형성되고 영상의 해석이 용이하게 된다.

또 이 방법으로 얻어진 탄성표면파상은 동심원 집속 효과로부터 형성된 초음파 빔에 의해 얻어진 영상이기 때문에 분해능은 탄성표면파의 파장의 40% 정도까지 향상한다.

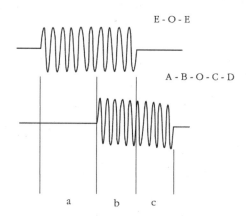

〔그림 8.51〕 경계면 반사파와 누설탄성표면파의 2개 파가
탐촉자에 도달하는 시간차를 나타내는 모식도

8.17 누설 램파법

두 장의 판재를 접합한 재료의 접합계면의 양부 판단에 이용된다. 그림 8.52와 같이 수침 2탐촉자 사각법으로 배열하면 판상 재료에 경사로 입사한 종파가 판두께와 주파수에 의해 결정되는 조건하에서 램파로 변환하여 판재 내부를 전파한다. 누설램파(*leaky Lamb wave*)가 발생하면 반사파의 음장에는 경계면반사파의 성분과 누설파 및 그들과의 위상간섭대(*null* 영역)가 생긴다.

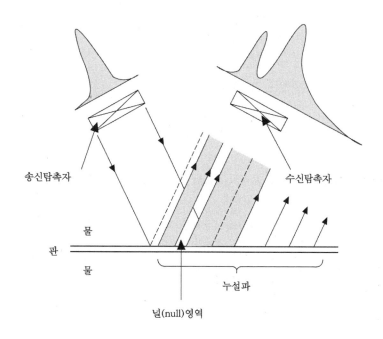

송신탐촉자　　　　　　　　　　　　수신탐촉자

물

판

물

누설파

널(null)영역

〔그림 8.52〕 누설 램파에서 송수신탐촉자의 배열과 널영역

이 널(*null*)영역의 음압은 경계조건의 영향을 강하게 받기 때문에 두 장의 판재를 접착한 재료의 접합면의 상태에 대해 '민감하게 반응한다. 이 때문에 접합계면평가에 기존의 종파탐상법보다 훨씬 유리하다. 알루미늄판에 접착한 40 ㎛ 티탄박막의 접착불량의 진단, 탄소섬유의 1방향 강화적층판 중의 인공박리가 고감도로 검출할 수 있다.

『 익 힘 문 제 』

1. 유도초음파(*ultrasonic guided wave*)의 발생 원리에 대해 기술하시오.

2. 유도초음파의 장단점과 적용 분야에 대해 기술하시오.

3. 유도초음파에는 어떠한 종류가 있는가?

4. 유도초음파의 모드에는 어떠한 종류가 있는가?

5. 분산선도(*dispersion curve*)란 무엇이며 어디에 사용하는가?

6. 군속도(*group velocity*)와 위상속도(*phase velocity*)를 정의하고 무엇이 다른가?

7. 유도초음파의 모드식별(*mode identification*)과 확인 방법에 대해 기술하시오.

8. 전자기음향탐상(*electromagnetic acoustic transducer; EMAT*)법에서 각종 초음파 모드의 발생 메카니즘과 로렌츠힘에 대해 기술하시오.

9. 전자기음향탐상(*EMAT*)법의 장단점과 적용 분야에 대해 기술하시오.

10. 전자기음향공명(*electromagnetic acoustic resonance*)법의 원리와 특징에 대해 기술하시오.

11. 레이저-초음파(*laser based ultrasonic; LBU*)법은 다른 비파괴검사법에 비해 어떤 장단점이 있는가?

12. 전자주사형 초음파탐상기에 사용되는 위상배열(*phased array*)탐촉자의 주된 특징은 무엇인가?

13. 리니어 주사(*linear scanning*)와 섹터주사(*sector scanning*)에 의한 음향의 집속 원리와 차이점을 기술하시오.

14. 초음파탐상검사 결과를 영상화하는 목적을 기술하시오.

15. 초음파탐상검사에서 영상을 표시하는 방법에는 어떠한 것이 있는가?

16. *Nyquist Sampling Theorem*이란 무엇인가?

17. 펄스 압축 기술이란 무엇이며 어떠한 장점이 있는가?

18. 초음파탐상에서 초음파 전파 거동의 컴퓨터 시뮬레이션과 가시화는 어디에 활용될 수 있는가?

19. 초음파 스펙트로스코피(*spectroscopy*)는 무엇이며, 초음파탐상검사에서 어디에 활용되는가?

20. 전문가시스템(*expert system*)이란 무엇이며 초음파탐상검사에서 어떠한 기능을 가져야 하는가?

제 9 장 품질보증과 기술문서

9.1 검사의 신뢰성과 표준화

9.1.1 검사의 신뢰성

여러 가지 비파괴검사 방법 중에서도 초음파탐상의 응용 분야는 점점 넓어져가고 있다. 특히 그 주된 목적은 재료·부품·구조물에 내재하고 있는 유해한 결함을 가능한 한 조기에 검출하여 품질과 안전을 확보하는 것이다. 그리고 중대한 사고를 미연에 방지하기 위해서는 제조 시나 사용 중의 검사가 올바르게 실시되었는지에 대한 탐상의 신뢰성을 반드시 확보해야 한다. 결함을 놓친다든가 결함에코와 의사에코를 잘못 판단한다든가, 결함위치나 크기의 부적절한 평가, 결함의 종류나 등급분류의 잘못된 판정 등이 있어서는 안 된다.

비파괴검사의 신뢰성을 확보하기 위해서는 다음 3가지 조건 중 어느 것이 미흡해도 문제가 생긴다.

① 검 사 원 : 필요한 지식과 기술을 보유하고 있다는 증명 가능한 유자격자가 작업할 것
② 검 사 기 기 : 필요한 성능을 보유하고 있다는 것을 정기 검사로 확인한 검사기기로 작업할 것
③ 검사절차서 : 검사 사양을 검사대상물에 맞게 절차서 문서를 작성하고 그것에 따라 작업할 것

실제 작업 현장에서 검사의 오류가 발생할 수 있는 원인은 산재해 있다. 예를 들면 기기 관리가 철저하지 못해 성능 불량 상태로 방치되어 있다든가 검사원이 자격은 보유하고 있으나 오랜 기간 동안 재훈련의 기회를 갖지 못했다든가, 빠른 속도로 검사하는 것이 장려된다든가 이들 모두가 검사의 오류를 유발하게 되는 동기가 된다. 따라서 검사의 신뢰성을 유지하기 위해서는 앞에 열거한 3가지 조건을 작업 상황에 따라 가능한 한 표준화해 두는 것이 중요하다.

9.1.2 표준화 기구

KSA 3001(품질관리 용어)에서 "표준(***Standard***)"이란 다음과 같이 정의되어 있다. 『관계하는 사람들 사이에 이익이나 편리가 공정하게 얻어지도록 통일·단순화를 도모할 목적으로 물체·성능·능력·동작·절차·방법·수속·책임·의무·권한·사고방법·개념 등에 대하여 정한 기준』 그리고 표준 중에서 주로 물품에 관계하는 기술적 사항을 정한 것을 "규격(Code)"이라 부른다. 다시 말해 공업 제품에 대해 누구나 안심하고 사용할 수 있는 기준을 정한 것을 공업 또는 산업규격(***Industrial Standard***)이라 한다.

산업규격에는 국제규격(ISO, IEC 등), 국가규격(KS 등), 단체규격(각국의 학회/협회 등이 정한 규격, ASME, ASTM 등) 그리고 사내규격(각 기업이 자체적인 효율적 관리의 필요에 의해 정해진 규격) 등의 종류가 있다. 이들은 밀접한 관련이 있고 산업이나 시장의 환경 변화, 기술의 진보 등을 반영하여 신설·개정·폐지 등이 반복되고 있다. 동시에 보통 신중한 심의로 시간이 오래 걸려 일단 제정되면 변경하기가 매우 어려운 특성이 있어 최근에는 다소 불완전한 면이 있어도 우선 제정을 하고 문제가 있으면 짧은 기간 내에 개정을 해가는 경우도 많다.

ISO는 국제표준화기구의 약칭으로 물건과 서비스의 국제 교환을 쉽게 하고 각 분야에서의 국제 협력을 촉진하기 위해 세계적 규모의 규격의 제정을 꾀할 목적으로 1947년에 창립되었다. 법적으로는 각국 정부 사이에 조정이나 승인을 받아야하는 기관은 아니지만 관련 국가/관련 기관으로부터 자문을 받는 지위에 있다. 위원회 아래에는 전문 분야 별로 기술위원회(***Technical Committee; TC***)가 설치되어 있고 비파괴검사는 독자의 전문위원회(TC 135)가 있다. 이 외에도 관련 전문위원회로 용접(TC 44), 원자력(TC 85)분야에 많은 내용이 포함되어 있다.

비파괴검사 전문위원회인 TC 135 산하에는 다음과 같이 8개의 분과위원회(***Sub-Committee; SC***)가 설치되어 있고 SC 내에는 Working Group(WG)이 있다.

① SC 2 : Surface methods (MT/PT)
② SC 3 : Acoustical methods (UT)
③ SC 4 : Eddy current methods (ET)
④ SC 5 : Radiographic methods (RT)
⑤ SC 6 : Leak detection methods (LT)
⑥ SC 7 : Personal Qualification (PQ)
⑦ SC 8 : Thermal methods (TT 또는 IRT)
⑧ SC 9 : Acoustic emission method (AT)

비파괴검사에 관련이 있는 표준화 기구(**standardization organization**)에는 다음과 같은 것이 있다.

   (a)   ASME   : American Society of Mechanical Engineers

   (b)   ASTM   : American Society for Testing and Materials

   (c)   IIW   : International Institute of Welding

   (d)   ISO   : International Organization for Standardization

   (e)   DIN   : German Standards Institution
                          (Deutsches Institut fur Normung)

   (f)   BSI   : British Standards Institution

   (g)   JISC   : Japanese Industrial Standards Committee

   (h)   AFNOR   : French Standardization Body
                          (Association Francaise de Normalization)

   (i)   SAA   : Standards Association of Australia

   (j)   CSA   : Canadian Standards Association

   (k)   CNS   : China Association for Standardization

   (l)   ASNT   : American Society for Non-destructive Testing

   (m)   JSNDI   : Japanese Society for Non-destructive Inspection.

9.1.3 비파괴검사의 규격

한국산업규격(KS)은 1992년 산업표준화법이 제정되었으며 기존의 비파괴검사 분야의 KS규격은 JIS규격을 근간으로 도입·보급되었으나 최근 ISO 국제 규격 부합화 작업으로 KS 규격의 수는 급속히 증가하고 있다. 비파괴검사 규격은 전문적인 독립 규격으로 취급하는 예는 드물고 소재나 구조물의 구조나 보수 규격의 일부로 섞여 있는 것이 많다. 각국의 초음파탐상검사에 관한 규격이 어떻게 제정이 되었고 또 그 적용범위가 어떻게 정해져 있는가에 대해서는 부록의 규격을 참고하고, 중요한 것은 이들 규격 사이에는 복잡한 상관관계가 있고 판정 기준의 레벨을 서로 맞추기도 하고 국제 규격과의 정합을 위해 몇 개의 규격이 동시에 개정되는 일도 종종 있다.

규격은 최소한의 요구 사항을 정하는 것이기 때문에 규격에서 요구하는 것을 기준으로 생산/검사하는 것이 큰 문제는 되지 않으나 그 규격의 적용에 매달려 있다가 만약 승인을 받지 못하게 되는 경우도 있다. 그러나 규격 자체에는 벌칙이 없고 법령에 인용된 경우를 제외하고는 강제력이 없다. 그래서 발주자나 주문자 사이에는 계약 내용이나 적용 규격에 기초하여 기술 문서를 작성하고 신뢰 관계를 보증하며 이들을 잘 실행할 수 있는 관리 체제를 확립해 놓아야 한다. 각 표준화 기구에서 제정되어 사용되고 주요 규격의 구성을 소개하면 다음과 같다.

(1) Standards for Terminology

  (a) Appendix-A of ASME boiler and pressure vessel code (B&PV) :
       Glossary of terms used in non-destructive testing
  (b) DIN54 119(1981)   : Terms and concepts in ultrasonic inspection
  (c) BS3683:Part4(1985) : Glossary of terms used in ultrasonic flaw detection
  (d) ASTM-500(1974)   : Standard definitions of terms of terms relating to
                                      ultrasonic inspection
  (e) JIS Z2300-91   : Glossary of terms used in non-destructive testing

(2) Standard for Equipment

  (a) ISO-2400   : Weld in steel-Reference block for the calibration of
                                      equipment for ultrasonic testing
  (b) JIS Z-2348(1978)   : Calibration block (type A2) used in ultrasonic testing
  (c) BS2704(1978)   : Calibration blocks and recommendations for their use
                                      in ultrasonic flaw detection
  (d) IIS/IIW 278-67(1967) : Recommended procedures for the
                                      determination of certain ultrasonic pulse echo
                                      characteristics by the IIW calibration block
  (e) ASTM E-428(1971)   : Recommended practice for fabrication and
                                      control of steel reference block used in ultrasonic
                                      inspection
  (f) DIN25450-90   : Ultrasonic equipment for manual testing

(3) Standards for Testing Methods

  (a) BS3923(1978)   : Methods for ultrasonic examination of welds
  (b) JIS G 0801(1974)   : Ultrasonic examination of steel plates for pressure
                                      vessels
  (c) DIN 54125(1982)   : Ultrasonic testing of welded joints

(d) ASTM E-164(1974)   : Standard methods for ultrasonic contact
                           inspection of weldments
(e) ASME B&PV Article5 : Ultrasonic examination methods for
                           code(1995), Section V materials and
                           fabrication

(4) Standards for Education, Training and Certification of NDT personnel

(a) DIN54160(1978)   : Requirements for non-destructive testing personnel
(b) ILS/IIW-589-79(1979) : Recommendations relating to the training of
                            non-destructive testing personnel
(c) NDIS 0601-77   : Rules for certification of non-destructive testing
                            personnel
(d) ISO9712(2005)   : General standard for the qualification and
                            certification of non-destructive testing personnel
(e) SNT-TC-1A(1986)   : Recommended practice for non-destructive testing
                            personnel qualification and certification
(f) EN 473(2008)   : General principles for qualification and
                            certification of NDT personnel

(5) Standards for Acceptance and Rejection

(a) ISO 5948-81   : Railway rolling stock material -ultrasonic acceptance
                         testing
(b) BS 5500-94   : Specification for unfired fusion welded pressure
                         vessels
(c) JIS G 0587-87   : Methods for ultrasonic examination for carbon
                         and low   alloy steel forgings
(d) DIN EN 1712-95 : Non-destructive examination of welds-acceptance
                         criteria for ultrasonic examination of welded joints
(e) AS2824-85   : Non-destructive testing-ultrasonic methods-evaluation
                         and quality classification of metal bearing bonds

(6) Accreditation Standards

    (a) ASTM-E543-93   : Standard practice for determining the qualification of non-destructive testing agencies.

    (b) European community : General criteria for the assessment of standard EN 45002 testing laboratories

    (c) EN 45013   : General criteria for certification bodies operating certification of personnel.

    (d) ASTME 994   : Guide for laboratory accreditation systems

    (e) ASTM A 880-89(94) : Practice for criteria for use in evaluation systems

9.1.4 ASME 보일러 압력용기 규격(ASME boiler and pressure vessel code)

Section   Title

  I   Power Boilers

  II   Material Specifications

Part A : Ferrous materials

Part B : Non-ferrous materials

Part C : Welding rods, electrodes and filler metals

  III   Subsection NCA

          : General requirements for division 1 and division 2

  III   Division 1

          Subsection NB : Class 1 components

          Subsection NC : Class 2 components

          Subsection ND : Class 3 components

          Subsection NE : Class MC components

          Subsection NF : Component supports

          Subsection NG : Core support structures

Appendices

  III   Division 2: code for concrete reactor vessels and containments.

IV	Heating boilers
V	Non-destructive examination
VI	Recommended rules for care and operation of heating boilers
VII	Recommended rules for care of power boilers
VIII	Division 1 : pressure vessels
VIII	Division 2 : Alternative rules
IX	Welding and brazing qualifications
X	Fibreglass-reinforced plastic vessels
XI	Rules for in-service inspection of nuclear power plant components

9.2 품질관리 · 품질보증 · 품질시스템

9.2.1 품질관리 · 품질보증

검사의 실무 부문은 결함을 검출하는 기술에만 크게 관심이 있고, 품질 조직 중에서의 기능, 위치나 검사 데이터의 통계적 관리 등에는 별 관심이 없다. 검사 부문에서는 검출하기 어려운 결함을 놓치지 않는 것이 매우 중요한 사명이고, 검사 공정에서는 품질 관리 면에서 매우 중요한 지위를 차지하고 있기 때문에 품질관리 시스템 전체와의 관계를 항상 올바르게 이해해야 한다.

품질관리(*quality control; QC*)의 정의는 「과학적 원리를 응용하여 제품 품질의 유지 · 향상을 기하기 위해 재료나 제품 등의 품질 분석 조사를 하여 생산 공정을 관리해 가는 일」을 말하며, 품질보증(*quality assurance; QA*)은 KS A 3001에 의하면 「소비자가 요구하는 품질이 충분히 갖추어져 있다는 것을 보증하기 위해 생산자가 해야 하는 체계적인 활동」이라고 정의하고 있다. 미국에서는 보일러 · 압력용기의 사고 예방에 활약하고 있는 미국기계학회(*ASME*)가 처음으로 중요 구조물인 원자력 플랜트의 품질 기준을 정하고 QA를 도입하고 있다.

9.2.2 ISO 품질시스템

ISO 9000시리즈 품질시스템(*quality system*) 규격 제정까지의 경위는 대략 다음과 같다. TC 176(품질관리와 품질보증) 전문위원회에서는 제품이나 서비스의 국제적 수요가 점점 활성화되고 있는 가운데 품질을 매매자 간 거래에서 다양한 규정이 존재하면 자유로운 교류가 방해받기 때문에 각국에서는 공통적인 룰을 만들기 위해 1980년부터 심의를 개시하였다. 영국 규격(*BS 5750*)과 미국 규격(*ANSI/ASQC Z 1.15*)을 중심으로 여러 종의 규격을 상정하여 조정한 결과 1987년에 기본이 되는 품질시스템 규격(*ISO 9000-9004*)이 제정되었다.

품질시스템은 『품질관리를 실시하기 위한 조직의 구조, 책임, 절차, 공정 및 경영 자원』이라 정의되며, 품질관리(협의)와 품질보증을 포괄하는 것으로 간주되고 있다.

ISO 품질시스템은 어디까지나 구매자의 입장에서 작성된 품질보증 요구이다. 그래서 제품 그것에 나타난 결과에서가 아니고 설계/제조/검사 그 외의 공정 등과 같은 시스템으로 운영되는 것에 문제가 된다. 시스템은 규정대로 움직이고 있는가를 누구나 알 수 있도록 모두 문서화하는 것이 요구된다. 시스템이 약속대로 움직이고 있는 가를 확인하기 위해 권위있는 제 3자 기관(후술하는 인증기관)으로부터 공인심사원이 신청사업소에 나와 필요한 점을 점검한다.

반드시 작성해야하는 문서는 계층화되어 있고 시스템 운용의 기본을 정한 품질 매뉴얼을 정점으로 각종 사내규격, 각 공정절차서, 작업지시서, 채취 기록/데이터 등을 포함한다. 그들 모든 것에 대한 입장에서 경영자의 품질에 대한 방침과 목표, 또는 품질에 대한 책임을 나타내는 『품질방침』이 명쾌히 표명되어 있어야 한다. 그리고 작성 문서대로 시스템이 움직이고 있는 가 어떤가는 감사를 받는 부문에 직접 책임을 갖지 않는 다른 부문의 멤버로 구성하는 팀에 의해 일상적인 내부 감사를 받을 필요가 있다.

품질시스템에 의한 신뢰 관계의 중심이 되는 것은 각국에 국가적 규모로 설립된 인증기관이 된다. 아래는 산업 분야 마다 심사 등록 기관이 설립되어 심사를 받으려하는 기업(공급자)에 대한 요구사항의 적합을 심사한 후 합격하면 어떤 종류의 품질시스템에 적합한 인증·등록이 주어진다. 년 1회-2회의 계속(*follow-up*) 감사로 전회 지적사항의 추적 수정을 확인하고 시스템 유지가 특히 중시된다.

ISO 품질시스템에서는 어느 면에서도 기술문서가 차지하는 비중이 비약적으로 높아지지 못하고 있고, 무의미한 서류의 홍수로만이 아니라 문서화와 내부 감사의 바람직한 순환에 의해 경영의 효율화와 충실한 정보관리가 요망되고 있는 것이다.

9.3 NDT 기술문서

품질에 관련하여 기술적인 사항을 정한 문서를 기술문서라 하고 주로 사양서, 절차서(요령서), 지시서를 말한다. 그 외에도 다양한 사내 규격이나 기준 또는 규정, 시방서 등이라 불리는 문서도 있으나 공적인 규격, 외국어와의 대응이나 정의의 모호함 때문에 여기서는 다루지 않는다.

9.3.1 사양서

발주의 경우 구입자 측으로부터 요구 내용을 보증하는 기술적인 요구사항에 대해 성문화한 것을 사양서(*specification*)라 한다. 다시 말해 『물건』을 살까 또는 서비스를 받을까 할 때, 어떠한 기능이 요구되고 있는가? 또는 무엇을 어떻게 할 작업을 의뢰할 것인가의 조건을 오해 없이 간결하게 표현하는 것이 사양서이다.

일반적으로 발주자는 수주자에게 견적의뢰서와 사양서를 제시하고 수주자는 그것에 해당하는 견적서와 견적 사양서를 발주자에게 제공한다. 발주자가 제시한 사양서의 조건에 무리가 있다든가 사양서와는 별도의 방법으로 요구사항을 충족시키기를 원할 경우 수주자는 견적 사양서에 수정 제안을 제시하고 동시에 이에 근거한 비용의 견적서를 제시하게 된다. 양자 간에 기술 내용이나 가격에 관해 약간의 접촉이 있은 후 합의가 되면 발주자는 주문서를 발행하고 수주자와 정식으로 계약한다.

기계 · 제품 · 공구 · 설비 등에 관련하는 일반 사양에서는 요구하는 특정의 형상 · 구조 · 크기 · 성분 · 능력 · 정밀도 · 성능 · 제조방법 · 검사방법 · 포장방법 · 표시방법 등 필요사항을 열거하는 것이 통례이다. 검사사양서에는 다음과 같은 항목이 기재되어 있다.

① 검사대상물
    대상물의 명칭, 용도, 설치 장소, 소유자, 크기, 형식, 사용 재료 용접부의 경우 용접 방법(개선 형상, 용접 재료, 용접 방법 등)
② 발주하는 내용
    검사해야할 부위 또는 용접부, 검사 실시 장소, 개시 시간, 종료 시간 등
③ 적용하는 검사방법과 탐상 기술자의 자격 및 적용 규격
    검사방법, 적용해야 할 규격 및 관련하는 문서, 탐상기술자의 자격,
    필요하면 원하는 사용 기재의 개요.
④ 합부 판정 기준과 판정 후의 표시 방법 및 처치
    검출 레벨, 합부 판정을 지시하는 결함 등급, 합부 판정 후의 표시 및

처치 방법, 재검사 방법
⑤ 보고서
제출해야 할 보고서의 종류, 제출 시기, 제출 부수, 제출처 등
⑥ 품질보증 조항(품질보증을 할 때)
품질보증 상의 수속(품질보증 매뉴얼의 제출), 공장 심사,
그 외 제출 문서 등

9.3.2 절차서

업무 과정에 반복되는 일의 취급 방법을 통일하기 위해 정해진 작업 순서를 문서화 한 것을 절차서(*procedure*)라 한다. 동시에 발주자로부터 받은 사양서에 대해 수주자는 내용을 해석하고 구체화한 것이기 때문에 발주자와의 협의용으로 작성한 문서를 말한다.

검사 절차로 구한 내용은 검사사양서와 거의 동일하고 각각의 항목에 구체성을 요구하는 것이 다르다. 예를 들면 검사원은 실제로 담당하는 자의 이름, 자격인증번호 등의 일람을 첨부하고 사용 기재는 각각의 제작사, 사양(필요하면 성능의 요점) 등을 명기하고 탐상 방법은 도면에 첨부하는 것 등이 일반적이다.

규격·사양서를 실제 탐상에서 어떻게 적용하는가에 대해 기술한 것이 절차서이므로 절차서는 검사대상물마다 개별적으로 작성하는 것이 원칙이다. 그러나 실제로는 대상물이 다양해도 절차서 기술에는 공통적인 내용이 많게 되므로 이 부분만을 정리하여 기준 절차로 하고 대상별 개별 절차에 대해서는 기준 절차를 참고하여 부족한 부분 또는 수정 적용할 부분을 보완하면 된다. 예를 들면 다음과 같이 초음파탐상 기준 절차를 2가지로 쉽게 나눌 수 있다.

① 수직탐상 기준 절차
(수직탐상에 관한 공통적인 기본 절차만을 총괄적으로 기술)
② 사각탐상 기준 절차
(사각탐상에 관한 공통적인 기본 절차만을 총괄적으로 기술)

이 외에 단조품 수직탐상이나 건축 각주 용접부 사각탐상 등과 같이 그 사업소에서 적용 빈도가 높은 대상물이 있으면 각기 기준 절차를 작성하는 예도 있다. 업무에 적합한 절차서 관리방법을 확립하는 것은 비파괴검사 기사의 중요한 임무이다.

9.3.3 지시서

작업자에 대해 개별 대상물에 적용하는 상세 작업 조건을 공통 작업 조건과 관련하여 알기 쉽게 지시하는 문서를 지시서(***instruction***)이라 한다. 지시서는 절차서를 더 상세하게 알기 쉽게 설명한 문서이므로 절차서 보다 그냥 자세히 길게 설명해 놓은 글로 생각하면 잘못이다. 지시서는 작업자가 실제로 눈앞에서 하고 있는 대상물을 구체적으로 어떻게 탐상할 것인가를 기술한 것이기 때문에 매우 좁게 한정된 범위에 대해 간단명료한 표현이라야 한다. 보통 1-2항으로 완결하는 것이 바람직하고 경우에 따라서는 현장에서 기록하는 검사성적서의 일부가 작업지시서로 써진 것도 있다.

작업의 성격에 따라 절차만으로 현장 작업 지시가 충분하다고 생각할 때는 지시서를 만들지 않는다. 그러나 검사원 중에 초심자가 있으면 탐상의 조건 설정이나 절차에 실수를 하기 쉽고, 또 숙련도가 높으면 원칙을 무시하고 자기방식대로 하는 경향이 있어 필요하게 된다. 지시서에는 경우에 따라서 체크 리스트를 첨부하면 관리가 훨씬 충실하게 된다.

9.4 절차서 작성 방법

비파괴검사 기사가 작성해야하는 기술 문서 중에서 가장 대표적인 것이 절차서이다. 절차서는 검사대상물에 대응하여 작성된 것으로 그것에 명칭만 바꿔 넣으면 다 잘 맞게 적용할 수 있는 만능의 모델은 존재하지 않음을 알아야 한다. 따라서 작성하는 기술자는 『특정 검사 대상에 대한 검사 사양(규격을 포함)을 어떻게 잘 적용해 볼 것인가』에 대해 답을 주는 문서이다.

초음파탐상 절차서의 일반적인 작성 방법은 다음과 같다.(여기서는 기준 절차와 개별 절차를 구별하지 않고 주어진 검사 대상물에 대해 절차서를 작성해 가는 통상의 순서와 방법을 나타낸다)

(1) 표제

검사 대상물과 탐상 방법을 정하고 다른 절차서와 혼용하지 않는 문장 제목을 부친다.
예 : ○○수력발전소 · 수압 강관 용접부 · 초음파탐상검사 · 절차서

(2) 적용 범위

다음 사항을 포함하는 단문으로 정리한다.
① 대상물 명칭
② 재질 · 크기 · 형상(재질은 재료 규격에 의한 분류 종별, 형상은 판/관 등의 종류 별)
③ 검사 대상 부위(대형 구조물에서는 대상 부위를 특별히 정함,
　　　　　　　　용접부는 용접 관리 번호 등)
④ 탐상 방법(수직/사각/자동 등)
⑤ 검사 실시의 시기(검사 사양 지정의 공기)

(3) 적용 규격

관련 사양서나 도서 등을 항목 이름의 하나로 하는 경우도 있다. 보통 다음 순서로 절차서 작성의 근거가 되는 문서를 나열한다.

① 공적 규격(ISO, JIS/사양서/지침서 등, MIL, ASME 등)
② 발주처 사양(KEPIC 공통 규격 등)
③ 그 외(계약 내용에 의한 발주처가 특별히 정한 사양)

(4) 검사원

작업 종사원의 이름, 자격의 식별, 인증 번호 등을 병기 한다. 교체, 보충 요원을 포함하여 작업을 담당할 가능성이 있는 자를 전원 올린다. 유자격자는 최소한의 조건이므로 『검사 대상의 특성에 충분한 지식을 가지고 있을 것』을 부기한다. 공사 규모가 커 사람 수가 많을 경우는 선정 원칙만 기록하고 상세는 첨부 자료에 의한다라고 해도 무방하다.

(5) 사용 기재

기재의 다수는 구입 당시 보다 성능이 열화된다. 여기서 구입 시는 물론 정해진 주기 마다 정기점검을 하고 관리된 기재를 사용하도록 지정하는 것이 중요하다.

① 초음파탐상기 : 제작사, 형식 등
② 초음파탐촉자
③ 표준/대비시험편
④ 접촉매질
⑤ 그 외 기재

(6) 탐상 방법

작업자에게 반드시 주어지는 현장의 상세에 대해서는 지시서로 대신하고 필요 최소한의 요점에 대해서만 스토리를 만들도록 한다. 가능한 한 도면이나 표를 활용하여 설득력을 높이도록 한다. 그 규격이나 사양서 그대로 베끼지 말고 작성자의 해석이나 응용이 쉽게 알 수 있는 내용으로 할 필요가 있다.
용접부 탐상 경우의 예로 대략적인 항목을 나열해 보면 다음과 같다.

① 탐상해야할 부위, 시기(고장력강에서는 용접 24시간 후 등)
　탐상부위(가능한 한 도면 첨부), 탐상면과 그 범위 등
　탐상방향(가능한 한 도면 첨부)
② 탐상감도(거리진폭특성곡선, 에코높이구분선의 규정을 포함), 검출레벨,
　이방성 보정, 수정 조작(표면거칠기, 곡률, 감쇠)
③ 탐상감도 체크(체크 결과의 기록/보고를 포함)
④ 탐상면의 준비(표면 상태의 판단 등)
⑤ 주사범위, 주사방법(주사기준선과 주사범위, 주사방법/패턴)

⑥ 그 외(탐상속도, 방해에코와 결함에코의 판별, 주사 치구의 적용법 등 탐상 시의 부대조건)

(7) 결함의 평가 방법

검출레벨을 초과하는 결함에코의 평가방법에 대해 기술한다. 최대 에코높이의 영역과 지시길이를 측정 평가하고 등급 분류하는 절차에 대한 설명은 그림이나 표를 병용하는 것이 일반적이다.

(8) 기록

규격 및 사양서에 의해 기록해야할 결함이 지정되고, 특히 그것이 검출레벨과 다른 경우는 반드시 기록 방법을 기술한다.

(9) 합부판정기준 및 판정

규격 및 사양서(특기 사항을 포함)에 의한다. 응력이나 피로가 관련하는 조건에 따라 분류된 판정기준이 적용되는 기준도 있다. 이 부분은 규격 및 사양서를 그대로 따라도 좋다.

(10) 보수 후 재검사

보수 후 재검사는 최초의 검사와 동일한 절차로 하고, 양자의 결과를 병기하는 것을 지정하는 것이 보통이다.

(11) 보고

보고서의 작성방법, 부수 등을 기술한다.

(12) 그 외

그 외『협의사항』이 있을 수 있다. 협의가 필요한 경우 정의, 협의의 방법, 협의 결과의 유효성, 협의기록의 교환방법 등을 정한다. 중요한 것은 발주자나 수주자의 창구를 누가 담당할 것인가를 명확하게 하고 구두로 결론을 내리지 않고 서면으로 협의 과정을 남겨 당사자를 구속하는 것이다. 또 협의사항 이 외에도 불합격부를 검출했을 때 해당 부분에 마킹 방법이나 보수 방법을 정하게 하는 것도 있다.

9.5 실증 검사 보고서

명확한 검사 규격이 없는 재료/부품/구조물에는 절차서 작성자 자신이 탐상 절차서를 만들어야 한다. 예를 들면 밸브 부품을 초음파탐상 검사할 때 어느 부분에 어느 방향으로 결함이 발생하기 쉬운가, 수직탐상과 사각탐상 또는 그들의 조합 중 어느 것이 결함 검출에 최적인가, 수직탐상에서는 수침과 직접 접촉 중 어느 것이 유리한가, 탐상기/탐촉자는 무엇을 사용할 것인가, 인공결함 시험편은 어떻게 가공할 것인가, 검출한 결함을 어떻게 평가할 것인가, 합격 불합격을 어떻게 판정할 것인가, 등등 과제가 복잡하게 된다.

이들을 정리하여 순서를 생각하고 탐상 순서를 정리한다. 그러나 책상 위에서 생각했던 것만큼 실제 탐상이 쉽지 않기 때문에 현장으로부터 제품 1개를 채취하여 인공결함 시험편을 비교해가며 절차서 대로 탐상이 유효한지 어떤지를 검사해본다. 그 결과를 기록으로 남기고 부적절했던 점에 대해서는 절차서를 수정한다. 도중에 생각해 왔던 그 외의 방법도 포함하여 필요하면 수정된 절차서에 근거하여 또 한 번의 탐상을 해본다. 이와 같은 과정을 실증검사(*demonstration test*)이라 하고 그 기록을 실증검사보고서라 부른다.

특별한 탐상의 경우 절차서의 보증을 위해 확인검사를 하여 실증검사보고서가 요구되기도 한다. 또 심사할 때 절차서 작성자가 절차서대로 탐상 가능하다는 것을 심사원의 면전에서 시행이 요구되기도 한다. 이들은 절차서가 명목상의 형식으로 끝나지 않고 가장 현장에 적합한 것으로 언제 어디서도 실증이 가능해야 한다라는 대원칙을 나타내고 있다. 다시 말해 탐상 절차서는 실증검사보고서와 일치되었을 때부터 신뢰성이 확보된다.

『익힘문제』

1. KSA 3001(품질관리 용어)에서 "표준(*Standard*)"과 "규격(*Code*)"은 어떻게 정의 되는가

2. 비파괴검사의 신뢰성을 확보하기 위한 3가지 조건은 무엇인가?

3. ISO에서 비파괴검사는 어느 기술위원회(*Technical Committee; TC*)에 속해 있는가?

4. ISO의 TC 135 산하에 설치되어 있는 8개의 분과위원회(*Sub-Committee; SC*)를 기술하시오.

5. ISO 9712는 무슨 규격인가?

6. ISO 9712에서 규정하고 있는 NDT Level Ⅰ, Ⅱ, Ⅲ의 역할에 대해 설명하시오.

7. 비파괴검사에 관련이 있는 표준화 기구(*standardization organization*)에는 어떠한 것이 있는가?

8. 비파괴검사 분야에서 품질관리(*quality control; QC*)와 품질보증(*quality assurance; QA*)의 정와 차이점은 무엇인가?

9. 비파괴검사 분야에서 품질시스템(*quality system*)을 정의하시오.

10. NDT 기술문서란 무엇이며 어떠한 것이 있는가?

11. 사양서(*specification*), 절차서(*procedure*), 지시서(*instruction*)는 어떻게 다른가?

【 찾아보기 】

■ 著者略歷 ■

한 치 현

- 한양대학교 원자력공학과 졸업
- 카나다 CGSB(R.U.M.P) Sr. Level
- ASNT(R.U.M) Level Ⅲ
- 비파괴검사기술사

現, (주) 삼영검사엔지니어링 대표이사 회장

박 익 근

- 한양대학교 기계공학과 卒
- 한양대학교 대학원 정밀기계공학과(공학박사)
- 펜실베이니아주립대학교 방문교수

現, 서울과학기술대학교 기계공학과 교수

(사)한국비파괴검사학회 부회장 역임

· 이메일: ikpark@seoultech.ac.kr
· 홈페이지: 비파괴평가연구실 http://snde.net

비파괴검사 이론 & 응용 ❸
초음파탐상검사

발 행 일	2012년 3월 1일
제 3 판	2019년 7월 1일
저 자	한국비파괴검사학회
	한치현, 박익근
발 행 인	박승합
발 행 처	노드미디어
등 록	제 106-99-21699 (1998년 1월 21일)
주 소	서울특별시 용산구 한강대로 341 대한빌딩 206호
전 화	02-754-1867
팩 스	02-753-1867
홈페이지	http://www.enodemedia.co.kr
I S B N	978-89-8458-253-8-94550
	978-89-8458-249-1-94550 (세트)

정가 35,000